D1086044

Ces gens qui ont
peur d'avoir peur

...blication de Bibliothèque et
...ada

Aron, Elaine

Ces gens qui ont peur d'avoir peur
Traduction de: The highly sensitive person

1. Sensibilité (Trait de personnalité). 2. Actualisation de soi.
3. Gestion du stress. 4. Stress. I. Titre.

BF698.35.S47A7614 2005 155.2'32 C2004-941903-X

DISTRIBUTEURS EXCLUSIFS:

- Pour le Canada et les États-Unis:
  MESSAGERIES ADP*
  955, rue Amherst
  Montréal, Québec H2L 3K4
  Tél.: (514) 523-1182
  Télécopieur: (514) 939-0406
  * Filiale de Sogides ltée

- Pour la France et les autres pays:
  INTERFORUM
  Immeuble Paryseine, 3, Allée de la Seine
  94854 Ivry Cedex
  Tél.: 01 49 59 11 89/91
  Télécopieur: 01 49 59 11 96
  Commandes: Tél.: 02 38 32 71 00
  Télécopieur: 02 38 32 71 28

- Pour la Suisse:
  INTERFORUM SUISSE
  Case postale 69 - 1701 Fribourg - Suisse
  Tél.: (41-26) 460-80-60
  Télécopieur: (41-26) 460-80-68
  Internet: www.havas.ch
  Email: office@havas.ch
  DISTRIBUTION: OLF SA
  Z.I. 3, Corminbœuf
  Case postale 1061
  CH-1701 FRIBOURG
  Commandes: Tél.: (41-26) 467-53-33
  Télécopieur: (41-26) 467-54-66
  Email: commande@ofl.ch

- Pour la Belgique et le Luxembourg:
  INTERFORUM BENELUX
  Boulevard de l'Europe 117
  B-1301 Wavre
  Tél.: (010) 42-03-20
  Télécopieur: (010) 41-20-24
  http ://www.vups.be
  Email: info@vups.be

Pour en savoir davantage sur nos publications,
visitez notre site: **www.edhomme.com**
Autres sites à visiter: www.edjour.com
www.edtypo.com • www.edvlb.com
www.edhexagone.com • www.edutilis.com

11-2004

L'ouvrage original a été publié
par Birch Lane Press Book,
succursale de Carol Communications Inc.
sous le titre *The Highly Sensitive Person*

Dépôt légal: 1er trimestre 2005

Bibliothèque nationale du Québec

ISBN 2-7619-2043-0

Gouvernement du Québec – Programme de crédit d'impôt pour l'édition de livres – Gestion SODEC – www.sodec.gouv.qc.ca

L'Éditeur bénéficie du soutien de la Société de développement des entreprises culturelles du Québec pour son programme d'édition.

Nous reconnaissons l'aide financière du gouvernement du Canada par l'entremise du Programme d'aide au développement de l'industrie de l'édition (PADIÉ) pour nos activités d'édition.

Elaine N. Aron

Ces gens qui ont peur d'avoir peur

Mieux comprendre l'hypersensibilité

Traduit de l'américain par Marie-Luce Constant

Table des matières

Introduction

« Pleurnichard ! »

« Poule mouillée ! »

« Rabat-joie ! »

Des voix surgies du passé ? Et que dire du jugement de gens bien intentionnés : « Tu es beaucoup trop sensible pour te débrouiller dans la vie ! »

Si vous êtes comme moi, tout cela est du déjà-entendu. Vous avez fini par croire que vous étiez très différent du reste de l'espèce humaine. Quant à moi, j'étais convaincue que ma personnalité présentait une grave anomalie que je devais absolument dissimuler. Naturellement, cela me condamnait à une vie de second ordre. Je me croyais anormale.

En réalité, vous et moi sommes on ne peut plus normaux. Si vous avez répondu par Oui à 14 questions ou plus du test par lequel débute ce livre, ou si la description détaillée du chapitre premier semble vous correspondre (c'est le meilleur test), vous appartenez à un type bien particulier d'être humain. Vous êtes une personne dotée d'une grande sensibilité (dans ce livre j'emploierai le terme « hypersensible » pour qualifier une telle personne). Ce livre a été écrit pour vous.

Il est tout à fait normal de posséder un système nerveux sensible. C'est une caractéristique neutre. Sans doute avez-vous hérité du vôtre. Entre 15 et 20 p. 100 de la population en sont dotés. Étant donné qu'il vous permet de discerner les subtilités de votre environnement, c'est un gros avantage dans maintes situations. Mais il signifie également que vous êtes facilement désorienté lorsque vous baignez dans un milieu extrêmement stimulant, bombardé par le bruit et les effets visuels. Vous êtes alors victime d'un épuisement nerveux. C'est pourquoi il y a des inconvénients et des avantages à être sensible.

Malheureusement, notre culture ne considère pas la sensibilité comme un atout. Vous vous en êtes certainement rendu compte, à vos dépens. Parents et enseignants bien intentionnés ont probablement fait leur possible pour vous aider à la «surmonter», comme si la sensibilité était un défaut. Les autres enfants vous ont mené la vie dure. Et une fois parvenu à l'âge adulte, vous avez sans doute eu des difficultés à trouver la carrière qui vous convenait et à nouer des relations fructueuses. Vous manquez d'assurance et d'amour-propre.

Que vous offre ce livre ?

Dans ce livre, vous trouverez des explications détaillées sur votre trait de personnalité principal, des notions qui n'existent nulle part ailleurs et qui sont le fruit de cinq ans de recherches, d'entretiens approfondis, d'expériences cliniques, de cours et de consultations individuelles avec des centaines de personnes hypersensibles. J'ai également tenté de lire entre les lignes de ce que la psychologie sait déjà sur ce sujet sans l'avoir expressément étudié. Les trois premiers chapitres vous rappelleront les caractéristiques fondamentales de votre sensibilité. Vous y apprendrez à vivre avec l'hyperstimulation et la suractivation de votre système nerveux.

Ensuite, nous examinerons les effets de votre sensibilité sur votre existence, votre carrière, vos relations et votre vie intérieure, en insistant sur des avantages auxquels vous n'avez sans doute jamais pensé. Vous trouverez également des conseils pour surmonter les obstacles auxquels se heurtent régulièrement les personnes hypersensibles, tels que la timidité ou la difficulté de trouver le travail qui leur convient.

Vous allez entreprendre une véritable odyssée. La plupart des hypersensibles que j'ai essayé d'aider grâce au contenu de ce livre m'ont affirmé qu'il avait véritablement changé leur vie. C'est le message qu'ils m'ont priée de vous transmettre.

Si vous êtes moyennement sensible

Tout d'abord, si vous avez ouvert ce livre parce que vous êtes le parent, le conjoint ou l'ami d'un hypersensible, soyez le bienvenu. Votre relation ne peut qu'en bénéficier.

Une enquête effectuée par téléphone auprès de 300 personnes, de toutes les tranches d'âge, choisies au hasard, a révélé que 20 p. 100 d'entre elles étaient très sensibles, tandis que 22 p. 100 des autres étaient moyennement sensibles. Si vous entrez dans cette deuxième catégorie, ce livre vous sera utile aussi.

Notons au passage que 42 p. 100 des répondants se sont déclarés peu sensibles, ce qui nous fournit un indice de la raison pour laquelle les gens très sensibles ont l'impression d'appartenir à un monde entièrement différent du reste de la population. Naturellement, ce sont ces 42 p. 100 qui écoutent la radio à tue-tête ou ne cessent de klaxonner.

Enfin, il est évident que tout le monde peut devenir hypersensible. Prenons, par exemple, quelqu'un qui vient de passer un mois seul dans un chalet au sommet d'une montagne... De plus, notre sensibilité s'accroît avec l'âge. Finalement, qu'ils l'avouent ou non, la plupart des gens possèdent un côté très sensible qui ressurgit dans certaines situations.

Que dire aux moins sensibles ?

Il arrive que les moins sensibles se sentent exclus, vexés à l'idée que les hypersensibles forment une catégorie à part, qui se juge supérieure. Ils s'indignent: « Et moi, alors ? Je ne suis pas sensible du tout ? » L'ennui ici, c'est que le mot « sensible » signifie également compréhensif, conscient. Il n'est pas nécessaire d'être hypersensible pour posséder ces deux qualités, qui sont d'autant plus évidentes lorsque nous nous sentons bien dans notre peau, capables de percevoir les subtilités de l'environnement. Un hypersensible serein est capable d'apprécier les nuances les plus délicates. Mais lorsque notre système nerveux est en état d'hyperstimulation, ce qui est fréquent, nous ne tolérons plus rien. Au contraire, nous nous sentons désorientés et agacés. Nous avons besoin de solitude. Par comparaison, ce sont les personnes peu sensibles qui savent faire preuve de compréhension dans des situations particulièrement chaotiques.

J'ai longtemps réfléchi au nom à donner à cette caractéristique. Je ne voulais pas commettre l'erreur habituelle qui consiste à la confondre avec l'introversion, la timidité, l'inhibition et une pléthore de noms mal choisis, concoctés par les psychologues. Aucun d'entre eux ne reflète les aspects neutres, ou à plus forte raison positifs, de ce trait de personnalité. Le terme « hypersensibilité » traduit bien, de manière objective, la réceptivité plus élevée de ces personnes. C'est pourquoi j'ai jugé qu'il était temps de renverser la vapeur en utilisant un terme dépourvu de préjugés, susceptible d'être interprété à notre avantage.

Notons toutefois que l'hypersensibilité est loin d'être une qualité pour certains. Tranquillement installée chez moi, en train d'écrire ces lignes, je désire préciser ceci. Ce livre, je le sais, engendrera plus que sa part de plaisanteries blessantes et de commentaires douteux sur les hypersensibles. La simple notion de sensibilité déchaîne presque autant les passions que les discussions relatives aux différences de tempérament entre les sexes. (D'ailleurs, on a tendance, bien à tort, à attirer la sensibilité dans ce débat. Bien que les hommes ne soient pas censés posséder cette caractéristique, le nombre d'hypersensibles est aussi élevé chez eux que chez les femmes. Les deux sexes payent cher cette confusion.) Par conséquent, préparez-vous à un tollé lorsque vous aborderez le sujet. Protégez-vous ainsi que votre lucidité toute neuve en éludant la question si vous le jugez prudent.

Enfin, sachez que vous n'êtes pas unique en votre genre, bien au contraire. C'est la première fois que vous communiquez avec un autre hypersensible. Mais ce n'est pas la dernière et notre société en bénéficiera, tout comme nous. Les chapitres 1, 6 et 10 contiennent une explication approfondie de l'importante fonction des hypersensibles dans la société.

Que vous faut-il ?

J'ai constaté que les hypersensibles tiraient profit d'une démarche en quatre étapes. C'est donc celle que suivra ce livre.

1. *Connaissance de soi.* Vous devrez comprendre ce que vous êtes, et ce que cela signifie. À fond. Comment votre sensibilité s'intègre-t-elle à vos autres traits de caractère ? Dans quelle mesure l'attitude négative de la société vous a-t-elle touché ?

Vous devrez également connaître votre sensibilité physique. Ne faites plus taire votre corps lorsque vous le jugez peu coopératif ou faible.

2. *Recadrage.* Vous devrez «recadrer» une large part de votre passé en sachant que vous êtes né hypersensible. Plusieurs de vos «échecs» étaient inévitables parce que ni vous, ni vos parents, ni vos enseignants, ni vos amis, ni vos collègues ne vous ont compris. En replaçant votre vécu dans un nouveau contexte, vous bâtirez votre amour-propre, aspect particulièrement important chez un hypersensible, car il vous permet d'atténuer le sentiment d'hyperstimulation que suscite en vous chaque situation nouvelle (et, donc, particulièrement stimulante).

   Cette remise en contexte n'est toutefois pas automatique. C'est pourquoi vous trouverez, à la fin de chaque chapitre, des «activités» qui faciliteront ce cheminement.

3. *Guérison.* Si vous ne l'avez pas encore fait, le moment est venu de soigner vos blessures les plus profondes. Vous étiez un enfant très sensible; les problèmes scolaires ou familiaux, les maladies infantiles et autres écueils vous ont touché plus que vos pairs. En outre, vous étiez sûrement différent des autres enfants et vous en avez certainement souffert.

   Les hypersensibles qui ressentent les surcharges d'atmosphère répugnent parfois à entreprendre le travail intérieur qui est nécessaire pour guérir les blessures du passé. Prudence et lenteur sont de mise. Mais si vous avez une tendance à la procrastination, vous vous porterez préjudice.

4. *Place dans le monde extérieur.* Vous pouvez, vous devez prendre la place qui vous revient dans le monde extérieur. Il a vraiment besoin de vous. Mais vous devrez apprendre à doser votre contribution. Ce livre, dépouillé des messages confus d'une culture moins sensible, est destiné à vous éclairer la voie.

Vous apprendrez également comment votre sensibilité influe sur vos relations. Nous discuterons de la psychothérapie, des types d'hypersensibles qui devraient suivre une psychothérapie, pourquoi, quel genre et avec qui, et surtout, des différences de traitement pour les hypersensibles. Nous parlerons ensuite de médecine et notamment de médicaments tels que le Prozac, que prennent beaucoup d'hypersensibles. En conclusion, nous savourerons la richesse de notre vie intérieure.

Qui suis-je ?

Je suis psychologue et psychothérapeute, je fais de la recherche, j'enseigne à l'université et j'ai publié un roman. Mais, surtout, je suis moi aussi une personne très sensible. Je n'écris pas du haut de mon savoir, afin de vous aider, pauvre de vous, à vous débarrasser de votre « syndrome ». Je sais par expérience ce que vous vivez. Je connais intimement les avantages et les inconvénients de notre trait de caractère.

Enfant, je fuyais le chaos de la vie familiale. À l'école, j'évitais le sport, les jeux dans la cour et les autres élèves. Quel mélange de soulagement et d'humiliation lorsque ma stratégie réussissait et que j'étais totalement ignorée !

À l'école secondaire, une extravertie me prit sous son aile. La relation se maintint jusqu'à l'université. Au demeurant, je passais les trois quarts de mon temps à étudier. À l'université, la vie devint plus difficile. Après plusieurs faux départs, dont un mariage prématuré qui ne dura que quatre ans, je finis par obtenir mon diplôme à l'université de Berkeley, en Californie. Mais j'avais passé une bonne partie de ces années à pleurer dans les toilettes, persuadée que j'étais folle. (Mes recherches m'ont permis de découvrir que ce « retrait » du monde pour pleurer est une caractéristique des hypersensibles.)

Lorsque j'entamai des études de deuxième cycle, on me fournit un bureau, dans lequel je me retirais souvent pour pleurer et recouvrer mon calme intérieur. Ces réactions m'incitèrent à interrompre mes études après la maîtrise, bien que mes professeurs m'eussent encouragée à poursuivre au doctorat. Il allait me falloir 25 ans pour comprendre ma sensibilité et mobiliser le courage nécessaire pour terminer mon doctorat.

À l'âge de 23 ans, je rencontrai l'homme qui est à présent mon mari et je me retirai, bien protégée, dans un cocon. J'écrivais et j'élevais mon fils. J'étais à la fois enchantée et humiliée de ne pas avoir de vie extérieure. J'avais vaguement conscience d'avoir laissé passer des occasions d'apprendre, de faire apprécier mes compétences, de nouer des relations avec toutes sortes de gens. Mais, comme me l'avait appris mon amère expérience, j'étais convaincue de n'avoir pas le choix.

Il est toutefois impossible d'échapper à certains événements stimulants. Je dus subir une intervention médicale à la suite de laquelle je prévoyais une convalescence de quelques semaines. En réalité, je souffris pendant des mois de séquelles physiques et émotives particulièrement prononcées. Une fois de plus, je dus affronter ce mystérieux « défaut » qui me rendait si différente des autres. Je tentai de suivre un traitement psychothérapeutique et j'eus de la chance. Après m'avoir écoutée pendant quelques séances, ma thérapeute s'exclama : « Mais naturellement que vous étiez perturbée ! Vous êtes une personne très sensible. »

Qu'est-ce que cela ? pensai-je. Une excuse quelconque ? Bien que la psychothérapeute n'eût jamais vraiment étudié la question, son expérience lui avait permis de constater que ses patients réagissaient différemment aux stimuli et que tous ne démontraient pas la même sensibilité à la signification profonde d'un événement, favorable ou non. Je me souviens de son sourire : « En fait, les gens qui me semblent vraiment dignes d'être connus entrent tous dans la catégorie des sensibles. »

Mon traitement s'étala sur plusieurs années fructueuses. Nous remontâmes jusqu'à mon enfance. Mais les effets de la sensibilité devinrent le fil conducteur de la thérapie : mon sentiment d'être anormale, le désir d'autrui de me protéger en échange des fruits de mon imagination, ma compassion, ma créativité et mon intuition, que j'étais d'ailleurs bien incapable d'apprécier. Nous étudiâmes également mon isolement, conséquence de ma sensibilité. Tout en apprenant à me connaître, je devins peu à peu capable de refaire mon entrée dans le monde extérieur. Aujourd'hui, je prends plaisir à participer à la vie autour de moi, à exercer ma profession et à partager avec autrui les bienfaits de ma sensibilité.

Les recherches qui ont produit ce livre

Connaître ma sensibilité a changé ma vie. J'ai donc décidé de lire sur la question, mais j'ai rapidement constaté que presque rien n'avait encore été publié là-dessus. Le sujet le plus proche, pensai-je, était peut-être l'introversion. Le psychiatre Carl Jung avait écrit de sages traités sur ce qu'il appelait la « tendance à se tourner vers l'intérieur ». L'œuvre de Jung, lui-même hypersensible, m'a été d'une aide inestimable. Toutefois, les œuvres plus scientifiques sur l'introversion portaient principalement sur le caractère asocial des introvertis et c'est ce qui m'a incitée à me demander si l'on n'avait pas tort de considérer introversion et sensibilité comme synonymes.

Munie de cette maigre documentation, je décidai de passer une annonce dans le bulletin destiné au personnel de l'université dans laquelle j'enseignais à l'époque. Je demandais à m'entretenir avec toutes les personnes qui se jugeaient hypersensibles à la stimulation, introverties ou portées aux réactions émotives. Je ne tardai pas à crouler sous les réponses.

Quelque temps après, le quotidien local publia un article sur mes recherches. Bien qu'on eût omis de mentionner mes coordonnées, plus d'une centaine de personnes me téléphonèrent ou m'écrivirent pour me remercier, réclamer de l'aide, ou simplement m'informer qu'elles faisaient elles aussi partie de la catégorie des hypersensibles. Deux ans plus tard, je recevais encore du courrier. (Les hypersensibles ont parfois besoin de temps pour se décider à agir !)

À partir des entrevues (je rencontrai 40 personnes pendant deux à trois heures chacune), je confectionnai un questionnaire que je fis circuler en Amérique du Nord. J'organisai également une enquête aléatoire par téléphone, qui me permit de joindre près de 300 personnes. Ce qu'il faut que vous sachiez, à ce stade, c'est que toutes les données que contient ce livre reposent sur des recherches fiables, les miennes et d'autres, ou sur mes propres observations de personnes hypersensibles, pendant les cours, les conversations, les consultations individuelles ou les séances de psychothérapie. J'ai eu des milliers d'occasions d'observer la vie personnelle de personnes hypersensibles. Malgré cela, vous trouverez plus de « probablement » ou de « peut-être » dans ce livre que dans la plupart des ouvrages de vulgarisation, mais je crois que les hypersensibles apprécieront justement cette prudence.

Mes recherches, la rédaction de ce livre et l'enseignement subséquent ont fait de moi une sorte de pionnière. Cela aussi, c'est l'un des points forts des hypersensibles. Nous sommes souvent les premiers à savoir ce qu'il faut faire. Au fur et à mesure que notre confiance en nous grandira, peut-être serons-nous de plus en plus nombreux à nous exprimer… avec sensibilité.

Instructions aux lecteurs

1. Je rappelle que je m'adresse principalement aux hypersensibles. Mais ce livre est également susceptible d'intéresser quiconque souhaite comprendre un hypersensible, à titre d'ami, de parent, de conseiller, d'employeur, d'enseignant ou de professionnel de la santé.
2. Pour comprendre ce livre, vous devrez accepter l'idée que vous présentez une caractéristique commune à bien d'autres personnes. Vous allez donc être étiqueté. D'un point de vue positif, vous commencerez à vous sentir normal, à profiter de la recherche et de l'expérience d'autrui. Mais cette étiquette fait abstraction de votre unicité. Les personnes hypersensibles sont très différentes les unes des autres, en dépit de leur trait commun. Gardez cela à l'esprit pendant votre lecture.
3. La lecture de ce livre vous incitera à repasser votre vie en revue, sous l'éclairage de votre hypersensibilité. C'est normal, c'est même indiqué. L'immersion totale nous facilite l'apprentissage d'une nouvelle langue et nous apprend à utiliser de nouveaux mots pour parler de nous-mêmes. Si les autres se sentent irrités, exclus, inquiets, sollicitez leur patience. Le jour viendra où l'idée aura fait son chemin. Vous en parlerez de moins en moins.
4. Ce livre contient des exercices qui ont été utiles à certaines personnes hypersensibles. Mais cela ne veut pas dire que vous deviez absolument les faire tous pour tirer profit de votre lecture. Faites confiance à votre intuition d'hypersensible.

5. Il est possible que l'une de ces activités suscite en vous une puissante réaction. Si tel est le cas, je vous exhorte à consulter un professionnel. Mais si vous suivez actuellement un traitement psychothérapeutique, le livre s'inscrira très bien dans votre travail psychologique. Il est même possible que certaines idées raccourcissent votre traitement, car elles vous permettront de cerner l'être idéal en vous… non l'être idéal de notre culture, mais le vôtre, quelqu'un que vous pouvez être, que vous êtes peut-être déjà. Souvenez-vous toutefois que ce livre ne remplacera pas un bon psychothérapeute, lorsque la situation deviendra trop intense ou trop confuse.

Pour moi, c'est un moment exaltant que celui où je vous imagine en train de tourner les pages, sur le point de pénétrer dans ce nouveau monde, le mien et le vôtre, le *nôtre*. Après vous être cru seul pendant si longtemps, n'est-il pas agréable d'avoir de la compagnie ?

Êtes-vous hypersensible ?
Questionnaire

Répondez sincèrement à chaque question. Répondez par l'affirmative si cela s'applique dans une certaine mesure à vous. Répondez par la négative si cela ne s'applique pas vraiment ou pas du tout à vous.

– Je suis conscient des subtiles nuances de mon environnement.	Oui	Non
– L'humeur des autres me touche.	Oui	Non
– Je suis très sensible à la douleur.	Oui	Non
– J'ai besoin de me retirer pendant les journées frénétiques, soit au lit, soit dans une chambre obscurcie, soit dans tout endroit où je suis susceptible d'être tranquille et libéré de toute stimulation.	Oui	Non
– Je suis particulièrement sensible aux effets de la caféine.	Oui	Non
– Je suis facilement terrassé par les lumières violentes, les odeurs fortes, les tissus grossiers ou les sirènes proches.	Oui	Non
– J'ai une vie intérieure riche et complexe.	Oui	Non
– Le bruit me dérange.	Oui	Non
– Les arts et la musique suscitent en moi une émotion profonde.	Oui	Non
– Je suis une personne consciencieuse.	Oui	Non
– Je sursaute facilement.	Oui	Non
– Je m'énerve lorsque j'ai beaucoup à faire en peu de temps.	Oui	Non
– Lorsque les autres se sentent mal à l'aise dans leur environnement matériel, je sens en général ce que je dois faire pour les soulager (changer l'éclairage, proposer d'autres sièges).	Oui	Non
– Je perds les pédales lorsqu'on essaie de me faire faire trop de choses à la fois.	Oui	Non
– J'essaie vraiment d'éviter de commettre des erreurs ou des oublis.	Oui	Non

– Je fais en sorte d'éviter les films et les émissions qui contiennent des scènes de violence.	Oui	Non
– Je m'énerve lorsque beaucoup de choses se passent autour de moi.	Oui	Non
– La faim provoque en moi une forte réaction, perturbe ma concentration et mon humeur.	Oui	Non
– Les changements qui se produisent dans ma vie m'ébranlent.	Oui	Non
– Je remarque et j'apprécie les parfums et les goûts délicats, les bruits doux, les subtiles œuvres d'art.	Oui	Non
– Je fais mon possible pour éviter les situations inquiétantes ou perturbatrices.	Oui	Non
– Lorsque je dois rivaliser avec d'autres ou lorsque l'on m'observe pendant que je travaille, je perds mon sang-froid et j'obtiens un résultat bien pire que lorsqu'on me laisse tranquille.	Oui	Non
– Lorsque j'étais enfant, mes parents ou mes enseignants semblaient me considérer comme sensible ou timide.	Oui	Non

COMMENT VOUS NOTER

Si vous avez répondu par Oui à 12 questions ou plus, vous êtes probablement hypersensible.

Mais en toute franchise, aucun test psychologique n'est d'une exactitude absolue. Même si vous n'avez répondu par l'affirmative qu'à une ou deux questions, mais qu'il s'agit d'un oui particulièrement emphatique, peut-être pourriez-vous vous qualifier d'hypersensible.

Poursuivez votre lecture et si vous vous reconnaissez dans la description détaillée du chapitre premier, considérez-vous comme hypersensible. Le reste du livre vous aidera à mieux vous comprendre et à prospérer dans le monde peu sensible d'aujourd'hui.

CHAPITRE PREMIER

Qu'est-ce qu'un hypersensible ? *Quelqu'un qui se croit (à tort) anormal*

Ce chapitre contient une description simple de votre trait de caractère et de la manière dont il vous incite à vous sentir différent des autres. Vous découvrirez aussi les autres aspects de la personnalité dont vous avez hérité. Vous saurez comment votre culture vous considère. Mais tout d'abord, j'aimerais que vous fassiez la connaissance de Christine.

Christine se croyait folle

C'était la vingt-troisième personne que j'interrogeais dans le cadre de mes recherches sur les hypersensibles, une étudiante intelligente, au regard lucide. Mais au bout de quelques minutes, sa voix se mit à chevroter.

— Je suis navrée, murmura-t-elle, mais j'ai décidé de vous rencontrer parce que vous êtes psychologue et que j'avais besoin de parler à quelqu'un capable de me dire…

Sa voix se brisa.

— Suis-je folle ?

Je l'examinai avec compassion. Elle était indubitablement au bout de son rouleau, mais jusqu'à présent, je n'avais noté aucun symptôme de maladie mentale. C'était sans doute parce que déjà, j'écoutais les personnes comme Christine d'une oreille différente.

Elle poursuivit, comme si elle craignait de me laisser le temps de répondre.

– Je me sens si différente. Depuis toujours. Enfin… Je ne veux pas dire… Ma famille était formidable. J'ai eu une enfance idyllique, jusqu'au jour où j'ai commencé l'école. Mais Maman dit que j'étais un bébé grognon.

Elle prit une grande respiration. Je murmurai quelques paroles rassurantes. Elle reprit:

– À la prématernelle, j'avais peur de tout. Même de la musique. Lorsqu'on nous donnait les pots et les casseroles sur lesquels nous devions taper, je me bouchais les oreilles en pleurant.

Elle regarda au loin, les yeux brillants de larmes.

– À l'école primaire, j'étais toujours le chouchou de l'institutrice. Et pourtant, les gens disaient que j'étais «distraite».

Sa «distraction» donna lieu à une désagréable série d'analyses médicales et psychologiques. Tout d'abord, on s'efforça de déterminer si elle était ou non retardée sur le plan mental. Les résultats furent si surprenants qu'elle se retrouva dans un programme pour enfants surdoués! Ce qui ne m'étonna guère.

Malgré tout, les autorités scolaires continuèrent à penser que «quelque chose n'allait pas» chez cette enfant. On examina son ouïe, qui fut jugée normale. En quatrième année, elle subit un balayage du cerveau, quelqu'un ayant émis la théorie que son introversion pouvait être causée par l'épilepsie. Son cerveau était parfaitement normal.

Le diagnostic définitif? Elle avait du mal à «filtrer les stimuli». Mais après avoir subi cette batterie de tests et d'analyses, Christine finit par se persuader qu'elle souffrait d'un handicap mental.

Les hypersensibles: différents des autres et profondément incompris

Le diagnostic n'était pas faux. Les hypersensibles sont assaillis par une foule de messages et perçoivent des nuances qui échappent aux autres. Ce qui semble normal aux autres, la musique forte ou la foule, peut se révéler extrêmement stimulant et, donc, stressant pour les hypersensibles.

La majorité des gens ignorent le vrombissement des sirènes, l'assaut de lumières éblouissantes ou d'odeurs fortes, le tohu-bohu et le chaos. Les hypersensibles, eux, en ressentent une grande perturbation.

À la fin d'une journée passée dans un centre commercial ou un musée, tout le monde a mal aux pieds. La plupart des gens, après un moment de détente, sont prêts à ressortir le soir. Les hypersensibles ont besoin de solitude après une journée de ce genre. Ils se sentent bousculés, stimulés à l'excès.

Lorsque la majorité des gens entrent dans une pièce, ils remarquent le mobilier et les personnes qui s'y trouvent. Point final. Les hypersensibles peuvent percevoir presque instantanément, qu'ils le veuillent ou non, l'humeur des gens, les amitiés et inimitiés, la fraîcheur de l'air ou, au contraire, l'odeur de renfermé, la personnalité de quiconque a arrangé les fleurs dans les vases.

Toutefois, si vous êtes hypersensible, vous aurez du mal à accepter qu'il s'agit là d'un don remarquable. Comment faire pour comparer les expériences intérieures ? Ce n'est pas facile. Tout ce que vous remarquez, c'est que vous tolérez beaucoup moins de choses que ceux qui vous entourent. Vous oubliez que vous appartenez à un groupe qui, à travers les âges, a fait preuve d'une créativité, d'une intuition et d'une passion extraordinaires, un groupe qui est capable de s'intéresser de près aux autres. Toutes ces qualités sont fort prisées par la société.

Mais il nous faut accepter les avantages et les inconvénients de notre trait de personnalité. Nous pouvons aussi être méfiants, introvertis, portés vers la solitude. Parce qu'ils ne nous comprennent pas, les autres nous considèrent comme timides, effacés, faibles ou — et c'est là notre péché capital — peu sociables. La crainte de ces étiquettes nous incite à vouloir être comme les autres. D'où l'hyperstimulation qui engendre le stress. À la suite de quoi, on nous qualifie de névrosés ou de fous. Et nous finissons par croire que nous le sommes vraiment.

L'année dangereuse de Christine

Tôt ou tard, nous devons affronter des événements stressants. Les hypersensibles réagissent beaucoup plus violemment à ces stimuli. Si vous considérez cette réaction comme la manifestation d'une anomalie fondamentale, vous intensifierez le stress déjà présent dans n'importe quelle crise existentielle. Surgiront alors le désespoir et le mépris de soi.

Christine, par exemple, vécut ce genre de crise pendant sa première année à l'université. Elle avait fait ses études secondaires dans un tranquille collège privé et n'avait jamais quitté le domicile familial. Soudain, elle se retrouva parmi des étrangers, à jouer des coudes pour s'inscrire aux cours et acheter ses livres, en état d'hyperstimulation permanente. Puis elle tomba amoureuse, brutalement et profondément (comme cela arrive aux hypersensibles). Peu après, elle se rendit au Japon pour faire la connaissance de la famille de son ami. Elle avait de bonnes raisons d'appréhender ce voyage. Car c'est justement au Japon que survint la crise. Christine perdit complètement pied.

Elle ne s'était jamais jugée particulièrement anxieuse mais soudain, au Japon, elle se retrouva en proie à la panique et se mit à souffrir d'insomnie. La dépression suivit. Effrayée par ses propres émotions, elle perdit toute confiance en elle. Son ami, incapable de faire face à la situation, persuadé que Christine était devenue « folle », décida de rompre. Christine retourna à l'université, mais la crainte s'était insinuée en elle. Persuadée qu'elle allait échouer dans ses études, elle se trouvait véritablement sur le point de perdre la raison.

Elle leva les yeux, après m'avoir raconté en sanglotant toute son histoire.

— Et puis, j'ai entendu parler de ces recherches sur les personnes sensibles. Je me suis demandé si ce n'était pas mon problème. Mais non, ce n'est pas possible ! Ou est-ce que je me trompe ?

Je lui répondis qu'après une si brève conversation, il m'était encore impossible de l'affirmer. Toutefois, j'avais l'impression que sa sensibilité, assaillie par toutes les situations stressantes qu'elle avait vécues, pouvait fort bien se trouver à l'origine de son état d'esprit. J'eus donc le privilège d'expliquer à Christine sa propre nature, qu'on eût dû lui révéler des années auparavant.

Comment définir l'hypersensibilité — deux faits à retenir

*FAIT N° 1 : **Tout le monde, hypersensible ou non, ressent un bien-être maximal lorsque la stimulation n'est ni trop forte ni complètement absente.***

N'importe quel individu profitera au maximum de ses capacités si son système nerveux est modérément activé, quelle que soit la tâche à accomplir : converser à bâtons rompus ou jouer au Super Bowl. Une activation insuffisante nous rend amorphes, inefficaces. Pour pallier ce manque d'enthousiasme, nous buvons du café, allumons la radio, téléphonons à un ami, nouons la conversation avec un étranger, changeons de profession, etc. Tous les moyens sont bons.

À l'autre extrême, l'hyperactivation du système nerveux nous perturbe, nous rend maladroits et sème le désordre dans nos idées. Nous ne parvenons plus à réfléchir, notre corps n'est plus coordonné, nous perdons les pédales. Mais là aussi, nous pouvons remédier à la situation, en nous reposant, en faisant le vide dans notre cerveau. Certains boivent de l'alcool, d'autres prennent du Valium.

La stimulation idéale est un juste milieu. D'ailleurs, le besoin et le désir d'un « degré optimal de stimulation » figurent parmi les plus solides découvertes de la psychologie. Cela s'applique à tout le monde. Jusqu'aux bébés qui détestent s'ennuyer ou, au contraire, qu'on les agace.

*FAIT N° 2 : **Le degré d'activation du système nerveux diffère considérablement d'une personne à une autre, dans la même situation, face aux mêmes stimuli**[1]**.***

Cette différence est en grande partie héréditaire. Elle est également tout à fait normale. On l'observe chez tous les mammifères : souris, chats, chiens, chevaux, singes et humains. À l'intérieur d'une espèce, le pourcentage d'hypersensibles est généralement le même, entre 15 et 20 p. 100. Tout comme certains représentants d'une espèce sont plus grands que leurs congénères, d'autres sont plus sensibles que la majorité. Par un élevage rigoureux, en accouplant les plus sensibles, il est possible de créer une souche d'hypersensibles en quelques générations. C'est pourquoi de tous les traits héréditaires de tempérament, c'est la sensibilité qui engendre les différences les plus évidentes, les plus spectaculaires[2].

Bonnes et moins bonnes nouvelles

La différence dont nous venons de parler signifie que les hypersensibles sont capables de ressentir des degrés de stimulation qui échappent aux autres[3], qu'il s'agisse de lumières ou de sons subtils, ou encore de sensations physiques telles que la douleur. Ce n'est pas que vos sens soient plus acérés que ceux des autres (en fait, beaucoup d'hypersensibles portent des verres). Quelque part, juste avant le cerveau ou dans le cerveau même, les informations reçoivent un traitement plus méticuleux[4]. Les hypersensibles réfléchissent davantage à tout ce qui les entoure. Exactement comme les machines qui trient les fruits en fonction de leur grosseur, les hypersensibles trient les données. Mais là où le reste de l'espèce humaine distingue deux ou trois catégories, nous en découvrons une dizaine.

Cette sensibilisation accrue au monde subtil fait de nous des êtres intuitifs, qui traitent les informations de manière semi-consciente, voire inconsciente. Très souvent, nous « savons », sans comprendre pourquoi ni comment. En outre, ce traitement plus approfondi des détails subtils nous incite à nous interroger davantage sur le passé ou l'avenir. Nous « savons » pourquoi la situation a évolué de telle ou telle manière, nous « savons » ce qui va arriver. C'est ce « sixième sens » dont on parle tant. Il lui arrive de se tromper, naturellement, tout comme nos yeux et nos oreilles peuvent se tromper. Mais notre intuition nous place si souvent sur la bonne voie que nous ne devrions pas nous étonner si les visionnaires, les artistes extrêmement subtils et les inventeurs appartiennent à cette catégorie, de même que des gens consciencieux, sages et prudents.

Les inconvénients surgissent lorsque nous atteignons un degré élevé de stimulation. Ce qui est *modérément* stimulant pour la plupart des gens risque d'être *extrêmement* stimulant pour nous. Ce qui est *extrêmement* stimulant pour la plupart des gens provoque, chez un hypersensible, une réaction brutale. Nous atteignons un seuil de fermeture, appelé « inhibition transmarginale ». Ce phénomène avait été étudié au début du siècle par un célèbre physiologiste russe, Ivan Pavlov, qui était convaincu que la différence héréditaire la plus fondamentale entre les êtres humains était représentée par le degré de stimulation nécessaire pour qu'ils atteignent ce seuil de fermeture. Il avait émis l'idée que si certaines personnes l'atteignaient très rapidement, c'était parce qu'elles étaient munies d'un système nerveux radicalement différent de celui du reste de la population.

Personne n'apprécie la stimulation excessive, que l'on soit ou non hypersensible, car elle nous fait perdre notre emprise sur nous-mêmes, et notre organisme entier nous signale qu'il est en train de s'emballer. Cet état nous empêche de nous concentrer sur notre travail et peut aller jusqu'à présenter un danger. La crainte de l'hyperstimulation peut devenir inhérente à chacun de nous. Étant donné qu'un nouveau-né est bien incapable de fuir ou de se battre, encore moins de reconnaître le danger, il hurle dès que quelque chose de nouveau, de stimulant, s'approche de lui, afin que les adultes puissent venir à sa rescousse.

Tout comme les pompiers, les hypersensibles passent une bonne partie de leur temps à répondre à de fausses alertes. Mais il suffit que notre sensibilité nous ait permis de sauver au moins une vie pour qu'elle ait son utilité génétique. Lorsqu'elle conduit à la stimulation excessive, elle nous gâche l'existence. Mais c'est à prendre ou à laisser, et les avantages l'emportent sur les inconvénients.

Qu'est-ce que la stimulation ?

La stimulation se définit comme n'importe quel phénomène qui éveille le système nerveux, attire son attention, incite les nerfs à envoyer une volée de petites décharges électriques. Bien que nous ayons tendance à considérer la stimulation comme un phénomène provoqué par des circonstances externes, nous ne devrions pas ignorer qu'elle peut émaner de l'intérieur de notre corps (la douleur, la tension musculaire, la faim et la soif, le désir sexuel, etc.)

ou revêtir la forme de souvenirs, de phantasmes, de pensées ou de projets.

La stimulation varie en intensité (exactement comme le bruit) et en durée. Elle peut être ponctuelle, comme lorsque nous sursautons en entendant un cri ou un coup de klaxon, ou complexe, comme lorsque nous essayons d'écouter quatre ou cinq conversations simultanées sur un fond de musique.

Il est possible de s'habituer à la stimulation. Mais même si nous croyons y être accoutumés au point de ne plus réagir, il nous arrive parfois de ressentir un épuisement soudain. Pourquoi ? Parce que nous avons fait l'effort conscient de tolérer quelque chose qui, en réalité, usait nos forces. Il arrive qu'un degré modéré de stimulation, provoqué par une situation familière — une journée au travail, par exemple — oblige un hypersensible à passer une soirée tranquille. À ce stade, le plus « petit » stimulus peut être la goutte qui fera déborder le vase.

Pour compliquer encore les choses, un stimulus identique provoquera des réactions différentes. Par exemple, les foules qui se pressent dans les centres commerciaux avant Noël rappellent à certains d'entre nous d'agréables sorties en famille et sont la manifestation tangible de l'esprit des fêtes. Mais pour d'autres personnes, qui ont été contraintes de faire les magasins pour acheter des cadeaux alors qu'elles n'en avaient pas vraiment les moyens, ou qui n'avaient aucune idée de ce qu'il fallait acheter, les magasins bondés de Noël évoquent de mauvais souvenirs. Pour ces personnes, il s'agit d'une période extrêmement douloureuse.

En règle générale, lorsque nous n'avons aucun moyen d'endiguer la stimulation, ses effets sont d'autant plus désagréables, surtout si nous avons l'impression d'être la victime de quelqu'un d'autre. Même si nous sommes amateurs de musique, le vacarme causé par la stéréo des voisins peut être terriblement agaçant. Si nous leur avons déjà demandé de baisser le son, le bruit revêtira les proportions d'une invasion hostile. Il est d'ailleurs possible que la lecture de ce livre accroisse votre énervement en vous révélant que vous appartenez à une minorité dont les droits à une stimulation plus modérée sont généralement ignorés.

Naturellement, si nous trouvions la lumière, si nous parvenions à nous détacher de toutes ces relations, plus rien ne nous agacerait. Il n'est donc pas étonnant que tant d'hypersensibles s'intéressent aux voies spirituelles.

APPRÉCIEZ VOTRE SENSIBILITÉ À SA JUSTE VALEUR

Essayez de vous souvenir d'occasions où votre sensibilité a épargné, à vous-même ou à quelqu'un d'autre, de la douleur ou une grande perte, où elle a sauvé une vie, la vôtre ou celle de quelqu'un d'autre. (En ce qui me concerne, ni ma famille ni moi n'aurions survécu si je n'avais été éveillée par la première lueur d'un incendie au plafond de ma chambre, dans la vieille maison de bois que nous habitions.)

L'activation du système nerveux diffère-t-elle véritablement de l'anxiété et de la peur ?

Il importe de ne pas confondre activation du système nerveux et peur. Il est de fait que la peur active le système nerveux, mais c'est aussi le cas de maintes autres émotions telles que la joie, la curiosité ou la colère. Nous pouvons également être surexcités par des pensées semi-conscientes ou un degré modéré de stimulation, qui ne provoquent aucune émotion apparente. Nous ne sommes même pas conscients de ce qui nous stimule, qu'il s'agisse de la nouveauté d'une situation, d'un bruit ou des nombreux objets que notre œil perçoit.

En réalité, plusieurs types de circonstances peuvent activer notre système nerveux, que nous en soyons ou non conscients. Tout dépend du moment et de la personne. Nous savons que notre système nerveux est activé lorsque nous rougissons ou frissonnons, lorsque notre cœur bat la chamade, lorsque nos mains tremblent, lorsque notre pensée se brouille, notre estomac chavire, nos muscles se tendent et nos paumes ou d'autres parties de notre corps se mettent à transpirer. Il arrive que ces réactions passent inaperçues des gens mêmes qui les subissent. Inversement, certaines personnes se diront stimulées malgré l'absence de ces symptômes. Mais le terme décrit quelque chose que toutes ces expériences, tous ces états physiques ont en commun. Tout comme le « stress », l'activation est un phénomène que nous connaissons tous, même si ses manifestations varient d'un individu à un autre. Naturellement, le stress est intimement lié à l'activation ; l'un déclenche l'autre.

Dès que nous constatons que notre système nerveux a été activé, nous essayons de donner un nom au phénomène qui l'a mis en branle et de cerner sa source afin de reconnaître le danger. C'est pourquoi nous avons souvent l'impression que c'est la peur qui déclenche tout. Nous ne comprenons pas que si notre cœur bat à tout rompre, c'est simplement parce qu'il s'efforce de traiter une stimulation supplémentaire. Il arrive aussi que les autres nous jugent effrayés, en fondant leur évaluation sur les symptômes évidents d'activation que nous leur présentons. Alors, nous aussi, nous en venons à penser que nous avons peur. Ce qui intensifie encore notre réaction. Nous décidons fermement d'éviter cette situation à l'avenir. Par conséquent, nous ne laissons pas à notre système nerveux la possibilité de s'y habituer et donc, de se calmer. Nous reparlerons au chapitre 5 de cette confusion entre la peur et l'activation, lorsque nous étudierons la timidité.

Notre hypersensibilité fait de nous des êtres véritablement différents des autres

Les différences sont nombreuses, car notre esprit ne fonctionne pas comme celui des autres. Notez toutefois que la liste ci-dessous est une synthèse[5]. Personne ne présente toutes ces caractéristiques. Mais, par rapport aux personnes moins sensibles, la plupart des hypersensibles se reconnaîtront ici.

- Nous sommes plus habiles que les autres à percevoir les erreurs et à les éviter[6].
- Nous sommes extrêmement consciencieux[7].
- Nous sommes capables de nous concentrer profondément (*surtout en l'absence de distractions*)[8].
- Nous sommes particulièrement doués pour les tâches qui exigent de la vigilance, de la précision ou de la rapidité, ou encore pour les travaux qui consistent à détecter des différences mineures[9].

- Nous parvenons à traiter les données à des niveaux plus profonds de ce que les psychologues appellent la « mémoire sémantique »[10].
- Nous réfléchissons souvent à notre propre capacité de réflexion[11].
- Nous apprenons sans nous en rendre compte[12].
- Nous sommes profondément touchés par l'humeur et les émotions d'autrui.

Naturellement, les exceptions ne manquent guère. Nous ne sommes pas tous consciencieux, loin de là. Ne nous vautrons pas dans une autosatisfaction injustifiée, car l'enfer est pavé de bonnes intentions. D'ailleurs, nos qualités ne sont pas toujours évidentes. Nous sommes habiles, certes, mais le simple fait d'être observés, minutés ou évalués nous empêche souvent d'étaler notre compétence. La profondeur de notre réflexion donne aux autres l'impression d'avoir affaire à des gens plus lents, mais avec le temps, nous comprenons et retenons mieux qu'eux. C'est peut-être la raison pour laquelle les hypersensibles apprennent plus facilement les langues étrangères[13] (bien que l'activation de leur système nerveux les empêche souvent de s'exprimer avec aisance).

Je rappellerai au passage que notre habitude de ressasser nos propres réflexions n'est pas un signe d'égocentrisme. Cela signifie que si l'on nous demande de dévoiler nos pensées, nous avons tendance à mentionner les résultats de nos propres cogitations plutôt qu'à faire allusion au monde qui nous entoure. Il est fort possible, d'ailleurs, que nos pensées soient orientées vers les autres.

Notre corps également présente des réactions différentes. Voici ce que notre système nerveux fait de nous.

- Nous sommes des spécialistes des mouvements moteurs subtils[14].
- Nous gardons facilement notre immobilité[15].
- Nous sommes des lève-tôt (*mais les exceptions sont nombreuses*)[16].
- Nous sommes plus touchés que les autres par des stimulants tels que la caféine, sauf si nous y sommes accoutumés[17].

- Nous utilisons surtout l'hémisphère droit de notre cerveau (moins linéaire, plus créatif, capable de synthèse)[18].
- Nous sommes plus sensibles aux particules qui se promènent dans l'air (*mais oui, cela signifie que nous sommes facilement victimes du rhume des foins et d'allergies cutanées*)[19].

Dans l'ensemble, notre système nerveux semble avoir été conçu pour réagir aux expériences subtiles. Il nous faut donc plus de temps pour retrouver notre calme après avoir réagi à des stimuli intenses.

Il convient toutefois de noter que le système nerveux des hypersensibles ne se trouve pas en état d'« activation chronique[20] », dans la vie quotidienne ou pendant le sommeil. Il est simplement activé par un stimulus nouveau ou prolongé. (Les hypersensibles ne sont pas « névrosés », ils n'éprouvent pas une angoisse perpétuelle et apparemment sans raison.)

Comment interpréter nos différences

À ce stade, j'espère vous avoir convaincu des aspects positifs de votre hypersensibilité. Mais j'aimerais que vous essayiez de la considérer comme un trait de caractère complètement neutre. C'est uniquement dans des situations données qu'elle devient un avantage ou un inconvénient. Étant donné qu'elle existe chez toutes les espèces de mammifères, elle doit avoir une fonction précise, dans maintes circonstances. Selon moi, elle survit chez un certain pourcentage de tous les mammifères parce qu'il est utile à une espèce de posséder quelques représentants capables de lire des signaux subtils. Une proportion de 15 à 20 p. 100 semble idéale pour avertir des dangers, repérer les nouvelles sources de nourriture, comprendre les besoins des jeunes et des malades, et interpréter les habitudes des autres animaux.

Naturellement, les personnes moins sensibles, qui n'ont pas une conscience aussi affûtée du danger et des conséquences de chaque action, jouent un rôle aussi crucial au sein de l'espèce. Sans trop réfléchir, ils sont prêts à partir en exploration ou à combattre pour défendre le groupe ou le territoire. Toutes les sociétés ont besoin des deux types. En outre, il est nécessaire que les moins sensibles soient plus nombreux, puisque ce sont eux qui disparaissent les premiers ! Bien sûr, il ne s'agit ici que de conjectures.

Il me semble également possible que l'espèce humaine tire plus de profit de la présence des hypersensibles que les autres espèces. Car par ses caractéristiques, cette catégorie de la population élargit le fossé qui sépare les humains des autres animaux ; nous sommes capables d'imaginer des possibilités. Les humains, hypersensibles notamment, ont une conscience aiguë du passé et de l'avenir. En outre, si la nécessité est mère de l'invention, les hypersensibles doivent consacrer beaucoup plus de temps que les autres à concocter des solutions aux problèmes humains, simplement parce qu'ils sont plus sensibles à la faim, au froid, à l'insécurité, à l'épuisement et à la maladie.

On dit parfois qu'ils sont moins heureux ou moins capables de bonheur que les autres[21]. Il est vrai que nous donnons parfois l'impression d'être malheureux ou mélancoliques, parce que nous passons beaucoup de temps à nous interroger sur le sens de la vie et de la mort, sur la complexité de toutes choses. Nous ne réfléchissons pas en noir et blanc, mais en demi-teintes. Étant donné que la majorité des moins sensibles ne semblent pas goûter cette réflexion existentielle, ils estiment que c'est parce que nous sommes malheureux que nous cogitons autant. Mais ce n'est pas en nous répétant que nous sommes ou semblons malheureux, qu'on nous rendra plus heureux (selon la notion que les moins sensibles ont du bonheur). Toutes ces « accusations » rendraient malheureux n'importe qui.

Aristote savait de quoi il parlait lorsqu'il posa la question : « Qu'est-ce qui serait préférable ? Être un cochon satisfait ou un philosophe insatisfait ? » Les hypersensibles, tels les philosophes, préfèrent être à l'écoute, même si ce qu'ils perçoivent ne leur donne aucune raison de se réjouir.

Je ne veux pas dire par là que tous les moins sensibles sont des cochons ! Je sais pertinemment que quelqu'un m'accusera de vouloir faire des hypersensibles une sorte d'élite. Si tel était le cas, je ne rencontrerais aucun écho chez les hypersensibles, qui commenceraient aussitôt à se sentir coupables de se juger supérieurs. Tout ce que je souhaite, c'est encourager les hypersensibles à se sentir les égaux du reste des humains.

Hérédité et environnement

Peut-être vous demandez-vous si vous avez réellement hérité de ce trait, surtout si vous vous souvenez de l'époque de son apparition ou d'un moment de votre vie où il s'est exacerbé.

Dans la majorité des cas, la sensibilité est héréditaire[22]. Les témoignages, extrêmement probants, émanent d'études de vrais jumeaux qui, bien qu'élevés séparément, ont adopté durant leur croissance des comportements semblables. Cela suggère par conséquent que le comportement est, du moins en partie, déterminé par la génétique.

En revanche, de vrais jumeaux élevés séparément ne présenteront pas forcément tous les deux le même trait de caractère. Par exemple, chaque jumeau aura tendance à acquérir une personnalité semblable à celle de la mère, biologique ou non, qui l'aura élevé. En vérité, la plupart des caractéristiques héréditaires peuvent probablement être rehaussées ou, au contraire, émoussées, voire fabriquées ou éliminées, par le vécu. Il suffit qu'un enfant naisse avec une légère tendance à l'hypersensibilité pour qu'il se renferme dans sa coquille s'il vit une période de stress à la maison ou à l'école. Cela expliquerait pourquoi les hypersensibles sont souvent des benjamins ou des cadets[23]… et n'a strictement rien à voir avec la génétique. Parallèlement, des études portant sur des bébés singes traumatisés par l'éloignement de leur mère ont démontré que les sujets se comporteront, une fois adultes, comme s'ils étaient nés hypersensibles[24].

Il arrive aussi que les circonstances provoquent la disparition de ce trait. Parents, enseignants ou amis exhortent parfois les enfants très sensibles à se montrer plus « coriaces ». La vie dans un environnement bruyant ou populeux, ou au sein d'une famille nombreuse, ainsi que l'obligation de faire du sport peuvent atténuer la sensibilité[25], tout comme des animaux sensibles qui sont abondamment cajolés peuvent abandonner une partie de leur méfiance naturelle, du moins auprès de certaines personnes ou dans certaines situations. Mais il est peu probable que le trait sous-jacent puisse être entièrement neutralisé.

Et vous ?

Il est difficile à un adulte de déterminer si sa propre sensibilité est le fruit de l'hérédité ou de l'environnement. Le témoignage le plus facile à recueillir, bien qu'il soit loin d'être entièrement probant, est celui de vos parents. Se souviennent-ils de vous comme d'un bébé sensible ? Si vous avez la possibilité de leur poser la question, n'hésitez pas. Vous pourriez également vous enquérir auprès des autres personnes qui ont pris soin de vous. Demandez-leur de décrire votre personnalité, pendant les six premiers mois de votre vie.

Vous en apprendrez probablement davantage en évitant de leur demander tout de go si vous étiez un enfant sensible. Les anecdotes qui leur viendront à l'esprit suffiront à vous éclairer. Au bout d'un moment, essayez de détecter dans ces anecdotes les caractéristiques particulières des bébés hypersensibles. Détestiez-vous le changement ? Par exemple, manifestiez-vous votre désapprobation lorsqu'on vous déshabillait pour vous faire prendre votre bain ou lorsqu'on essayait de vous faire goûter à des mets différents ? Le bruit vous gênait-il ? Souffriez-vous souvent de coliques ? Preniez-vous du temps à vous endormir ? Votre sommeil était-il troublé ? Dormiez-vous peu, surtout lorsque vous étiez particulièrement fatigué ?

Si vous étiez enfant unique, il est possible que vos parents n'aient rien remarqué d'inhabituel, simplement par manque d'expérience ou parce qu'il leur était impossible d'effectuer des comparaisons. En outre, compte tenu de la tendance actuelle qui consiste à blâmer les parents pour toutes les difficultés auxquelles se heurtent les enfants, vos parents essaieront peut-être de vous convaincre – et de se convaincre – que vous avez eu une enfance idyllique. Vous pourriez les rassurer, leur affirmer que vous êtes convaincu qu'ils ont fait de leur mieux, que chaque bébé présente des caractéristiques problématiques et que vous aimeriez savoir quelles étaient les vôtres.

Il serait peut-être judicieux de leur montrer le questionnaire qui se trouve au début de ce livre. Peut-être sont-ils eux-mêmes hypersensibles. Peut-être connaissent-ils un membre de la famille qui l'est. Si vous découvrez des hypersensibles dans les deux branches de votre famille, il y a de fortes chances pour que vous ayez hérité de ce trait de personnalité.

Et si cela ne semble pas être le cas? C'est probablement sans importance. Ce qui compte, c'est que vous vous reconnaissiez dans le portrait d'un hypersensible. Ne vous attardez donc pas outre mesure sur le facteur de l'hérédité. Le sujet suivant est beaucoup plus important.

Comment réagit notre culture ? L'ignorance est mère de tous les maux

Nous apprenons ici à considérer notre trait comme une simple caractéristique, ni positive ni négative, utile dans certaines situations, préjudiciable dans d'autres. Mais notre culture ne considère aucun trait de caractère comme neutre. Margaret Mead, célèbre anthropologue, l'a clairement expliqué. Bien que les nouveau-nés, au sein d'une culture, présentent un large éventail de tempéraments héréditaires, seul un pourcentage minuscule de ceux-ci, d'un certain type, constitue l'idéal. Pour reprendre les termes de Mme Mead, la personnalité idéale est enchâssée «dans chaque fil de la trame sociale[26], dans les soins donnés aux jeunes, dans les jeux auxquels les enfants jouent, dans les chansons, dans l'organisation politique, dans les rites religieux, dans les arts et la philosophie». Quant aux autres traits, on les ignore[27], on les étouffe ou, en dernier recours, on les ridiculise.

Quel est l'idéal de notre culture? Les films, les annonces publicitaires, jusqu'à la conception des espaces publics nous affirment que nous devrions être aussi coriaces que Terminator, aussi stoïques que Clint Eastwood, aussi extravertis que Goldie Hawn. Nous devrions être agréablement stimulés par les lumières, le bruit, la convivialité d'un bar où s'empilent des bandes de joyeux drilles. Si nous nous sentons oppressés ou trop sensibles, nous avons toujours la possibilité de prendre un analgésique.

Si vous deviez ne retenir qu'un paragraphe de ce livre, ce serait celui-ci. Xinyin Chen et Kenneth Rubin, de l'université de Waterloo (Ontario) et Yuerong Sun[28], de la Shangai Teachers University, ont comparé 480 écoliers chinois avec 296 écoliers du Canada pour déterminer les traits de personnalité des enfants les plus appréciés de leurs pairs. En Chine, c'étaient les enfants «timides» et «sensibles» que les autres recherchaient comme amis ou camarades de jeux. (En mandarin, pour qualifier quelqu'un de «timide» ou de «réservé», on utilise le mot qui signifie «bon» ou «bien élevé»; «sensible» peut se traduire par un mot qui signifie «quelqu'un qui comprend», soit un compliment.) Au Canada, les enfants timides et sensibles étaient les moins recherchés. Il est fort probable que ce soit là le genre d'ostracisme auquel vous avez dû faire face dans votre enfance.

Vous ne répondiez pas à l'idéal de votre culture et vous en avez certainement souffert. Ce n'est pas seulement la manière dont les autres vous ont traité qui a eu des répercussions sur votre personnalité; pensez aussi à la manière dont vous vous êtes traité vous-même.

Abandonnez le gouvernement de la majorité

1. *Quelle était l'attitude de vos parents à l'égard de votre sensibilité?* Ont-ils essayé de vous la faire perdre ou, au contraire, vous ont-ils encouragé à la garder? La considéraient-ils comme un point faible comme la timidité, le manque de virilité, la couardise, un signe de tempérament artistique, un trait de caractère plutôt attachant? Que pensaient vos autres parents, vos amis, vos enseignants?
2. *Réfléchissez à l'attitude des médias, pendant votre enfance surtout.* Qui étaient vos idoles, vos modèles? Vous paraissaient-ils être hypersensibles? Ou possédaient-ils une personnalité qui, vous le savez désormais, n'aurait jamais pu être la vôtre?
3. *Réfléchissez à votre attitude subséquente.* Dans quelle mesure a-t-elle influencé votre carrière, vos relations amoureuses, vos loisirs, vos amitiés?
4. *En tant qu'hypersensible, quel traitement recevez-vous des médias?* Pensez aux images positives et négatives des hypersensibles. Qu'est-ce qui prédomine? (Notez que le personnage qui joue le rôle de victime, dans un film ou un livre, est souvent décrit comme sensible, vulnérable, facilement excitable. Certes, l'effet dramatique d'une victime ébranlée et terrifiée est toujours excellent, mais il n'est guère favorable à la cause des hyper-

sensibles, que l'on finit justement par considérer comme des «victimes».)

5. *Essayez de dégager la contribution des hypersensibles à la société.* Recherchez des exemples de gens que vous avez connus personnellement ou dont vous avez étudié la vie. Vous pourriez commencer par Abraham Lincoln.
6. *Essayez de dégager votre contribution personnelle à la société.* Quoi que vous fassiez — sculpter, élever des enfants, étudier la physique, voter —, vous réfléchissez profondément à tous les aspects de la question, vous vous préoccupez des détails, vous avez une vision claire de l'avenir et vous vous efforcez d'être consciencieux.

Les préjugés de la psychologie

La recherche psychologique a réuni de précieuses données sur le comportement des humains, données sur lesquelles repose une grande partie de ce livre. Mais la psychologie n'est pas une science exacte. Elle reflète forcément les préjugés de la culture d'où elle est issue. Je pourrais vous donner maints exemples de recherches qui semblent étayer l'idée préconçue que les hypersensibles sont moins heureux que les autres, que leur santé mentale est moins bonne[29], qu'ils sont moins créatifs et moins intelligents (ce qui est tout à fait faux, surtout en ce qui concerne les deux derniers jugements). Mais je préfère garder ces exemples pour entreprendre la rééducation de mes collègues. Rien ne vous oblige à accepter les étiquettes dont on vous affuble : «inhibé», «introverti» ou «timide». La lecture de ce livre vous fera comprendre à quel point elles sont trompeuses. Elles ne reflètent pas l'aspect essentiel de ce trait de personnalité auquel elles donnent des connotations négatives. Par exemple, les recherches ont prouvé que la majorité des gens considéraient l'introversion comme une maladie mentale. Lorsque les hypersensibles s'identifient avec ces étiquettes, leur confiance en eux, déjà moindre, s'évanouit complètement et leur système nerveux s'active dans les situations mêmes où ils se sentent en état d'infériorité.

Sachez cependant que dans les cultures où l'hypersensibilité est plus appréciée, au Japon, en Chine ou en Suède, les recherches adoptent des connotations différentes. Par exemple, les psychologues japonais attendent de leurs patients sensibles un rendement supérieur à celui des autres[30]; et ils ne sont pas déçus. D'ailleurs, ils estiment que c'est le comportement des moins sensibles qui présente une anomalie[31]. Néanmoins, il ne sert à rien de jeter la pierre à la psychologie de notre culture ou à ses chercheurs bien intentionnés, qui font de leur mieux.

Conseillers royaux et rois guerriers

Pour le meilleur et pour le pire, le monde se trouve de plus en plus dominé par les cultures belliqueuses, qui s'ouvrent vers l'extérieur, qui cherchent à s'étendre, à rivaliser avec leurs voisines et à les conquérir. La raison en est simple: lorsque deux cultures entrent en contact, c'est tout naturellement la plus belliqueuse qui l'emporte.

Comment en sommes-nous arrivés là ? Pour la plus grande partie de la planète, tout a commencé dans les steppes d'Asie, berceau de la culture indo-européenne. Ces nomades cavaliers survivaient en s'appropriant de plus en plus de chevaux et de bétail, qu'ils dérobaient généralement à leurs voisins. Il y a environ 7000 ans, ils pénétrèrent en Europe. Un peu plus tard, ils atteignirent le Moyen-Orient, puis le sud de l'Asie. Avant leur arrivée, la guerre, l'esclavage, la royauté, la domination d'une classe sur une autre étaient pratiquement inexistants. Les habitants de ces régions, dans lesquelles le cheval était inconnu, devinrent les serfs ou les esclaves de ces conquérants qui érigèrent des forteresses là où n'existaient auparavant que des villages paisibles. Puis ils entreprirent d'étendre leurs royaumes ou leurs empires par le commerce ou la guerre.

Les cultures indo-européennes les plus durables, les plus fructueuses, ont toujours fait appel à deux classes dominantes: les rois guerriers et les prêtres. Le pouvoir des premiers était contrebalancé par la sagesse des seconds, qui leur servaient de conseillers. L'efficacité du système est incontestable. La moitié du monde parle une langue indo-européenne et, par conséquent, possède bon gré mal gré une mentalité indo-européenne. Expansion, liberté, renommée sont les qualités les plus prisées. C'étaient aussi les valeurs des rois guerriers.

Toutefois, pour qu'une société belliqueuse survive, elle aura toujours besoin de la deuxième catégorie dominante, celle des prêtres-juges-conseillers, qui fait contrepoids aux rois et aux guerriers (tout comme la Cour suprême des États-Unis met en balance le président et les forces armées). C'est un groupe de gens plus réfléchis, qui ont souvent pour tâche de freiner les actions impulsives des rois guerriers. Étant donné que leur jugement se révèle souvent fondé, on les respecte, qu'ils soient conseillers, historiens, enseignants, érudits ou juges. Leur clairvoyance leur permet de songer à la situation du peuple, dont dépend le reste de la société, soit les familles qui cultivent les plantes vivrières et élèvent leurs enfants. Ces conseillers rappellent aux rois les désastreuses conséquences de guerres livrées à la légère et de la mauvaise utilisation des terres.

En bref, les conseillers royaux affirment qu'il est nécessaire de réfléchir avant d'agir. Ils s'efforcent, avec un succès croissant, je crois, dans les sociétés modernes, de détourner de la guerre et de la domination l'extraordinaire énergie de leurs concitoyens. Il est préférable de consacrer cette énergie à l'invention créative, à l'exploration et à la protection de la planète[32], ainsi qu'à l'aide aux déshérités.

Ce sont les hypersensibles qui, souvent, jouent le rôle de conseillers. Nous formons la classe des écrivains, des historiens, des philosophes, des juges, des artistes, des chercheurs, des théologiens, des thérapeutes, des enseignants, des parents et des simples citoyens consciencieux. Nous remplissons notre rôle en réfléchissant à tous les aspects possibles d'une idée. Il nous arrive de nous rendre impopulaires, lorsque nous empêchons la majorité de foncer en avant. C'est pourquoi, afin d'accomplir correctement notre tâche, nous devons être bien dans notre peau. Nous devons ignorer les messages insultants des guerriers. Certes, ils sont ce qu'ils sont et leur audace est utile en son genre. Mais notre contribution n'est pas moins importante que la leur.

Le cas de Charles

De toutes les personnes que j'ai interrogées, Charles est l'un des rares hypersensibles qui, toute sa vie, a su ce qu'il était et considérait ce trait comme une qualité. Les conditions inhabituelles de son enfance et leurs répercussions démontrent l'importance de l'amour-propre et la profonde influence de la culture dans laquelle nous vivons.

Charles est heureux dans son deuxième mariage. Il fait une admirable carrière universitaire, d'enseignant et de chercheur. C'est aussi un pianiste d'un talent exceptionnel. Il est intimement persuadé que ses dons suffisent largement à donner un sens à sa vie. Après qu'il m'eut raconté tout cela, lors de notre première conversation, j'avais hâte de connaître ses antécédents.

Voici son premier souvenir (c'est une question que je pose toujours au cours d'un entretien, car ce souvenir, même inexact, colore en général toute la vie). Il est debout sur le trottoir, derrière une foule qui admire les décorations de Noël dans une vitrine. Il crie : « Reculez, laissez-moi voir ! » Les gens rient et s'écartent pour lui permettre de passer.

Quelle confiance ! Ce courage de s'exprimer avec autant d'audace lui avait sûrement été insufflé à la maison.

Les parents de Charles étaient enchantés de sa sensibilité. Dans leur cercle d'artistes et d'intellectuels, la sensibilité était synonyme d'intelligence, de bonnes manières et de goûts délicats. Loin de s'alarmer en le voyant consacrer le plus clair de son temps à étudier, au lieu d'aller jouer dans la rue avec les autres jeunes garçons, ils l'encouragèrent à lire davantage. Pour eux, Charles était le fils idéal.

Dans cet environnement, Charles avait confiance en ses propres capacités. Il savait que ses parents lui avaient inculqué très tôt un goût sûr et de solides valeurs morales. Il ne voyait rien d'anormal dans son tempérament. Il finit toutefois par comprendre qu'il appartenait à une minorité, mais le milieu dans lequel il vivait était différent des autres et lui avait appris à considérer ce microcosme comme supérieur au reste de la société. Il s'était toujours senti à l'aise parmi les étrangers. Inscrit dans les meilleures écoles préparatoires, il fréquenta ensuite une excellente université de la côte Est, puis décrocha un poste de professeur.

Lorsque je lui demandai quels étaient, d'après lui, les avantages de sa sensibilité, il n'hésita pas à en nommer plusieurs. Par exemple, il était sûr qu'elle avait contribué à faire de lui un bon musicien. Pendant plusieurs années de psychanalyse, c'était grâce à ce trait qu'il avait amélioré sa connaissance de soi.

Quant aux inconvénients, il avait essayé de les atténuer à sa façon. Étant donné qu'il ne tolère pas le bruit, il vit dans un quartier tranquille. Il s'est entouré de musique mélodieuse. Dans son jardin, une fontaine émet des notes cristallines. Il est très émotif et, de temps à autre, il vit des accès de dépression, mais il est capable d'analyser son problème et de le résoudre. Il sait qu'il prend tout trop à cœur et s'efforce de faire la part des choses.

Dans l'ensemble, il réagit à l'hyperactivation par un malaise physique intense dont les effets l'empêchent souvent de dormir. Mais sur le moment, il parvient à se maîtriser suffisamment pour « se comporter d'une certaine manière ». Au travail, lorsqu'il en a par-dessus la tête, il s'en va, « marche jusqu'à l'épuisement » ou joue du piano. Il a délibérément évité une carrière dans les affaires en raison de son hypersensibilité. Lorsque son université lui a offert une promotion qui allait de pair avec un stress trop élevé, il a changé de poste dès qu'il en a eu la possibilité.

Charles a donc articulé sa vie autour de son hypersensibilité. Il se maintient à un degré optimal de stimulation, sans pour autant se juger anormal. Lorsque je lui demandai, comme j'en ai coutume, quel conseil il était prêt à donner aux autres, il m'a répondu : « Passez suffisamment de temps à vous épanouir dans le monde extérieur. Vous n'avez aucune raison de craindre votre sensibilité. »

Et toutes les raisons d'en tirer fierté

Ce premier chapitre vous a peut-être paru très stimulant ! Sans doute ressentez-vous un puissant mélange d'émotions confuses. Je sais par expérience que tout au long de votre lecture, cette confusion s'éclaircira pour engendrer des sentiments positifs.

En résumé, vous captez les nuances subtiles qui échappent aux autres et, tout naturellement, vous parvenez à un degré de stimulation tel que vous vous sentez mal à l'aise. Vous ne pouvez profiter des avantages sans subir les inconvénients. Les uns ne vont pas sans les autres. Mais c'est une combinaison très efficace.

N'oubliez pas que ce livre analyse non seulement un trait inné de votre personnalité, mais encore votre importance sociale, que l'on a tendance à sous-estimer. Vous faites partie des conseillers et des penseurs, des chefs moraux et spirituels de votre société. Vous avez toutes les raisons d'en tirer fierté.

METTEZ À PROFIT CE QUE VOUS VENEZ D'APPRENDRE

Recadrez vos réactions au changement.

À la fin de certains chapitres, je vous demanderai de « recadrer » votre expérience compte tenu de ce que vous aurez appris. Le terme « recadrer » est utilisé en psychologie cognitive pour désigner ce que nous faisons afin de discerner une situation sous un angle différent, comme si nous l'avions dotée d'un nouveau cadre.

Votre première tâche consistera à penser aux trois changements dont vous vous souvenez le mieux. Les hypersensibles ont tendance à résister au changement. S'il leur arrive aussi de l'accepter avec enthousiasme, ils finissent toujours par en souffrir. Même les changements positifs provoquent en nous un certain malaise. Voilà qui peut être exaspérant. Pour vous donner un exemple, lorsque mon roman a été publié, je suis allée en Angleterre pour en faire la promotion. Je vivais là le rêve de toute ma vie. Naturellement, je tombai malade et je ne profitai pratiquement pas du voyage. À cette époque, j'avais jugé qu'il s'agissait d'une réaction névrotique, par laquelle je me « volais » mon moment de gloire. Aujourd'hui, je comprends mieux ce qui m'est arrivé : le voyage s'était tout simplement révélé trop stimulant.

Voilà donc ce que j'entends par « recadrage ». C'est maintenant à vous de jouer. Réfléchissez aux trois principaux changements ou surprises que vous avez vécus. Choisissez-en un – une perte ou la fin d'une relation – qui vous a paru désastreux à l'époque. Choisissez-en un autre, qui aurait dû être neutre, ni bon ni mauvais. Enfin, dégagez-en un bon, quelque chose qui vous a donné l'occasion de vous réjouir, un service que l'on vous a rendu avec les meilleures intentions. Pour chacun d'eux, suivez les étapes suivantes.

1. *Réfléchissez à votre réaction au changement et à la manière dont vous l'avez toujours envisagé.* Avez-vous eu l'impression de réagir « mal » ou différemment des autres ? Votre réaction a-t-elle duré trop longtemps ? Avez-vous jugé que vous ne valiez rien ? Avez-vous essayé de dissimuler votre trouble ? Les autres ont-ils deviné, vous ont-ils déclaré que vous « dépassiez les bornes » ?

   Voici un exemple de changement négatif. Joseph a aujourd'hui 30 ans, mais pendant plus des deux tiers de sa vie, il a souffert d'un sentiment de honte qui remonte à l'époque où il a dû changer d'école primaire, au milieu de sa troisième année. Dans la première école, il était apprécié, en raison de son don pour le dessin, de son sens de l'humour, de son curieux choix de vêtements, etc. Mais dans la nouvelle école, ces qualités firent de lui la cible des petites brutes et des mauvais plaisants. Bien qu'il eût joué l'indifférence, il en souffrit terriblement. À l'âge de 30 ans, il se demande encore s'il n'avait pas « mérité » qu'on se moque de lui. Peut-être était-il véritablement bizarre, « pleurnichard ». Sinon, pourquoi ne s'était-il pas mieux défendu ? Peut-être les insultes reflétaient-elles la réalité.
2. *Interprétez votre réaction à partir de ce que vous avez appris sur le comportement automatique de votre corps*. Pour en revenir à Joseph, je dirais que ces premières semaines à la nouvelle école l'avaient placé en état d'hyperstimulation permanente. Il avait dû avoir des difficultés à inventer de nouvelles blagues, à briller sur les terrains de sport ou en classe, soit les paramètres que les élèves utilisent pour juger les nouveaux venus. Les brutes le considéraient comme une victime facile, qui leur permettrait de paraître coriaces aux yeux des autres. Quant aux autres, ils avaient peur de le défendre. Joseph perdit toute confiance en lui-même, se sentit anormal, dépourvu de qualités. Son système nerveux s'emballait lorsqu'il essayait d'accomplir une nouvelle tâche en présence de ses tourmenteurs. Il ne paraissait jamais décontracté, jamais dans son état normal. Il vécut des moments difficiles, mais il n'avait aucune raison d'en avoir honte.

3. *Pensez à ce que vous pourriez faire aujourd'hui.* Je vous recommande tout particulièrement de faire part de votre nouvelle interprétation à quelqu'un d'autre... sous réserve que cette personne soit capable de l'apprécier. Peut-être pourrait-il s'agir d'un proche qui était présent à l'époque et qui pourrait vous aider à vous souvenir d'autres détails. Je vous conseille également de mettre sur papier votre expérience et sa nouvelle interprétation. Conservez vos notes quelque temps, à titre de rappel.

CHAPITRE 2

Poussons plus loin l'analyse
Vous saurez ce que vous êtes vraiment

Retournons maintenant au commencement afin que vous soyez convaincu de la réalité de votre hypersensibilité. Cette remise en question est essentielle, en raison de la parcimonie des recherches psychologiques. Nous étudierons ici un cas, dans le contexte des témoignages scientifiques qui, pour la plupart, proviennent d'études du tempérament des enfants. Voilà qui est d'autant plus pertinent, car notre étude de cas raconte justement l'histoire de deux enfants.

L'observation de Robert et de Rébecca

À l'époque où je commençai à m'intéresser à l'hypersensibilité, l'une de mes meilleures amies donna naissance à des jumeaux, Robert et Rébecca. Dès le premier jour, il fut évident que chacun possédait un tempérament différent de l'autre. Je ne tardai pas à cerner cette différence, qui réjouit mon âme de scientifique. Non seulement j'allais pouvoir observer de près la croissance d'un enfant sensible, Robert, mais encore j'aurais à ma disposition un « groupe étalon » tout prêt, sa sœur Rébecca.

La naissance des jumeaux dissipa tous les doutes que je pouvais avoir sur le caractère héréditaire de l'hypersensibilité. Dès le départ, les parents se mirent à les traiter différemment. Au début, la sensibilité innée de Robert fut à l'origine de cette différence. (De sexes différents, Robert et Rébecca sont ce que l'on appelle des faux jumeaux, ce qui signifie que du point de vue génétique, ils ne sont pas plus proches qu'un frère et une sœur ordinaires.)

Pour couronner le tout, les stéréotypes habituels se trouvaient inversés: Robert était non seulement le plus sensible des deux, mais aussi le plus petit en taille.

Ne vous étonnez pas si l'histoire de Robert éveille certaines émotions en vous. C'est justement pour que vous vous reconnaissiez dans certains éléments que je vous livre cette analyse détaillée. Il est possible que de vagues souvenirs ou des sentiments qui remontent à une époque plus lointaine que celle dont vous vous souvenez refassent surface. Ne vous inquiétez pas, contentez-vous de les observer. Vous pourriez même prendre des notes qui vous seront utiles lorsque vous parviendrez aux chapitres suivants.

Un sommeil troublé

Au cours de leurs premières semaines, c'était lorsque les jumeaux étaient très fatigués que les différences de tempérament devenaient apparentes[1]. Rébecca s'endormait facilement pour ne plus se réveiller jusqu'au matin. Quant à Robert, si quelque chose troublait son sommeil — l'arrivée de visiteurs, le déplacement de son berceau —, il se réveillait en pleurant pour ne plus se rendormir. Par conséquent, son père ou sa mère devait le promener, le bercer, le cajoler ou lui chanter une berceuse pour lui faire retrouver le calme.

Dans le cas d'un enfant un peu plus âgé, on conseille actuellement de le mettre au lit afin que le silence et l'obscurité apaisent son système nerveux, dont l'hyperactivité est la véritable cause des pleurs[2]. Les hypersensibles ne savent que trop bien ce que j'entends par « trop fatigué pour s'endormir ». En fait, ils sont trop agacés pour trouver le sommeil.

Toutefois, on peut difficilement exiger des parents qu'ils laissent leur nouveau-né hurler pendant des heures. Ce n'est d'ailleurs pas une attitude très recommandable. Il est généralement facile de calmer un bébé par le mouvement. Les parents de Robert découvrirent que le mouvement doux d'une berceuse électrique l'incitait au sommeil.

Ensuite, il fallut trouver le moyen de le tenir endormi. Nous dormons tous par cycles, sommeil léger alternant avec sommeil profond, mais chez les enfants sensibles, les intervalles de sommeil profond semblent moins nombreux et plus brefs que chez les autres. Une fois réveillés, ils ont plus de difficulté à se rendormir. (Cela s'appliquait certainement à vous aussi, même si vous n'en avez pas gardé le souvenir.) Dans le cas de mon fils, lui aussi hypersensible, j'ai fini par résoudre le problème en étendant des couvertures au-dessus de son berceau. Dans cette petite tente, douillette et silencieuse, il s'endormait plus facilement, surtout si nous nous trouvions dans une chambre étrangère. Les enfants sensibles contraignent parfois leurs parents à faire preuve de compassion et d'ingéniosité.

Une nuit, deux enfants

Robert et Rébecca avaient presque trois ans lorsque naquit leur petit frère. Mon mari et moi allâmes passer la nuit chez eux, pendant que leurs parents étaient à l'hôpital. Nous savions que Robert risquait de se réveiller au moins une fois, terrifié par un cauchemar. (Il était beaucoup plus porté aux cauchemars que sa sœur, c'est l'une des caractéristiques des hypersensibles.)

Comme prévu, vers cinq heures du matin, Robert entra dans la chambre en sanglotant doucement. Lorsqu'il aperçut dans le lit des gens qui n'étaient pas ses parents, les pleurs ensommeillés se transformèrent en hurlements.

Je n'ai aucune idée de ce qui s'était passé dans son esprit. Peut-être son cerveau lui avait-il envoyé un message du genre: « Danger ! Maman a disparu ! D'horribles créatures ont pris sa place ! »

La plupart des parents conviennent que la situation s'améliore dès que l'enfant est capable de comprendre les mots. Cela s'applique d'autant plus à un hypersensible, prisonnier de sa propre imagination. Je résolus le problème en glissant quelques paroles douces au milieu de ses sanglots.

Heureusement, Robert a le sens de l'humour. Je lui rappelai que la dernière fois que je les avais gardés, lui et sa sœur, je leur avais servi des biscuits en « apéritif », avant le dîner.

Il ravala ses sanglots, ouvrit de grands yeux, puis sourit. Quelque part dans son cerveau, un nouveau message avait clignoté ; il n'avait plus devant lui un monstre qui avait emporté Maman, mais cette fofolle d'Elaine.

Je lui proposai de nous rejoindre dans le lit, tout en sachant qu'il préférerait retourner dans le sien. Ce qu'il fit aussitôt, et il ne tarda pas à se rendormir.

Au matin, c'est Rébecca qui fit son apparition. Lorsqu'elle constata que ses parents n'étaient pas dans leur lit, elle sourit et s'exclama : « Bonjour, Elaine ! Bonjour, Art ! » Puis elle retourna se coucher. Voilà qui résume bien la différence entre les hypersensibles et les autres.

Il est douloureux d'imaginer ce qui serait arrivé si j'avais réagi à l'arrivée de Robert en lui ordonnant sèchement de se taire et de retourner au lit. Il m'aurait probablement obéi, avec le sentiment d'avoir été abandonné au sein d'un monde hostile. Il n'aurait probablement pas dormi. Son esprit intuitif aurait ressassé l'expérience pendant des heures et l'aurait sans doute incité à se blâmer. Les enfants sensibles n'ont pas besoin de recevoir de coups ou de subir des traumatismes pour avoir peur du noir.

Synthèse du portrait de Robert

Pendant la première année des jumeaux, les parents les emmenèrent à quelques reprises au restaurant mexicain. Le groupe de chanteurs et de musiciens qui s'y trouvait fascinait Rébecca ; mais Robert se mettait à pleurer. L'année suivante, Rébecca découvrit avec émerveillement les vagues de l'océan, les séances au salon de coiffure et les manèges ; Robert en avait peur, du moins au début. Le premier jour d'école prématernelle, à l'occasion de chaque fête et anniversaire, il réagit de la même manière. En outre, il se mit à craindre les pommes de pin, les personnages imprimés sur son couvre-lit, les ombres sur le mur. Aussi étranges et dépourvues de fondement que nous semblent ces terreurs, elles n'en étaient que plus réelles pour lui.

En bref, l'enfance de Robert fut difficile, non seulement pour lui, mais encore pour ses parents, pourtant équilibrés et affectueux. Au demeurant, aussi injuste que cela paraisse, les aspects épineux du tempérament d'un enfant sont d'autant plus évidents lorsque le milieu familial est sain. En d'autres termes, pour survivre, l'enfant fera ce qu'il faut pour s'adapter aux personnes qui s'occupent de lui[3], dissimulant son tempérament qui ressurgira un jour ou l'autre, parfois sous forme de symptômes physiques liés au stress. Mais Robert est libre d'être ce qu'il est, sa sensibilité peut jaillir au grand jour. Il peut exprimer ses sentiments et donc, apprendre ce qui marche et ce qui ne marche pas.

Par exemple, pendant ses quatre premières années, lorsqu'il se sentait dépassé par les événements, il avait tendance à éclater en sanglots furieux. Ses parents l'aidaient patiemment à contrôler ses sentiments. Avec le temps, il devint de plus en plus capable de combattre l'hyperactivation. Lorsqu'il regardait un film qui contenait des scènes effrayantes ou tristes, il apprit à se dire ce que ses parents lui auraient dit: «Ce n'est qu'un film» ou «De toute façon, ça finit bien». Ou alors, il se bouchait les oreilles, fermait les yeux ou quittait la pièce pendant quelques minutes.

Étant plus prudent que les autres petits garçons, il mit plus de temps à acquérir des compétences sportives. Il est moins à l'aise dans les jeux brutaux. Mais il veut être comme les autres, alors il fait des efforts et ses camarades l'acceptent. Jusqu'à présent, il aime l'école, où l'on prend soin de faciliter son adaptation.

Certaines qualités de Robert ne sont guère surprenantes compte tenu de son hypersensibilité; il a une imagination extrêmement fertile, il est attiré vers tous les arts, notamment la musique (c'est une caractéristique de beaucoup d'hypersensibles). Il est amusant et très cabotin lorsqu'il se sent à l'aise dans un groupe. Depuis l'âge de trois ans, il réfléchit «comme un avocat», en notant chaque point avec précision et en établissant de subtiles distinctions. Il s'inquiète des souffrances d'autrui, il est poli, gentil et plein de considération... sauf peut-être lorsque son système nerveux est suractivé. Sa sœur, quant à elle, a de nombreuses qualités dont la moindre n'est pas sa stabilité. C'est le rocher dans la vie de son frère.

Qu'est-ce qui rend Robert et Rébecca si différents l'un de l'autre? Qu'est-ce qui vous a fait répondre par l'affirmative à tant de questions du test qui se trouve au début de ce livre, contrairement à la majorité des gens?

Vous appartenez à une race différente

Jerome Kagan[4], psychologue à Harvard, a consacré une grande partie de sa carrière à étudier l'hypersensibilité. Pour lui, c'est un trait aussi flagrant que la couleur des yeux ou des cheveux. Naturellement, il lui donne d'autres noms – inhibition ou timidité chez les enfants – avec lesquels je ne suis pas d'accord. Mais je comprends parfaitement que vus de l'extérieur, surtout dans le contexte d'un laboratoire, les enfants qu'il étudie semblent surtout inhibés, timides ou timorés. Mais en réalité, il s'agit tout simplement d'enfants sensibles, capables d'observer les autres sans la moindre inhibition et d'analyser toutes les nuances de ce qui se passe autour d'eux.

Kagan suit la croissance de 22 enfants qui présentent ce trait de personnalité. À titre d'étalon, il en étudie 19 qui lui paraissent « non inhibés ». Selon les parents, les enfants dits « inhibés » ont souffert d'allergies, d'insomnie, de coliques et de constipation. À leur première visite au laboratoire, leur rythme cardiaque est généralement plus élevé que celui de leurs camarades mais, en situation de stress, il demeure beaucoup plus stable que celui des autres. (Lorsque le cœur bat déjà très vite, il lui est difficile de battre encore plus vite.) Toujours en situation de stress, leurs pupilles se dilatent plus vite et leurs cordes vocales sont plus tendues, ce qui rend leur voix plus aiguë. (Beaucoup d'hypersensibles seront soulagés d'apprendre pourquoi leur voix acquiert une étrange tonalité lorsque leur système nerveux est activé.)

Les fluides corporels (sang, urine, salive) des enfants sensibles contiennent une teneur plus élevée en noradrénaline du cerveau, notamment après que les sujets ont été exposés à diverses formes de stress en laboratoire. La noradrénaline est libérée à l'activation du système nerveux, c'est l'adrénaline du cerveau. Les fluides corporels des enfants sensibles contiennent également plus de cortisol, non seulement en situation de stress, mais encore dans la vie quotidienne. Le cortisol est l'hormone produite lorsque nous sommes en état quasi permanent d'excitation ou de méfiance. Souvenez-vous-en, car nous en reparlerons.

Kagan a également étudié des nourrissons afin de découvrir ceux qui deviendraient des enfants « inhibés ». Il a constaté que

20 p. 100 des bébés réagissaient violemment lorsqu'ils étaient exposés à divers stimuli. Ils remuaient vigoureusement les bras et les jambes, arquaient le dos comme s'ils étaient irrités ou essayaient d'échapper à la situation. En outre, ils pleuraient souvent. Un an plus tard, les deux tiers des bébés qui réagissaient ainsi étaient devenus des enfants «inhibés», extrêmement effrayés par toute situation nouvelle. Seulement 10 p. 100 demeuraient imperturbables[5]. Par conséquent, il est en général possible d'observer l'hypersensibilité dès la naissance, comme cela a été le cas de Robert.

Ces résultats confirment ce que j'ai déjà expliqué, à savoir que les enfants sensibles présentent une tendance innée à réagir plus violemment aux stimuli externes. Mais Kagan et d'autres chercheurs ont découvert les symptômes physiques de l'hypersensibilité. Par exemple, Kagan a constaté que le côté droit du front des bébés qui allaient devenir des enfants sensibles était plus frais, ce qui suggère la présence d'une activité plus intense de ce côté-là du cerveau. (Le sang est attiré depuis la surface vers le centre de l'activité.) D'autres études ont permis de découvrir que chez beaucoup d'hypersensibles, l'activité était en effet plus prononcée dans l'hémisphère droit du cerveau, notamment chez ceux dont on a pu détecter la sensibilité dès la naissance[6].

Kagan conclut que les personnes qui présentent ce trait — hypersensibilité ou «inhibition» — forment une race à part. Elles sont génétiquement très différentes des autres, bien qu'elles fassent partie elles aussi de l'espèce humaine. Exactement comme un saint-bernard et un berger d'Écosse qui, en dépit de toutes leurs différences, appartiennent tous deux à l'espèce canine.

Mes propres recherches suggèrent également l'idée d'une «race» génétique distincte. L'enquête téléphonique que j'ai effectuée auprès de 300 personnes choisies au hasard m'a permis non seulement de circonscrire la présence d'un groupe distinct, mais encore de noter l'existence d'un continuum. Sur une échelle de 1 à 5, environ 20 p. 100 ont déclaré être «extrêmement» ou «très» sensibles. Vingt-sept pour cent ont affirmé être «modérément» sensibles. Réunies, ces deux catégories formaient un continuum. Ensuite, vient un hiatus très net. Seulement 8 p. 100 se sont déclarés «peu sensibles». Enfin, 42 p. 100 — une tranche énorme — ont affirmé qu'ils n'étaient «absolument pas» sensibles, comme si nous venions de demander à des Lapons leurs meilleures recettes à base de noix de coco.

Après avoir eu des entretiens avec de nombreux hypersensibles, j'ai effectivement fini par les considérer comme un groupe distinct des non-sensibles. Mais il existe bien des degrés et des types de sensibilité. Cette gradation est peut-être imputable aux différentes causes de l'apparition de ce trait de personnalité. Certains types sont plus marqués que d'autres, certaines personnes naissent avec deux types, peut-être trois, et ainsi de suite. En outre, l'expérience et la volonté peuvent accroître ou, au contraire, diminuer la sensibilité. Tous ces effets pourraient contribuer à l'effacement de certaines des frontières qui séparent ce groupe du reste de la population.

Il est indéniable que Robert et Rébecca appartiennent à deux types d'humains très différents l'un de l'autre. Vous aussi, vous présentez des différences bien réelles.

Les deux systèmes du cerveau

Beaucoup de chercheurs pensent que le cerveau contient deux systèmes, dont l'équilibre crée la sensibilité[7]. Le premier, le système d'« activation du comportement » (ou d'« approche » ou encore de « facilitation ») est branché aux parties du cerveau qui reçoivent des messages des sens et transmettent aux membres l'ordre de s'activer. Ce système a pour but de nous pousser vers les nouvelles situations. Il est probablement conçu pour nous inciter à partir en quête des bonnes choses de la vie, telles que de la nourriture fraîche et la compagnie de nos semblables, dont nous avons besoin pour survivre. Lorsque le système d'activation fonctionne normalement, nous faisons preuve de curiosité, d'audace, d'impulsivité.

L'autre système porte le nom d'« inhibition du comportement » (ou de « retrait »). (Vous n'aurez pas de difficulté à deviner quel est celui que notre culture valorise.) Il nous éloigne des situations nouvelles, nous rend attentifs à la présence du danger, nous place en état d'alerte, nous incite à la méfiance, à l'observation des indices. Il n'est guère étonnant que ce système soit rattaché à toutes les parties du cerveau qui, d'après Kagan, sont plus actives chez ses sujets « inhibés ».

Que fait donc ce système ? Il enregistre toutes les données relatives à une situation avant de comparer automatiquement le présent avec ce qui était normal et habituel dans le passé et ce à quoi il faudrait s'attendre à l'avenir. Si l'écart est trop grand, le système nous incite à marquer une pause, en attendant d'avoir analysé la nouvelle situation. Pour moi, il s'agit de l'un des principaux paramètres de l'intelligence ; c'est pourquoi je préfère lui attribuer un nom plus positif, soit le système de « pause réflexion ».

Imaginons maintenant les réactions d'un enfant dont le système de pause réflexion est plus actif que celui de la moyenne. Robert et Rébecca arrivent à l'école un matin. Rébecca voit la même salle de classe, la même institutrice, les mêmes camarades que la veille. Elle court vers eux pour participer à leurs jeux. Robert remarque que l'institutrice est de mauvaise humeur, que l'un des enfants semble irrité et qu'il y a dans le coin des cartables qui n'y étaient pas la veille. Robert hésite et pourrait fort bien décider que la méfiance s'impose. C'est pourquoi la sensibilité, soit le traitement subtil des données sensorielles, représente une fois de plus la véritable différence entre les deux enfants. Selon les définitions traditionnelles, les deux systèmes ont des raisons d'être entièrement opposés qui rappellent le conflit dont j'ai parlé au chapitre précédent, entre la classe des rois guerriers et celle des prêtres-conseillers.

Cette explication bipartite de la sensibilité présuppose également l'existence de deux types différents d'hypersensibles. Certains auraient un système de pause réflexion de puissance moyenne, associé à un système d'activation encore plus faible. Ce type d'hypersensibles pourrait être très posé, très tranquille et se satisfaire d'une vie simple. Comme si les conseillers royaux étaient des moines chargés de diriger le pays. Un autre type posséderait un système de pause réflexion encore plus puissant, associé à un système d'activation presque aussi fort. Ces hypersensibles seraient à la fois très curieux et très méfiants, audacieux et anxieux, facilement blasés et facilement surexcités. Leur degré d'activation optimale représente une bande très étroite. Chez ces personnes, le conseiller avisé est en lutte perpétuelle contre le guerrier, plus impulsif, plus expansif.

Robert, selon moi, appartient à cette catégorie. D'autres enfants, en revanche, semblent si tranquilles, si indifférents à ce qui se passe autour d'eux, qu'ils courent le danger d'être ignorés et négligés[8].

À quelle catégorie appartenez-vous ? Votre système de pause réflexion régit-il votre existence, tandis que votre système d'activation demeure en veilleuse ? Vous contentez-vous d'une petite vie tranquille ? Ou bien vivez-vous un conflit permanent ? Vous élancez-vous constamment vers la nouveauté tout en sachant pertinemment qu'ensuite, vous serez épuisé ?

Vous êtes plus qu'une combinaison de gènes ou de systèmes

N'oubliez pas que vous êtes un être complexe. Certains chercheurs, par exemple Mary Rothbart de l'Université de l'Oregon[9], sont convaincus que l'étude du tempérament des adultes est cruciale, car parvenus à cet âge, nous raisonnons, prenons des décisions et faisons preuve de volonté pour parvenir à nos fins. Rothbart croit que si les psychologues consacrent trop de temps à étudier les enfants et les animaux, ils délaisseront le rôle de la pensée humaine et l'expérience de toute une vie.

Reprenons votre croissance et celle de Robert au point de départ. Étudions l'évolution de la sensibilité à chaque âge, comme le fait Rothbart.

À la naissance, les seules réactions d'un bébé sont négatives : irritabilité, bougeotte. Chez les bébés sensibles, tels que Robert ou vous-même, l'irritabilité et la bougeotte sont simplement exacerbées. Pour reprendre les termes de Kagan, vous réagissez violemment.

À deux mois, environ, le système d'activation du comportement semble se mettre en branle. Vous vous intéressez à tout ce qui est nouveau autour de vous, dans l'espoir de satisfaire vos besoins. Un nouveau sentiment apparaît alors : la colère mêlée d'exaspération si vous n'obtenez pas ce que vous réclamez. Les émotions positives et la colère peuvent donc être présentes, mais le degré auquel vous les ressentez dépend de la puissance de votre système d'activation du comportement. Robert, chez qui les deux systèmes étaient puissants, devint un nourrisson irascible. Mais les bébés dont le système d'activation est faible sont placides et faciles à vivre.

À six mois, votre système automatique de pause réflexion entre en jeu. Vous pourriez comparer vos expériences actuelles avec celles du passé. Si ce que vous vivez en ce moment vous inquiète autant que ce que vous avez vécu, vous devriez ressentir de la peur. Mais votre sensibilité vous a permis de capter de subtiles différences dans chaque expérience. Peut-être craigniez-vous ce qui ne vous était pas familier.

À ce stade, six mois, chaque nouvelle expérience acquiert une grande importance pour les hypersensibles. On comprend comment quelques mauvaises expériences, lors de nouvelles situations, pourraient transformer le système de pause réflexion en véritable système d'inhibition : pour éviter les problèmes, il est préférable de ne rien faire du tout. Naturellement, plus vous vous éloignez du monde extérieur, plus vous avez affaire à des situations nouvelles lorsque vous y faites face. Imaginez à quel point le monde devait sembler terrifiant, lorsque vous aviez six mois.

Enfin, vers l'âge de 10 mois, vous commencez à être capable de déplacer votre attention, de décider si oui ou non vous allez vivre une situation et de cesser un comportement. C'est seulement à ce stade que vous commencez à résoudre les conflits entre les deux systèmes. Voici quel genre de conflit se présente à vous. *Je veux bien essayer ceci ou cela, mais ça me paraît bien étrange.* (À 10 mois, il y a peu de chances que vous soyez en mesure de formuler votre pensée de cette manière, mais c'est en gros ce qui se passe dans votre tête.) Vous êtes capable de prendre des décisions, de choisir l'émotion à laquelle vous obéirez. Dans le cas de Robert, il était facile de suivre le cheminement de sa pensée : « *Bon, d'accord, c'est quelque chose que je ne connais pas, mais je vais tout de même l'essayer.* »

Sans doute avez-vous mis au point votre propre méthode pour neutraliser le système de pause réflexion, s'il a tendance à trop vous ralentir. Peut-être cherchez-vous à imiter ceux dont le système est moins puissant. Vous allez de l'avant, au mépris de votre prudence innée. Peut-être préférez-vous réinterpréter la stimulation afin d'en faire une expérience familière. Le loup qui gronde dans le film n'est, après tout, « qu'un gros chien ». Mais c'est surtout de votre entourage que vient le sentiment de sécurité.

L'aide que la société offre aux enfants terrifiés fait appel à un autre système que Rothbart juge extrêmement développé chez les adultes. Elle apparaît généralement lorsque l'enfant atteint 10 mois. Il commence à nouer des relations, à apprécier la compagnie. Pour que ces expériences sociales soient possibles et utiles, il faut qu'un autre système physiologique entre en jeu, un système auquel les humains sont biologiquement préparés. C'est ce qu'on pourrait appeler le système chaleureux. Il produit des endorphines, soit les produits chimiques du cerveau qui déclenchent le sentiment de bien-être.

Avez-vous pu surmonter votre peur en faisant confiance à d'autres humains ? Qui se trouvait près de vous à ce moment-là ? Vous souvenez-vous d'avoir pensé « *Maman est près de moi, alors je peux essayer* » ? Avez-vous pris l'habitude de vous répéter ses paroles rassurantes, d'accomplir ses gestes calmants ? « *N'aie pas peur, tout ira bien.* » J'ai vu Robert utiliser toutes ces méthodes.

Réfléchissez maintenant à votre enfance. Nous reprendrons cet exercice dans les deux prochains chapitres. Je sais que vous ne vous souvenez pas de grand-chose, mais en vous fondant sur les quelques faits dont vous êtes certain, à quoi a ressemblé votre première année ? Votre réflexion, votre sang-froid influent-ils aujourd'hui sur votre sensibilité ? Dans quelles circonstances parvenez-vous à maîtriser l'activation de votre système nerveux, si tant est que vous y parveniez ? Qui vous a appris à le faire ? Qui étaient vos modèles ? Croyez-vous qu'on vous a appris à juguler votre prudence au point de vous faire adopter des comportements téméraires ? Au contraire, êtes-vous incapable d'imaginer le monde autrement que dangereux ? Êtes-vous incapable de maîtriser votre système nerveux ?

La confiance devient de la méfiance, le décor familier devient dangereux

La plupart des spécialistes du tempérament ont étudié l'activation à court terme. Elle est facile à analyser, car elle se traduit par des symptômes évidents : rythme cardiaque accéléré, essoufflement, transpiration, dilatation des pupilles et production d'adrénaline.

Il existe un autre type d'activation, toutefois, qui est surtout régi par les hormones. Son déclenchement est tout aussi rapide, mais les effets de son produit principal, le cortisol, sont surtout visibles au bout de 10 à 20 minutes. Notons d'ailleurs que lorsque le cortisol est présent, une réaction à l'activation à court terme est encore plus probable. En d'autres termes, l'activation à long terme nous rend encore plus excitables, plus sensibles.

La production de cortisol entraîne des effets susceptibles de se prolonger plusieurs heures, voire plusieurs jours. Étant donné qu'on les mesure principalement en analysant le sang, la salive ou l'urine, l'étude de l'activation à long terme est beaucoup plus difficile. Toutefois Megan Gunnar, psychologue à l'Université du Minnesota, pense que la raison d'être du système de pause réflexion pourrait justement être de protéger l'individu des effets malsains et désagréables de l'activation à long terme.

D'après les recherches, lorsque nous faisons face à une situation nouvelle et potentiellement menaçante, la réaction à court terme se produit immédiatement. Pendant ce temps, nous passons rapidement nos ressources en revue. Quelles sont nos capacités ? Qu'avons-nous appris de ce type de situation par le passé ? De qui pourrions-nous attendre de l'aide ? Si nous nous jugeons ou si nous jugeons ceux qui nous entourent capables de désamorcer le danger, nous cessons de considérer la situation comme une menace. Le système d'alerte à court terme se tait, mais l'activation à long terme demeure vigilante.

Megan Gunnar a démontré ce cheminement par une expérience intéressante[10]. Elle a créé une situation menaçante, semblable à celles qui permettent à Kagan de distinguer les enfants « inhibés » des autres. Elle a commencé par séparer les bébés de neuf mois de leur mère, pendant une demi-heure. La moitié a été confiée à une nourrice très attentionnée, qui répondait à tous les besoins des enfants. L'autre moitié a été confiée à une nourrice indifférente, qui ne réagissait que si l'enfant se mettait à hurler ou à pleurer. Ensuite, seul avec la nourrice, chaque bébé a été exposé à une situation entièrement nouvelle.

Ce qui est intéressant ici, c'est que seuls les bébés hypersensibles accompagnés de la gardienne indifférente ont réagi en produisant davantage de cortisol dans leur salive. Comme si ceux qui avaient été confiés à la nourrice attentionnée avaient compris qu'ils possédaient une ressource et n'avaient nul besoin de réagir au stress par l'activation à long terme.

Supposons que la nourrice soit votre propre mère[11]. En observant les bébés en compagnie de leur mère, les psychologues ont découvert certains indices qui permettent de déterminer si l'enfant se sent ou non en sécurité. En effet, lorsqu'un bébé se sent en sécurité, il est porté à explorer son environnement et ne considère généralement pas la nouveauté comme une menace. D'autres indices, en revanche, permettent de constater que le bébé ne se sent pas « attaché » à sa mère par un lien sécurisant. Les mères de ces enfants les surprotègent ou les négligent, ou encore représentent une menace. (Nous parlerons plus en détail de l'« attachement » aux chapitres 3 et 4.) Les recherches ont permis de constater que des enfants sensibles, devant une situation nouvelle ou surprenante en compagnie de leur mère, réagissent habituellement par l'activation à court terme. Mais lorsque le lien qui les rattache à leur mère est suffisamment sécurisant, ils ne produisent pas de cortisol. En revanche, s'ils ne se sentent pas en sécurité, leur système d'activation à long terme se met en branle.

On comprend donc pourquoi il faut éviter que les jeunes hypersensibles (tout comme les moins jeunes) s'isolent. Au contraire, ils doivent tenter de nouvelles expériences, refuser le retrait. Mais pour que l'immersion dans le monde extérieur soit profitable, ils doivent pouvoir faire confiance aux personnes qui s'occupent d'eux. Si l'expérience se solde par un échec, leurs appréhensions seront justifiées. Et ils se retrouveront à la case départ, avant même d'avoir appris à parler !

Beaucoup de parents intelligents et sensibles savent automatiquement répondre aux besoins de leurs enfants. Les parents de Robert le félicitent constamment de ses succès et l'encouragent à mettre ses craintes à l'épreuve. Naturellement, ils demeurent à l'écoute de ses besoins. Avec le temps, il comprendra que le monde n'est pas aussi effrayant que le lui suggérait son système nerveux pendant ses deux premières années. Sa créativité et son intuition, deux des qualités des hypersensibles, pourront s'épanouir. Les problèmes s'estomperont.

Lorsque les parents ne font rien de particulier pour aider l'enfant à se sentir en sécurité, il est fort possible qu'il devienne réellement «inhibé». Tout dépend probablement de la puissance du système d'activation par rapport à celle du système de pause réflexion. Mais n'oubliez pas que les parents et l'environnement peuvent aggraver la situation. Des expériences effrayantes à répétition ne feront que renforcer la méfiance de l'enfant, notamment si les parents négligent de le consoler ou de le calmer, s'ils le punissent lorsqu'il décide d'explorer son environnement et si les personnes qui devraient l'aider deviennent à ses yeux des êtres dangereux.

Autre point important, plus la teneur en cortisol est élevée, moins l'enfant dort. Moins il dort, plus son organisme produit de cortisol. Pendant la journée, plus l'organisme produit de cortisol, plus l'enfant est effrayé. Plus il est effrayé, plus l'organisme produit de cortisol et ainsi de suite[12]. Un sommeil nocturne ininterrompu, allié à de petits sommes pendant la journée, suffit à réduire la teneur en cortisol chez les nourrissons. Souvenez-vous que si la teneur en cortisol baisse, le système d'activation à court terme sera moins sollicité. Dans le cas de Robert, il s'agissait d'un problème constant. Peut-être cela a-t-il également été le vôtre.

En outre, lorsque les troubles du sommeil apparaissent dès l'enfance, ils risquent de se perpétuer[13]. Un enfant déjà hypersensible deviendra un adulte d'une sensibilité quasi intolérable. C'est pourquoi le sommeil est d'or!

Dans les profondeurs

La sensibilité comporte une autre caractéristique qu'il est difficile de cerner par les études ou les observations, sauf lorsque les étranges peurs de l'enfant (ou de l'adulte) se manifestent par des cauchemars. Pour comprendre cet aspect très réel, il faut quitter le laboratoire et pénétrer dans la salle de consultation du spécialiste de la psychologie des profondeurs.

La psychologie des profondeurs fonde ses observations sur l'inconscient et les expériences qui y sont enchâssées, refoulées ou simplement préverbales, et qui continuent de régir notre vie d'adultes. Il n'est pas surprenant que les enfants et les adultes hypersensibles souffrent de troubles du sommeil et décrivent des rêves « archétypaux[14] » plus vivaces, plus alarmants que les autres. À la tombée de la nuit, formes et sons subtils commencent à imprégner l'imagination, surtout celle des hypersensibles. Viennent s'ajouter les nouvelles expériences de la journée, certaines à peine remarquées, d'autres entièrement réprimées. Toutes se mettent à tourbillonner dans notre cerveau au moment où notre esprit conscient relâche sa vigilance afin que nous puissions nous endormir.

Pour nous endormir, dormir et nous rendormir, nous devons pouvoir nous calmer, nous sentir en sécurité dans le monde.

De tous les spécialistes de la psychologie des profondeurs, seul l'un de ses fondateurs, Carl Jung, entreprit des études explicites de la sensibilité. Par conséquent, ses écrits revêtent une importance particulière, d'autant plus que, contrairement à la majorité des psychologues, son attitude à l'égard des hypersensibles est remarquablement positive.

À l'époque où la psychothérapie est née, avec Sigmund Freud, on s'interrogeait sur la mesure dans laquelle le tempérament inné façonnait la personnalité, y compris les problèmes émotifs. Avant Freud, la médecine officielle insistait plutôt sur le caractère héréditaire des différences de constitution. Freud s'efforça de prouver que la « névrose[15] » (sa spécialité) était provoquée par des traumatismes, surtout des expériences sexuelles alarmantes. Carl Jung, l'un des disciples de Freud, finit toutefois par se dissocier de lui en retirant à la sexualité son caractère central. Il décida que la différence fondamentale était représentée par une sensibilité héréditaire plus prononcée. Il était persuadé que lorsque ses patients hypersensibles avaient subi un traumatisme, sexuel ou autre, ils en demeuraient perturbés et c'était ce qui donnait naissance à une névrose. Vous remarquerez que selon Jung, les personnes sensibles qui n'avaient pas subi de traumatisme dans leur enfance n'étaient pas atteintes d'une névrose innée. Souvenons-nous des conclusions de Megan Gunnar, qui a découvert qu'un enfant sensible, attaché à sa mère par un lien sécurisant, ne se sent généralement pas menacé par la nouveauté. D'ailleurs, Jung professait une très haute opinion des personnes sensibles... Il en était une lui-même.

Peu de gens, toutefois, savent qu'il entreprit des recherches sur l'hypersensibilité (je l'ignorais avant de commencer mes travaux sur cette question). Par exemple, il écrivit qu'une « certaine sensibilité innée produit une préhistoire spéciale, une manière différente de vivre les événements de l'enfance[16] » et que « les événements liés à de puissantes impressions ne parviennent jamais à s'effacer sans laisser de trace chez les personnes sensibles ». Ultérieurement, Jung décrivit les types introvertis et intuitifs en termes semblables, mais encore plus positifs. Il affirma que ces personnes devaient se protéger plus que les autres ; c'était ce qu'il entendait par introvertis. Mais il écrivit aussi que de leurs rangs venaient les « éducateurs et promoteurs de la culture[17]... Leur vie enseigne l'autre possibilité, la vie intérieure qui fait si douloureusement défaut à notre civilisation ».

Ces gens, poursuivit Jung, sont naturellement plus influencés par leur inconscient, qui leur fournit des informations de la plus haute importance, qui les dote d'une « clairvoyance prophétique[18] ». Pour lui, l'inconscient contient une sagesse cruciale, que nous devrions apprendre à exploiter. La communication permanente avec notre inconscient accroît notre influence sur le monde extérieur et rend notre vie beaucoup plus satisfaisante sur le plan personnel.

Toutefois, ce genre d'existence peut aussi être plus difficile, notamment si nous avons vécu, dans notre enfance, trop d'expériences troublantes en l'absence de tout attachement sécurisant. Comme l'ont démontré les recherches de Megan Gunnar et comme nous le verrons au chapitre 8, Jung avait raison.

Mais il n'y a pas de quoi s'inquiéter

Robert, Jerome Kagan, Megan Gunner et Carl Jung devraient vous avoir convaincu de la réalité de votre trait de personnalité. Vous êtes véritablement différent des autres. Au chapitre suivant, nous verrons comment vous pourriez vivre pour demeurer sainement en harmonie avec votre corps hypersensible.

Il est possible que les pages précédentes aient brossé un tableau qui vous est apparu plutôt sombre : peur, timidité, inhibition, hyperactivation négative. Seul Jung a reconnu les avantages de l'hypersensibilité. Et encore, c'était dans le contexte des profondeurs et de l'obscurité de notre psyché. Mais souvenez-vous que l'attitude négative envers la sensibilité reflète, pour une large part, les préjugés de notre culture qui, portant aux nues la force de caractère, considère ce trait de caractère comme un inconvénient désagréable, une maladie dont il faut guérir. N'oubliez pas que les hypersensibles diffèrent des autres dans la manière dont ils réagissent aux stimuli subtils. C'est votre principale qualité. C'est une interprétation exacte et positive de ce que vous êtes.

METTEZ À PROFIT CE QUE VOUS VENEZ D'APPRENDRE

Votre réaction profonde

Il y a un exercice que vous pourriez faire dès à présent. Bien que votre intellect ait assimilé certaines idées, cette lecture suscite peut-être en vous des réactions émotives profondes.

Pour les cerner, vous devez plonger jusqu'au plus profond de votre être, de vos émotions, de la conscience fondamentale et instinctive, que Jung appelle l'inconscient. C'est là que se terrent les parties ignorées et oubliées de vous-même, qui se sentent menacées, soulagées, stimulées ou attristées par ce que vous venez d'apprendre.

Lisez tout ce qui s'y trouve, puis continuez. Commencez par respirer consciemment, à partir du centre de votre corps, de votre abdomen. Assurez-vous que votre diaphragme joue son rôle. Au début, expirez profondément par la bouche, comme si vous soufffliez dans un ballon. Votre abdomen se tendra. Puis, pendant que vous inhalerez, le souffle entrera à partir de votre estomac, automatiquement. Votre inspiration devrait être souple et confortable. C'est uniquement au moment de l'expiration que vous devriez faire un effort. Mais une fois que vous aurez pris l'habitude de respirer à partir de l'abdomen et non simplement de la poitrine, même l'expiration deviendra plus facile.

Ensuite, créez un espace sûr dans votre imagination, où tout sera bienvenu. Invitez tous les sentiments à y pénétrer. Peut-être s'agira-t-il d'un sentiment physique – une douleur dans le dos, une tension dans la gorge, des gargouillis d'estomac. Laissez cette sensation croître et vous montrer ce qu'elle contient. Peut-être pourriez-vous voir une image fugitive. Ou entendre une voix. Ou observer une émotion. Ou un mélange de tout cela. Par exemple, un sentiment physique pourrait devenir une image. Une voix pourrait exprimer une émotion que vous commencez à ressentir.

Recueillez tout ce qui passe à votre portée, dans votre état de sérénité. Si vous avez envie d'exprimer des sentiments – de rire, de pleurer ou de hurler de rage – ne vous retenez pas.

Puis, tout en émergeant de cet état, réfléchissez à ce qui vient de vous arriver. Qu'est-ce qui a réveillé les sentiments ? Qu'avez-vous lu ou pensé, de quoi vous êtes-vous souvenu pendant que vous lisiez ? En quoi vos sentiments étaient-ils liés à votre sensibilité ?

Ensuite, essayez de décrire par des paroles certaines des choses que vous avez apprises, pensez-y, parlez-en à quelqu'un ou prenez des notes. D'ailleurs, la tenue d'un journal de vos sentiments, tout au long de votre lecture, vous sera très utile.

CHAPITRE 3

Santé et mode de vie des hypersensibles

Les leçons de l'enfance sont aussi celles de votre corps

Dans ce chapitre vous apprendrez à apprécier les besoins de votre corps hypersensible. Compte tenu des difficultés que cela représente généralement pour nous, j'ai pris l'habitude d'utiliser une analogie, de considérer le corps comme un nourrisson. En définitive, il s'agit d'une image si efficace que vous finirez par y voir la réalité.

À six semaines

> Une tempête menace. Le ciel devient métallique. Le défilé des nuages se fragmente. Des morceaux de ciel s'envolent dans des directions différentes. La force du vent augmente. Un cataclysme est sur le point de se produire. Le malaise grandit. Il rayonne depuis le centre et se transforme en douleur[1].

Vous venez de lire la description d'un moment au cours duquel un bébé hypothétique de six semaines, nommé Joey, éprouve une sensation de faim croissante. Ce moment a été imaginé par Daniel Stern, psychologue de l'enfance, dans son charmant ouvrage intitulé *Journal d'un bébé*. Le récit des premiers mois de Joey est le fruit d'un volume considérable de recherches récentes.

Par exemple, on croit aujourd'hui que les nourrissons sont incapables de distinguer entre la stimulation interne et la stimulation externe, entre le présent et une expérience très récente, pas plus qu'entre les différents sens. Ils ne savent pas non plus qu'ils sont la personne qui ressent tout cela, la personne à qui arrivent toutes ces aventures.

C'est pourquoi Stern a décrété que la description d'une tempête pouvait parfaitement correspondre aux affres de la faim. Des forces se déchaînent, d'intensité variable. C'est justement cette intensité qui perturbe l'enfant, en suscitant une « tempête » d'hyperactivation. Hypersensibles, prenez bonne note : l'hyperactivation est la première expérience de la vie et la plus désagréable ; nos premières leçons à ce sujet commencent à la naissance.

Voici comment Stern interprète les émotions de Joey, une fois la faim apaisée.

> Tout recommence. Un nouveau monde se réveille. La tempête est passée. Le vent est calme. Le ciel s'est adouci. Des lignes galopantes et des volumes flottants apparaissent. Ils suivent une harmonie et, comme la lumière fugace, donnent la vie à tout ce qui les entoure[2].

Stern estime que les bébés ont besoin d'un degré d'activation modéré, exactement comme les adultes.

> Le système nerveux du bébé est prêt à évaluer immédiatement l'intensité de (...) tout ce qui est accessible à l'un de ses sens. L'intensité de ses sentiments est probablement le premier indice dont il dispose pour déterminer s'il peut s'en approcher ou, au contraire, s'il doit garder ses distances. (...) Si la sensation est d'une intensité modérée (...), l'enfant est fasciné. Ce degré d'intensité à peine tolérable le stimule (...), accroît son animation, active tout son être[3].

En d'autres termes, la vie est bien morne lorsqu'il n'y a rien à faire. Mais l'organisme de l'enfant possède l'instinct inné d'éviter tout ce qui est trop intense, qui aboutit à l'hyperactivation. Malheureusement, pour certains, c'est plus difficile que pour d'autres.

Hypersensible à six semaines

Maintenant, je vais me lancer à mon tour dans ce nouveau genre littéraire, le journal d'un nouveau-né, avec en vedette un bébé imaginaire, hypersensible, nommé Jean.

> Le vent souffle sans arrêt. Parfois, il revêt les proportions d'une bise hurlante, à d'autres moments, il faiblit pour ne plus faire entendre qu'un gémissement agacé, épuisant. Pendant une éternité, les nuages ont tourbillonné dans le ciel, quelques rayons éblouissants alternant avec une pénombre menaçante. Enfin, un crépuscule inquiétant descend et, pendant un moment, le vent semble s'atténuer avec la lumière.
>
> Mais l'obscurité est trompeuse et les rafales vrombissantes commencent à changer de direction, sans précision, comme dans les régions où se déchaînent des tornades. De ce nouveau chaos surgissent des formes mystérieuses qui se nourrissent les unes des autres, jusqu'à ce qu'un cyclone furieux émerge. Dans les ténèbres nocturnes, un ouragan se déchaîne.
>
> Quelque part, à un certain moment, l'horreur cesse, mais le havre de paix semble introuvable, car l'ouragan a fait disparaître les points cardinaux, il nous entraîne dans son tourbillon, vers un centre terrifiant.

J'ai imaginé cette description après un court séjour de Jean au centre commercial, en compagnie de sa mère et de ses deux sœurs aînées. Tout d'abord, on l'installe dans le siège pour bébé, puis dans sa poussette. Les courses terminées, il réintègre la voiture. C'est un samedi, le centre commercial est bondé. Sur le chemin du retour, ses deux sœurs ne sont pas d'accord sur la station de radio qu'elles désirent écouter et, tour à tour, montent le son. La circulation est congestionnée, pare-chocs contre pare-chocs. Il est tard lorsque la famille rentre à la maison, l'heure de la petite sieste de

Jean est passée depuis longtemps. Lorsqu'on lui propose une tétée, il pleure et s'agite, trop bouleversé pour satisfaire une vague faim. Sa mère essaie alors de l'endormir. C'est à ce moment-là que l'ouragan se déchaîne.

N'oublions pas non plus que Jean a faim. Cette sensation engendre un autre stimulus, venu de l'intérieur. Non seulement il exacerbe l'activation, mais encore il est responsable d'une diminution de la production des substances biochimiques nécessaires pour calmer le système nerveux, le faire retourner à la normale. J'ai constaté, au cours de mes recherches, que la faim avait des effets particulièrement puissants sur les hypersensibles. Comme l'a exprimé l'un d'entre eux: «Parfois, lorsque je suis fatigué, c'est comme si je retournais à l'âge où je mourais d'envie qu'on me donne du lait et des biscuits, tout de suite.» Mais une fois le système nerveux activé, nous oublions parfois totalement notre faim. Notre corps hypersensible présente bien des points communs avec un bébé.

Pourquoi cette ressemblance ?

Réfléchissez à ce qu'un bébé et un organisme ont en commun. Pour commencer, tous deux sont extraordinairement satisfaits et coopératifs lorsqu'ils ne sont pas hyperstimulés, épuisés ou affamés. Ensuite, lorsque les bébés et les hypersensibles sont véritablement épuisés, il leur est pratiquement impossible de remédier à la situation. Lorsque vous étiez enfant, vous comptiez sur la personne qui s'occupait de vous pour fixer des limites et répondre à vos simples besoins. Aujourd'hui, votre corps compte sur vous.

Ni l'un ni l'autre n'est capable de parler pour expliquer son problème. Tout ce qu'il fait, c'est émettre des signaux de plus en plus puissants ou présenter un symptôme si flagrant qu'il devient impossible à ignorer. Quiconque s'est occupé d'enfants sait que, pour éviter bien des désagréments, il est préférable de réagir dès le premier signal de détresse.

Enfin, comme nous l'avons précisé au chapitre précédent, les personnes qui croient qu'en écoutant un nouveau-né (ou leur propre corps) elles le gâteront se trompent. Les recherches ont prouvé que lorsque nous répondons rapidement aux pleurs d'un nouveau-né (sauf si en y répondant, nous aggravons l'hyperstimulation), ces pleurs deviendront moins fréquents au fur et à mesure qu'il grandira[4].

Tout comme le bébé, notre corps sait tout de la sensibilité. L'enfant est sensible depuis le jour de sa naissance. Il connaît ses difficultés d'hier et d'aujourd'hui. Il connaît vos lacunes, il sait ce que vous avez appris de vos parents et de vos nourrices sur la manière de le traiter, il sait ce dont il a besoin et ce que vous pouvez faire pour lui à l'avenir. En partant de là, mettons à profit un vieux dicton: « Tâche bien commencée est à moitié achevée. »

Votre relation avec votre nourrice

Un peu plus de la moitié des enfants sont élevés par des parents consciencieux, avec lesquels ils nouent ce que les biologistes appellent un lien sécurisant[5]. Tous les bébés primates s'accrochent à Maman et, pour la plupart des mères, il s'agit d'une relation normale avec les nouveau-nés.

Au fur et à mesure que le nourrisson prend de l'âge, il commence à explorer le monde qui l'entoure, à agir indépendamment de sa mère. Du moins, s'il se sent en sécurité. La mère apprécie ces velléités d'indépendance. Elle demeure sur le qui-vive, certes, prête à intervenir en cas d'incident, mais satisfaite de constater que son petit grandit. Le lien, bien que devenu invisible, demeure. Dès qu'un danger pointe, leurs corps se rapprochent, le bébé se raccroche de nouveau à sa mère. En toute sécurité.

Il arrive parfois que, pour diverses raisons, en général engendrées par la manière dont la mère ou le père ont eux-mêmes été élevés, un parent émette l'un ou l'autre de deux autres messages, ôtant au lien son caractère sécurisant. Voici en effet le premier message: le monde est si terrifiant, le parent est si préoccupé ou si vulnérable que le bébé doit s'accrocher très fort. Par conséquent, l'enfant n'ose pas explorer ce qui l'entoure. Peut-être le parent ne veut-il pas laisser l'enfant explorer; peut-être l'enfant se retrouvera-t-il abandonné s'il ne s'accroche pas assez solidement. Chez ces nourrissons, c'est le lien même qui suscite l'anxiété ou la préoccupation.

L'enfant peut recevoir un second message : le parent est dangereux, il faut éviter de se retrouver sur son chemin ; ou bien il préfère les bébés sans problème, très indépendants. Il est possible que le parent soit lui-même trop stressé pour prendre soin de l'enfant. D'autres, aiguillonnés par le danger ou l'exaspération, vont jusqu'à souhaiter que l'enfant meure ou disparaisse. Auquel cas il est préférable pour le bébé que le lien se dissolve entièrement. Ces enfants acquièrent ce que les psychologues appellent une « personnalité évitante ». Lorsqu'on les sépare de leurs parents, ils réagissent par l'indifférence totale. (Il peut aussi arriver que l'enfant ait un lien sécurisant avec un seul des parents.)

C'est à partir de ces premières expériences que nous façonnons de manière durable notre interprétation de ce que nous pouvons attendre de nos proches et des personnes dont nous dépendons. Voilà qui vous paraît sans doute rigide. Peut-être songez-vous aux occasions que vous avez laissé passer, prisonnier de cette attitude préconçue. Pendant vos premiers mois, la manière dont vous répondiez aux exigences de votre parent, la nature du lien qui vous unissait étaient cruciales pour votre survie. Malheureusement, même lorsqu'il n'est plus question de survie, la programmation demeure, inébranlable. En adoptant l'attitude qui vous paraît la plus efficace — lien sécurisant, anxiété ou comportement d'évitement —, vous vous protégez contre de dangereuses erreurs.

L'attachement et le corps d'un hypersensible

Souvenez-vous des enfants hypersensibles dont le système d'activation à long terme ne se met jamais en branle dans les situations nouvelles. Nous en avons parlé au chapitre précédent. Il s'agit d'enfants qui entretiennent des relations sécurisantes avec des parents à l'écoute. Si tel a été votre cas, cela suggère que vous possédiez à l'époque les ressources nécessaires pour ne pas vous laisser dominer par l'hyperstimulation. Vous avez fini par apprendre à faire tout seul ce que votre mère ou vos bonnes nourrices faisaient pour vous.

Entre-temps, votre corps apprenait à ne pas interpréter chaque nouvelle expérience comme une menace. En l'absence de réaction, il n'était pas assujetti à une hyperstimulation douloureuse, à long terme. Vous avez découvert en votre corps un ami, auquel vous pouviez faire confiance. Mais vous avez également appris que vous possédiez quelque chose de spécial, un système nerveux très sensible. Vous saviez jusqu'où vous pouviez aller, dans quelles circonstances il était préférable de prendre votre temps, voire de battre en retraite, quitte à vous reposer pour réessayer plus tard.

À l'instar du reste de la population, la moitié des enfants hypersensibles ont des parents qui ne sont guère satisfaisants. C'est un sujet douloureux, mais nous l'aborderons lentement en y retournant à plusieurs reprises. Aussi pénible que cela soit, vous devez comprendre ce qui vous a manqué. L'impéritie de l'un de vos parents a certainement eu maintes répercussions, compte tenu de votre sensibilité. Vous aviez besoin d'être compris et non accablé d'une pléthore de problèmes particuliers.

Si vous avez vécu votre enfance dans l'insécurité, vous devriez également être patient envers vous-même. Mais surtout, vous devriez circonscrire les erreurs de vos parents afin de ne pas les reproduire, de ne pas vous comporter à l'égard de votre corps d'hypersensible de la manière dont ils se sont comportés à votre égard. Il est peu probable que vous preniez bien soin de vous ; soit vous négligez votre corps, soit, au contraire, vous le surprotégez en faisant une montagne de tout. Vous le traitez comme votre première nourrice vous a traité. (Il est d'ailleurs possible que vous ayez réagi par un puissant esprit de contradiction.)

Voyons maintenant ce qu'il faut et ce qu'il ne faut pas faire. Commençons par les soins aux nouveau-nés. À certains moments, votre corps vous semble aussi petit et aussi vulnérable que celui d'un nourrisson. Une bonne description de ce genre de soins nous est fournie par la psychologue Ruthellen Josselson.

> Entourés de bras, nous sommes protégés de tout ce qui pourrait nous blesser ou nous bouleverser. Ces bras représentent une protection supplémentaire entre nous et le monde. Nous la sentons même si nous ignorons quelle partie vient de nous et quelle partie vient de l'extérieur.
>
> Une mère adéquate, lorsqu'elle prend soin du bébé, fait en sorte d'éviter qu'il soit hyperstimulé. Elle devine quel degré de

stimulation est bien accueilli et peut être facilement supporté. Un enfant qui se trouve souvent dans les bras d'un adulte est libre de se développer ; il ne se sent pas obligé de réagir à tout. Dans une situation optimale, le soi peut croître sans entraves, libre de toute intrusion externe[6].

En revanche, lorsque les soins ne sont pas satisfaisants, lorsque nous négligeons le bébé ou l'empêchons de se développer normalement – à plus forte raison lorsque nous le maltraitons ! – la stimulation devient trop intense. Le seul moyen de défense consiste à cesser d'être conscient ou présent, à prendre l'habitude de se « dissocier ». À cet âge, l'hyperstimulation interrompt l'autodéveloppement. Toute l'énergie doit être canalisée vers l'autoprotection, afin de prévenir toute intrusion du monde extérieur. Car ce monde est dangereux.

Maintenant, passons à un âge un peu plus avancé, l'âge auquel vous avez commencé à explorer, du moins, si vous vous sentiez en sécurité. Cela correspond aux moments où votre corps se sent prêt à explorer le monde extérieur, seulement s'il se sent en sécurité. À ce stade, un parent trop protecteur devient, pour l'enfant sensible, un handicap plus prononcé qu'un parent négligent. Pendant notre enfance ou les moments de notre vie où nous nous sentons vulnérables, l'intrusion perpétuelle devient une source d'hyperstimulation et d'inquiétude. La surprotection provoquée par l'anxiété inhibe l'exploration et les velléités d'indépendance. Une surveillance constante empêche le nourrisson de se comporter librement, avec confiance.

Par exemple, il est important que l'enfant ressente la faim, la douleur ou le froid pendant un bref moment. Ainsi, il apprendra quels sont ses propres besoins. Si la mère commence à nourrir l'enfant avant même qu'il manifeste sa faim, il perdra contact avec ses propres instincts. Si elle l'empêche d'explorer, il ne s'accoutumera jamais au monde extérieur. Elle renforcera l'idée que le monde est menaçant, que l'enfant ne survivrait pas à son exploration. Il n'aura aucune occasion d'éviter, de gérer ou de supporter l'hyperstimulation. Tout demeurera étranger, hyperstimulant. Pour reprendre les termes du chapitre précédent, l'enfant ne vivra pas suffisamment d'expériences positives pour contrebalancer l'action du système inné de pause réflexion, qui prendra le dessus et suscitera l'inhibition.

Si c'est ainsi que vous vous comportez envers votre corps, il serait sans doute judicieux de remonter à la source de ce comportement. Peut-être avez-vous été surprotégé par un parent possessif qui souhaitait avoir un enfant dépendant, incapable de voler de ses propres ailes. Il est également possible que cette personne se soit sentie valorisée par la présence d'un enfant faible, nécessiteux. Si votre mère avait plusieurs enfants, votre sensibilité a fait de vous la « victime » idéale. Il est également possible qu'à maintes reprises, elle n'ait pas été là au moment où vous aviez besoin d'elle, quoi qu'on vous ait dit par la suite. Ce type de parent est généralement à l'écoute de ses propres besoins, plutôt que de ceux des enfants.

Tout cela explique pourquoi le type de soins que vous avez reçu dans votre petite enfance a exercé une profonde influence sur la manière dont vous écoutez votre corps aujourd'hui. L'attitude des autres envers votre sensibilité a influé sur votre propre attitude. Réfléchissez. Qui d'autre aurait pu vous apprendre une leçon aussi persistante ? Les soins que vous avez reçus, l'attitude de vos parents à l'égard de votre corps sensible se sont répercutés sur votre santé, votre bonheur, votre longévité et votre contribution à la société. C'est pourquoi, à moins que la lecture de ce chapitre ne vous attriste trop, prenez le temps de songer à la première personne qui vous a élevé, aux points communs entre son attitude et la manière dont vous prenez soin de vous aujourd'hui.

Si cela est trop douloureux, marquez une petite pause. Si vous estimez avoir besoin de l'aide d'un professionnel (ou de n'importe qui d'autre), d'un soutien affectif ou de compagnie pendant que vous analysez l'insécurité qui caractérisait votre lien, n'hésitez pas à réclamer cet appui.

QUI S'EST OCCUPÉ DE VOUS ?
QUI S'OCCUPE DE VOUS AUJOURD'HUI ?

Réfléchissez à ce que vous savez de vos deux premières années. Dressez la liste des types de mots ou d'expressions que vos parents auraient pu utiliser pour vous décrire. Peut-être pourriez-vous leur poser la question. Voici quelques exemples.

Un plaisir. Capricieux. Difficile. Sans problème. Ne dormait jamais. Maladif. Colérique. Se fatiguait vite. Souriait beaucoup. Difficile à nourrir. Superbe. Vous n'avez aucun souvenir d'enfance. A marché très tôt. A été élevé par une série de nourrices. Rarement laissé à des gardiennes ou à la garderie. Timoré. Timide. Solitaire. Désireux de participer à tout.

Recherchez l'expression qui, selon vos parents, vous caractérisait le mieux, celle qu'ils auraient utilisée comme épitaphe. (La mienne aurait été « une vraie petite souris ».) Recherchez les expressions qui suscitent en vous l'émotion, la confusion, le conflit. Ou celles sur lesquelles les parents insistent tant que c'est en fait le contraire qui est vrai. Par exemple, un enfant asthmatique que l'on décrirait comme ayant « une santé de fer ».

Réfléchissez maintenant aux parallèles entre les qualificatifs utilisés par vos parents et la manière dont vous vous décririez aujourd'hui. Qu'est-ce qui, selon vous, est vrai ? Quels étaient les soucis et les conflits dont vous pourriez vous débarrasser aujourd'hui ? Par exemple, « maladif ». Vous considérez-vous toujours comme maladif ? Étiez-vous réellement plus maladif que les autres ? L'êtes-vous encore ? (Si oui, essayez de connaître les détails de vos maladies d'enfance. Votre corps s'en souvient et mérite votre compassion.)

Avez-vous « marché très tôt » ? Cela suggère-t-il que dans votre famille, seules les réussites et les réalisations comptaient ? Si votre corps refuse de se comporter comme vous le souhaitez, êtes-vous capable de l'aimer, malgré tout ?

Vous en faites trop ou pas assez

Tout comme il existe deux types de parents incompétents — ceux qui protègent trop les enfants et ceux qui ne les protègent pas assez —, il existe deux types d'hypersensibles : ceux qui en font trop, qui suractivent leur système nerveux en travaillant trop ou en courant trop de risques, et ceux qui n'en font pas assez, qui se surprotègent alors qu'ils meurent d'envie de mener une existence normale.

Par « trop », j'entends une surcharge d'activités par rapport à ce que VOUS aimeriez faire ou à ce que VOTRE corps peut tolérer. N'écoutez pas les gens qui vous affirment que vous en faites trop. Certains d'entre nous, du moins à certains stades de la vie, savent à tout moment quels sont leurs besoins. Mais je fais ici allusion aux situations dans lesquelles vous savez que vous en faites trop, sans pouvoir résoudre ce problème.

Je ne veux pas dire que ceux qui ont été élevés par des parents trop protecteurs ou inconséquents ont toujours tendance à se surprotéger, ou que ceux qui ont été victimes de négligence ou de mauvais traitements négligent et maltraitent leur propre corps. Ce n'est pas si simple. Tout d'abord, notre cerveau nous porte souvent à réagir dans le sens inverse, par contradiction, pour compenser. En général, nous passons notre vie à balancer entre les deux extrêmes ou à les appliquer à différents aspects de notre vie (par exemple, nous en faisons trop au travail, mais pas assez dans nos relations intimes ; nous prenons soin de notre santé physique tout en négligeant notre santé mentale). Enfin, peut-être avez-vous résolu tous ces problèmes, auquel cas, vous savez exactement comment traiter votre corps.

Quant à ceux d'entre vous dont le maternage s'est révélé satisfaisant, peut-être vous demandez-vous pourquoi vous êtes, malgré tout, déchiré entre ces deux extrêmes. Il est possible que notre situation, notre culture, notre sous-culture ou notre milieu professionnel, nos amis et nos autres traits de caractère nous entraînent vers l'un ou l'autre des extrêmes, voire les deux.

Si vous ne savez pas à quelle catégorie vous appartenez, répondez au questionnaire qui suit.

EN FAITES-VOUS TROP OU TROP PEU ?

Évaluez chaque rubrique : 3 pour « très vrai », 2 pour « vrai dans une certaine mesure » ou « parfois vrai, parfois faux » en fonction de la situation, 1 pour « presque toujours faux ».

❑ 1. J'éprouve souvent une brève sensation d'hyperactivation, d'hyperstimulation, de stress, qui se manifeste par des symptômes physiques : je rougis, mon cœur bat très fort, ma respiration devient de plus en plus rapide, de

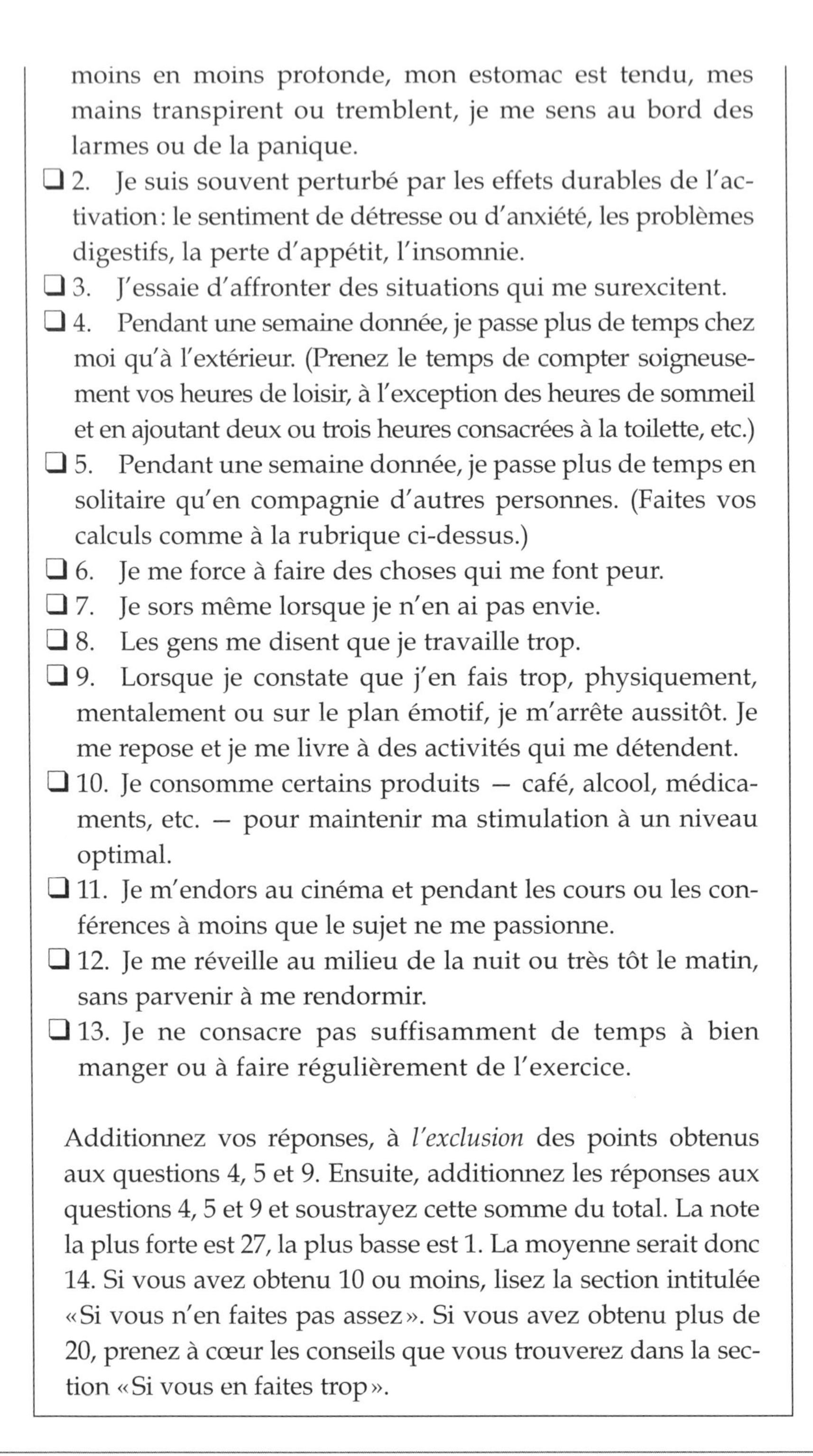

moins en moins profonde, mon estomac est tendu, mes mains transpirent ou tremblent, je me sens au bord des larmes ou de la panique.

❑ 2. Je suis souvent perturbé par les effets durables de l'activation: le sentiment de détresse ou d'anxiété, les problèmes digestifs, la perte d'appétit, l'insomnie.

❑ 3. J'essaie d'affronter des situations qui me surexcitent.

❑ 4. Pendant une semaine donnée, je passe plus de temps chez moi qu'à l'extérieur. (Prenez le temps de compter soigneusement vos heures de loisir, à l'exception des heures de sommeil et en ajoutant deux ou trois heures consacrées à la toilette, etc.)

❑ 5. Pendant une semaine donnée, je passe plus de temps en solitaire qu'en compagnie d'autres personnes. (Faites vos calculs comme à la rubrique ci-dessus.)

❑ 6. Je me force à faire des choses qui me font peur.

❑ 7. Je sors même lorsque je n'en ai pas envie.

❑ 8. Les gens me disent que je travaille trop.

❑ 9. Lorsque je constate que j'en fais trop, physiquement, mentalement ou sur le plan émotif, je m'arrête aussitôt. Je me repose et je me livre à des activités qui me détendent.

❑ 10. Je consomme certains produits – café, alcool, médicaments, etc. – pour maintenir ma stimulation à un niveau optimal.

❑ 11. Je m'endors au cinéma et pendant les cours ou les conférences à moins que le sujet ne me passionne.

❑ 12. Je me réveille au milieu de la nuit ou très tôt le matin, sans parvenir à me rendormir.

❑ 13. Je ne consacre pas suffisamment de temps à bien manger ou à faire régulièrement de l'exercice.

Additionnez vos réponses, à *l'exclusion* des points obtenus aux questions 4, 5 et 9. Ensuite, additionnez les réponses aux questions 4, 5 et 9 et soustrayez cette somme du total. La note la plus forte est 27, la plus basse est 1. La moyenne serait donc 14. Si vous avez obtenu 10 ou moins, lisez la section intitulée «Si vous n'en faites pas assez». Si vous avez obtenu plus de 20, prenez à cœur les conseils que vous trouverez dans la section «Si vous en faites trop».

Si vous n'en faites pas assez

Certains hypersensibles, tous peut-être à certains moments, s'imaginent qu'il leur sera impossible de survivre dans le monde extérieur. Ils se sentent trop différents, trop vulnérables, voire déficients.

Vous ne pourrez jamais vous immerger dans la société aussi profondément que les gens non sensibles et plus audacieux auxquels, peut-être, vous vous comparez. J'en conviens parfaitement. Mais beaucoup d'hypersensibles ont trouvé le moyen de réussir dans la vie, selon des critères qui leur sont propres, d'accomplir des tâches utiles et agréables, tout en passant du temps chez eux et en savourant leur riche et paisible vie intérieure.

Peut-être serait-il judicieux d'examiner votre comportement du point de vue du nourrisson. S'il désire tenter de nouvelles expériences malgré ses appréhensions, vous devrez l'aider et non aggraver sa peur. Sinon, vous lui faites comprendre qu'il a tort de vouloir s'extérioriser, qu'il est incapable de survivre dans le monde extérieur. Quel message douloureux à transmettre à un enfant! Par conséquent, réfléchissez pour savoir qui vous a transmis ce sentiment dans votre enfance, et pourquoi, au lieu de vous encourager à vous débrouiller.

Au fur et à mesure que vous essaierez de « rematerner » votre corps, vous devrez comprendre que plus il évitera la stimulation, plus il en ressentira les effets. Un professeur de méditation m'a raconté l'histoire d'un homme qui voulait se débarrasser du stress de l'existence. Par conséquent, il s'était retiré au fond d'une grotte pour méditer jour et nuit, jusqu'à la fin de sa vie. Mais il ne tarda pas à émerger, rendu à moitié fou par le bruit de l'eau qui dégouttait du plafond de la grotte. La morale de cette histoire est que, dans une certaine mesure, les causes de stress seront toujours présentes, car nous emportons notre sensibilité avec nous, où que nous allions. Ce dont nous avons besoin, c'est d'un nouveau mode de vie qui nous apprendra à tolérer les facteurs de stress.

Ensuite, plus vous activerez votre corps — en regardant par la fenêtre, en jouant aux quilles, en voyageant, en parlant en public — plus il s'habituera à ce mouvement. Il deviendra donc de plus en plus difficile à stimuler. C'est ce qu'on appelle l'accoutumance. Il est toujours possible d'accroître nos compétences. Par exemple, si vous paniquez à la simple idée de voyager seul en pays étranger – ce qui effraie souvent les hypersensibles –, peut-être choisirez-vous d'éviter certains aspects de ces voyages. Mais si vous vous y habituez, ils vous paraîtront de plus en plus faciles et vous finirez par apprendre ce que vous aimez et ce que vous n'aimez pas.

Pour tolérer le monde et finir par l'apprécier, il faut s'y plonger.

Je n'écris pas ces mots à la légère. Jusqu'à la quarantaine, j'ai fait tout ce que j'ai pu pour éviter le monde. Mais un jour, de puissants bouleversements intérieurs m'ont plus ou moins forcée à changer d'attitude. Depuis, je dois affronter la peur, l'hyperstimulation et le malaise presque tous les jours. C'est sérieux et c'est parfois pénible. Mais nous pouvons y parvenir. Et quel sentiment merveilleux que d'y réussir, de pouvoir crier au monde: « Regardez-moi ! Moi aussi je peux le faire ! »

Si vous en faites trop

Si vous n'en faites pas assez parce que vous avez l'impression que votre corps est défectueux, la raison pour laquelle vous en faites trop est tout aussi négative. Votre attitude suggère que vous vous aimez si peu que vous êtes prêt à vous négliger et à vous maltraiter. D'où provient-elle ?

Elle ne provient pas forcément des parents. Notre culture propage une idée de la concurrence, de la recherche de l'excellence, qui suffit à donner l'impression à quiconque ne cherche pas à atteindre le sommet d'être un figurant sans valeur, totalement improductif. Cela s'applique non seulement à notre carrière, mais encore à nos loisirs. Êtes-vous suffisamment en forme ? Progressez-vous dans votre passe-temps favori ? Êtes-vous un cordon bleu ? Le meilleur jardinier du quartier ? Cette attitude va jusqu'à s'insinuer dans notre vie familiale. Votre mariage est-il réussi ? Votre vie sexuelle, satisfaisante ? Avez-vous fait votre possible pour élever vos enfants et en faire des êtres parfaits ?

Notre corps se rebelle devant tous ces facteurs de stress. En réaction aux signaux de détresse qu'il nous envoie, nous trouvons le moyen de l'endurcir ou de le faire taire par des médicaments.

C'est alors qu'apparaissent les symptômes du stress chronique: problèmes digestifs, tension musculaire, fatigue perpétuelle, insomnie, migraines. Notre système immunitaire s'affaiblit, nous rendant vulnérables au rhume et à la grippe.

Pour rompre le cercle vicieux, vous devrez d'abord admettre que vous maltraitez votre corps. Peut-être serait-il judicieux de déterminer quelle parcelle de vous-même est le tortionnaire. La parcelle qui s'est laissé convaincre par le stéréotype de la perfection véhiculé par notre société? Qui se sent obligée de rivaliser avec un frère ou une sœur? Qui veut prouver que vous n'êtes pas anormal, que vous n'êtes pas «trop sensible»? Qui veut gagner l'affection des parents ou, simplement, leur rappeler que vous existez? Qui désire leur prouver que vous êtes aussi doué qu'ils le pensent? Qui croit que le monde ne peut survivre sans vous? Ou que vous pouvez avoir la mainmise sur tout, que vous êtes parfait et immortel? L'arrogance joue souvent un rôle dans cette attitude, même si c'est l'arrogance de quelqu'un d'autre vis-à-vis de vos capacités.

Les hypersensibles ont une autre raison de mener la vie dure à leur corps. Cette raison, c'est leur intuition, qui fait jaillir en eux un flux permanent d'idées créatives. Naturellement, ils veulent les concrétiser toutes. Et pourtant, c'est impossible. Vous devrez faire un tri parmi ces idées. Sinon, vous ferez preuve là aussi d'une arrogance destructrice, et vous maltraiterez cruellement votre corps.

Une nuit, j'ai rêvé à cela. Des êtres sans tête, luisants et implacables étaient à ma poursuite. Au matin, j'ai pensé à *L'Apprenti sorcier* de Disney. Mickey joue le rôle de l'apprenti et, par un tour de magie, donne la vie à un balai pour lui faire faire une corvée à sa place: remplir une citerne à l'aide d'un seau. Chez Mickey, ce n'est pas simplement une manifestation de paresse. L'apprenti est trop arrogant pour accomplir une tâche aussi triviale, pour travailler lentement en respectant les limites de son propre corps. Mais il déclenche des événements qu'il est ensuite incapable d'endiguer. L'eau commence à inonder la pièce, mais le balai ne cesse pas pour autant son diabolique va-et-vient. Mickey coupe le manche et voilà que des centaines de balais sans tête, portant des seaux d'eau, poursuivent la danse infernale et finissent par noyer notre apprenti sorcier, victime de son propre trait de génie.

C'est la violente revanche que vous pourriez attendre de votre corps si vous le traitez comme un balai inerte, au service de trop d'idées brillantes.

Le choix de Mickey pour jouer le rôle de l'apprenti est judicieux. Dans notre culture, il représente l'homme ordinaire, enthousiaste, énergique. Cette énergie a quelques bons côtés, car elle entretient l'idée qu'en qualité d'individu ou de peuple, nous pouvons parvenir à tout, si nous travaillons ou si nous démontrons une intelligence suffisante. N'importe qui peut devenir président, riche ou célèbre. Mais le côté sombre, dangereux de cette qualité (toutes les médailles ont leur revers) est représenté par la concurrence inhumaine qui imprègne tous les aspects de notre vie.

Comment trouver l'équilibre

Où se trouve l'équilibre entre ces deux extrêmes ? Tout dépend de la personne et du moment. En outre, il est évident que pour la plupart d'entre nous, le manque de temps ou d'argent rend cet acte de funambulisme très difficile. Nous sommes contraints de prendre des décisions et d'établir des priorités, mais les hypersensibles, naturellement très consciencieux, ont tendance à se sacrifier ou, dans le meilleur des cas, à ne pas consacrer plus de temps à leurs loisirs ou à l'apprentissage de nouvelles compétences que n'importe qui d'autre. Malheureusement, nous avons besoin de ce temps-là.

En vous isolant outre mesure, vous privez le monde extérieur de votre subtilité. En vous intégrant dans votre univers, vous serez beaucoup plus efficace si vous prenez du repos et consacrez davantage de temps aux loisirs. Voici les sages conseils d'une hypersensible que j'ai interrogée.

> Vous devriez en apprendre le plus possible sur la sensibilité. Elle ne constituera un obstacle ou une excuse que si vous le voulez bien. En ce qui me concerne, lorsque je me sens incapable de faire face au monde, j'aimerais pouvoir m'enfermer chez moi

pour le restant de mes jours. Mais c'est une attitude destructrice. Alors, je m'efforce d'affronter le monde extérieur. Puis je rentre à la maison pour réfléchir à tout cela. Les personnes créatives ont besoin de solitude. Mais il ne s'agit pas de nous transformer en ermites. Si nous demeurons seuls trop longtemps, nous perdons notre sens des réalités, notre capacité d'adaptation.

En vieillissant, nous risquons également de perdre contact avec la réalité ; notre faculté d'adaptation diminue. Par conséquent, nous devrions sortir de plus en plus. Heureusement, avec l'âge, le charme augmente. Nos traits fondamentaux deviennent plus marqués, surtout si nous nous efforçons de développer notre personnalité tout entière, pas seulement notre sensibilité.

Soyez à l'écoute de votre corps. Votre sensibilité est un cadeau magnifique. Elle peut vous guider et, en vous ouvrant à elle, vous améliorerez toute la qualité de votre vie. Les hypersensibles ont tendance à refermer les portes sur le monde et sur leur corps. Ils deviennent timorés. Mais c'est une erreur. Il faut au contraire prendre la route de l'expression de soi.

Le repos

Les nourrissons ont besoin de beaucoup de repos, n'est-ce pas ? C'est également le cas d'un corps hypersensible. Il a besoin de repos en tous genres.

Tout d'abord, le sommeil. Si vous souffrez d'insomnie, que la qualité de votre sommeil devienne votre priorité. Les recherches sur la perte chronique de sommeil révèlent que lorsque nous avons la possibilité de dormir tout notre soûl, il faut au moins deux semaines pour que les symptômes de privation commencent à disparaître (les gens privés de sommeil s'endorment avec une rapidité anormale ou s'assoupissent automatiquement dans une pièce obscure)[7]. Si vous présentez des signes de manque de sommeil, vous devriez prendre régulièrement des vacances, uniquement pour rattraper le sommeil perdu. Vous serez surpris de constater l'ampleur de votre « dette ».

Les hypersensibles ont beaucoup plus de difficulté que les autres à assurer des quarts de nuit, à travailler par relais ou à récupérer après un décalage horaire. C'est regrettable, mais nous n'y pouvons rien. Arrangez-vous pour éviter de traverser plusieurs fuseaux horaires ou, si vous ne pouvez l'éviter, sachez que l'expérience sera désagréable.

Si vous souffrez d'insomnie, vous trouverez maints conseils efficaces dans les ouvrages spécialisés. Il existe même des centres de traitement des troubles du sommeil. Mais certains points s'appliquent tout particulièrement aux hypersensibles. Tout d'abord, respectez votre rythme naturel et montez vous coucher dès que vous sentez le sommeil vous gagner. Par conséquent, les lève-tôt ont tout intérêt à se retirer de bonne heure. Les oiseaux de nuit, dont le problème est plus aigu, devront essayer de faire la grasse matinée aussi souvent que possible.

Les spécialistes des recherches sur le sommeil suggèrent d'associer mentalement le lit au sommeil et donc, de se lever lorsqu'il est impossible de dormir. Mais j'ai constaté que pour les hypersensibles, il était préférable de demeurer neuf heures au lit, les yeux clos, sans s'inquiéter de savoir si le sommeil viendra ou non. Étant donné que 80 p. 100 de la stimulation sensorielle se produit par les yeux, le simple fait de les tenir fermés nous repose.

Cependant, il est difficile à certains d'entre nous de rester au lit sans dormir, car nous commençons à ressasser des soucis ou à nous énerver, d'une manière ou d'une autre. Il est peut-être préférable de lire. Ou de se lever, de réfléchir à notre principale préoccupation, voire de mettre nos idées et nos solutions sur papier avant de retourner au lit. Comme maints autres problèmes, l'insomnie diffère en fonction de chaque individu. C'est donc à nous qu'il incombe de trouver la solution qui nous convient.

Nous avons également besoin d'un autre type de repos. Les hypersensibles sont portés à être très consciencieux et perfectionnistes. Il nous est impossible de nous détendre tant que notre travail n'est pas entièrement terminé. Les petits détails jouent le rôle d'aiguillons sur notre épiderme hypersensibilisé. Tout cela nous empêche de nous divertir et de nous décontracter. Notre corps veut s'amuser, car le jeu produit des endorphines et tous les éléments positifs qui font contrepoids au stress. Si vous souffrez de déprime, d'une émotivité exacerbée, d'insomnie ou de tout autre signe de déséquilibre nerveux, efforcez-vous d'introduire de nouveaux moments de loisir dans votre vie.

Mais qu'entendons-nous par loisir? Prenez garde de ne pas laisser un non-sensible vous imposer sa définition. Pour beaucoup d'hypersensibles, cela s'applique à la lecture d'un bon livre, à quelques séances de jardinage à leur propre rythme, à la dégustation d'un repas tranquille à la maison. L'idée de vous adonner à une douzaine d'activités avant midi n'est probablement pas ce que vous avez à l'esprit. Peut-être pourriez-vous encore y parvenir en matinée, mais certainement pas pendant l'après-midi. Arrangez-vous pour avoir une porte de sortie. Si vous passez vos moments de loisir en compagnie de quelqu'un d'autre, prévenez-le à l'avance afin de ne pas le blesser si vous sentez qu'il est préférable de vous reposer.

Enfin, lorsque vous préparez des vacances, envisagez la possibilité de retourner chez vous plus tôt que prévu ou de cesser de voyager pour vous installer quelque part. Renseignez-vous à l'avance sur les frais supplémentaires que les changements de programme pourraient vous occasionner. Et soyez psychologiquement prêt à les acquitter, le cas échéant.

En sus du sommeil et des loisirs, les hypersensibles ont également besoin de moments tranquilles, simplement pour se décontracter et passer la journée en revue. C'est quelque chose que nous pouvons faire tout en nous livrant à d'autres tâches, en conduisant, en lavant la vaisselle, en jardinant. Mais même si vous avez trouvé le moyen d'éliminer ces tâches, vous avez besoin de ces moments tranquilles. Prenez-les.

Il existe une autre forme de repos, peut-être la plus importante: la «transcendance», soit le fait de s'élever au-dessus de tout, généralement par la méditation, la contemplation ou la prière. Vous pourriez donc consacrer un moment à vous détacher de la pensée ordinaire pour atteindre la conscience pure, l'être pur, l'unité pure, la plénitude en Dieu. Même si vous ne parvenez pas à ce stade suprême de la transcendance, votre vie vous paraîtra ensuite plus sereine, plus facile à relativiser.

Le sommeil aussi nous entraîne à l'extérieur de notre état d'esprit étroit, mais le cerveau fonctionne différemment pendant que nous dormons. Au demeurant, chaque type d'activité fait appel à un état différent – sommeil, jeu, méditation, prière, yoga – et c'est pourquoi le mélange est bénéfique. Mais vous devriez inclure un type de méditation qui vous permettra de ressentir la conscience à l'état pur, qui n'exige aucune activité physique, aucune concentration, aucun effort. C'est cet état qui procure le repos le plus profond, tandis que l'esprit est toujours éveillé. Les recherches sur la méditation transcendantale, qui permet de l'atteindre, révèlent que chez les personnes qui s'adonnent à ce type de méditation, les symptômes d'hyperactivité du système nerveux décrits au chapitre précédent, sont très atténués. (La teneur en cortisol du sang diminue[8].) Comme si les séances de méditation suscitaient en elles le sentiment de sécurité et de force intérieure dont les hypersensibles ont justement grand besoin.

Naturellement, vous devriez surveiller votre alimentation et faire suffisamment d'exercice. Mais il s'agit là d'un programme qui doit être adapté à chaque individu et il existe bon nombre d'ouvrages sur la question. Renseignez-vous sur les aliments qui calment, désactivent le système nerveux, aident à dormir. Absorbez suffisamment de vitamines et de minéraux – du magnésium par exemple – qui aident à lutter contre le stress et l'hyperstimulation.

Si vous êtes accoutumé à la caféine, elle n'a probablement plus d'effet sur vous à moins que vous n'en consommiez plus que d'habitude. Mais pour un hypersensible, il s'agit d'une drogue puissante[9]. Si vous n'en prenez qu'occasionnellement, en pensant que cela vous donnera de l'énergie, comme c'est le cas des gens qui vous entourent, soyez prudent. Par exemple, s'il vous arrive d'en boire un matin avant un examen ou un entretien importants, vous risquez d'être si énervé que vous en perdrez vos moyens.

Que faire en état d'hyperstimulation ?

Un parent consciencieux formule de nombreuses stratégies pour apaiser son enfant. Certaines sont de nature psychologique, d'autres plutôt physiques. Chaque type de démarche a une influence sur l'autre. Faites votre choix en vous laissant guider par votre intuition. Mais quelle que soit la démarche que vous choisirez, vous devrez prendre certaines mesures: vous lever, aller vers l'enfant, etc.

Imaginons que vous entriez dans une immense gare bondée, celle de New York par exemple. Vous vous sentez oppressé, vous commencez à avoir peur. Il faut juguler toute réaction violente. Peut-être serait-il judicieux, dans ce cas précis, d'explorer psychologiquement la peur et l'émotion. La gare n'est pas un enfer bruyant rempli d'étrangers dangereux. C'est une gare, plus vaste que beaucoup d'autres, pleine de gens normaux qui essaient de se frayer un chemin. La plupart d'entre eux vous viendraient en aide si vous le leur demandiez.

Voici quelques autres méthodes psychologiques qui sont parfois utiles en cas d'hyperactivation.

- Recadrez la situation.
- Répétez une phrase, une prière, un mantra que, grâce à des séances quotidiennes de méditation, vous avez fini par associer à l'idée d'un profond calme intérieur.
- Soyez vous-même témoin de votre hyperactivation.
- Aimez votre situation.
- Aimez votre état d'hyperactivation.

Lorsque vous *recadrez* la situation, tâchez de remarquer des éléments familiers et accueillants, quelque chose qui vous rappelle un problème que vous avez résolu. Lorsque vous *répétez* un mantra ou une prière, si votre esprit repart en flèche vers ce qui le stimule, il est important de ne pas vous laisser emporter par le découragement. Même si l'effet n'est pas aussi profond que vous l'escomptez, c'est toujours mieux que rien.

Lorsque vous êtes *témoin* de votre hyperactivation, imaginez que vous êtes debout, à côté de vous, en train de vous observer, peut-être en train de parler de vous-même à un personnage imaginaire réconfortant. «Tiens, voici de nouveau Anne, si énervée qu'elle perd les pédales. Pauvre fille! Je la plains lorsqu'elle se met dans cet état. Elle est incapable de voir plus loin que le bout de son nez. Demain, lorsqu'elle sera reposée, elle recommencera à apprécier son travail. Mais pour le moment, il faut qu'elle se repose, quelles que soient les tâches qui lui restent à accomplir.

Une fois qu'elle aura pris un peu de repos, tout marchera comme sur des roulettes. »

Vous suggérer d'*aimer votre situation* semble quelque peu dépourvu de compassion, mais c'est une démarche importante. Un esprit généreux, aimant et ouvert sur tout l'Univers est l'antithèse d'un esprit hyperstimulé, étroitement confiné. Et s'il vous est impossible d'aimer la situation, vous devrez absolument *vous aimer dans l'état où vous vous trouvez.*

Enfin, pensez à la musique qui est tout à fait capable de modifier votre état d'esprit. (Pourquoi croyez-vous que les armées possèdent des fanfares et des clairons ?) Mais sachez que la plupart des hypersensibles sont très touchés par la musique, par conséquent faites un choix judicieux. Si vous êtes déjà stimulé, ne vous excitez pas davantage en écoutant des morceaux remplis d'émotion ou que vous associez à des souvenirs importants (soit le genre de musique que la majorité des gens, qui ne se sentent jamais hyperstimulés, peuvent écouter à longueur de journée). Un violon sanglotant est hors de question. Naturellement, étant donné que n'importe quel genre de musique accroît la stimulation, n'en écoutez que lorsqu'elle vous calme. Elle a pour but de vous distraire. À certains moments, vous avez besoin d'être distrait, mais à d'autres, toute votre attention est requise.

Puisque nous en sommes au chapitre du corps, voici quelques idées pour désamorcer l'hyperstimulation par une démarche physique.

- Extrayez-vous de cette situation !
- Fermez les yeux pour éliminer quelques stimuli.
- Marquez fréquemment une pause.
- Sortez au grand air.
- Regardez l'eau, buvez de l'eau ou prenez un bain pour vous détendre.
- Faites une promenade.
- Maîtrisez votre respiration.
- Modifiez votre posture afin de vous décontracter et d'acquérir de la confiance.
- Faites de l'exercice !
- Souriez avec douceur.

Aussi incroyable que cela paraisse, nous oublions souvent de prendre les mesures nécessaires pour nous extraire, tout simplement, d'une situation. Ou de marquer une pause. Ou d'emporter notre situation – notre tâche, notre discussion, notre conflit – au grand air. Pour beaucoup d'hypersensibles, la nature est profondément apaisante.

L'eau est également très efficace. Buvez-en régulièrement un grand verre, toutes les heures par exemple. Promenez-vous au bord de l'eau, regardez-la, écoutez-la. Prenez un bain ou allez nager. Ce n'est pas pour rien que les bains chauds et les sources chaudes jouissent d'une grande popularité.

La marche est également l'une des activités les plus agréables qui soient. Le rythme familier nous apaise. Profitez-en pour respirer lentement, depuis l'estomac. Exhalez lentement, sans effort, comme si vous souffliez une bougie. Vous finirez par inhaler automatiquement depuis l'estomac. Vous pourriez également écouter votre respiration, cette amie de toujours qui calmera vos nerfs agacés.

L'esprit a tendance à imiter le corps. Par exemple, si vous pensez à l'avenir, vous marcherez légèrement penché vers l'avant. Essayez plutôt d'adopter une démarche équilibrée, à partir de votre centre de gravité. Il arrive aussi que nous marchions en courbant le dos et les épaules, comme si nous ployions sous un fardeau. Redressez-vous, débarrassez-vous du fardeau.

Il est possible que votre position favorite, la nuit ou la journée, soit de rentrer la tête dans les épaules. C'est une tentative inconsciente d'autoprotection contre les coups de la stimulation et les ondes d'hyperactivation. Faites un effort pour vous déplier. Debout, levez la tête, renvoyez les épaules en arrière, placez votre thorax bien droit au-dessus des pieds de manière à être en équilibre confortable. Tâchez de sentir le sol sous vos pieds. Pliez très légèrement les genoux et respirez profondément depuis l'estomac. Sentez la présence du centre de votre corps.

Essayez de retrouver non seulement la posture, mais encore les gestes d'une personne calme, aux commandes de la situation. Penchez-vous vers l'arrière, détendez-vous. Ou bien levez-vous et marchez dans la direction qui vous plaît. Faites travailler votre « système d'approche ». Ou déplacez-vous comme une personne en colère, dédaigneuse. Agitez le poing, faites une grimace.

Rassemblez vos effets et préparez-vous à partir. Votre esprit imitera votre corps.

Il faut absolument que notre posture et nos gestes reproduisent les sensations que nous désirons éprouver. Les hypersensibles ont tendance à se figer sur place, dans les situations où le reste de la population réagit par le fameux réflexe de combat ou de fuite. Une posture décontractée et des gestes aérés suffisent parfois à rompre cette tension. Si, au contraire, vous n'arrêtez pas de vous agiter, essayez de demeurer immobile.

Souriez. Peut-être simplement pour vous. La raison pour laquelle vous souriez n'a aucune importance.

Les abris de votre vie

Pour bien assimiler tous ces conseils, souvenez-vous que nous avons entamé ce chapitre en établissant une analogie entre les besoins les plus primitifs d'un nourrisson et ceux de votre corps : affection, protection contre l'hyperstimulation. Une fois ces besoins satisfaits, le nourrisson se sent suffisamment sûr de l'abri que lui offrent les bras de sa mère pour partir en exploration.

En y réfléchissant bien, vous constaterez que votre vie est parsemée d'abris. Certains sont concrets : une maison, une voiture, un bureau, un quartier, un chalet, une vallée ou le sommet d'une montagne, une forêt ou un rivage, certains vêtements ou certains endroits publics dans lesquels vous vous sentez à l'aise, une église ou une bibliothèque.

Certains des abris les plus importants sont représentés par des êtres précieux : conjoint, parents, enfants, frères ou sœurs, grands-parents, amis intimes, guides spirituels, psychothérapeutes, etc. Puis viennent les abris moins tangibles : le travail, les bons souvenirs, certaines personnes aujourd'hui disparues mais encore vivantes dans votre mémoire, vos convictions les plus profondes, votre philosophie de la vie, les mondes intérieurs de la prière et de la méditation.

Les abris matériels semblent être les plus sûrs et les plus précieux, surtout pour notre corps. Mais en réalité, ce sont les autres qui sont les plus fiables. Il y a des milliers d'exemples de gens qui sont parvenus à garder leur santé mentale en se retirant dans ces abris, dans des conditions de stress ou de danger extrêmes. Quoi qu'il arrive, personne ne pourra vous dépouiller de votre amour, de votre foi, de votre pensée créative, de vos exercices mentaux ou spirituels. Atteindre la sagesse signifie, pour une large part, apprendre à transférer notre sentiment de sécurité des abris concrets aux autres, intangibles.

Il est possible que la plus grande sagesse consiste à être capable de percevoir l'Univers entier comme notre abri et notre corps comme un microcosme de cet Univers, sans frontière aucune. C'est la voie de l'illumination. Mais dans l'ensemble, nous devrons commencer par faire fond sur les abris de dimensions plus modestes, même si nous sommes de plus en plus attirés par les abris intangibles. Au demeurant, tant que nous vivrons à l'intérieur d'un corps, illuminé ou non, nous aurons besoin d'un certain degré de sécurité tangible ou, tout au moins, d'un sentiment d'identité.

Mais surtout, si l'un de vos abris – voire plusieurs – vous échappe, sachez que vous vous sentirez vulnérable, dépassé par les événements jusqu'à ce que vous ayez réussi à vous adapter à la nouveauté de la situation.

Les frontières

Qui dit abri dit frontières. Mais ces frontières devraient être souples, perméables à ce que vous désirez, imperméables au reste. Vous n'avez évidemment pas l'intention de repousser tout le monde, sans distinction. Mais vous souhaitez également dominer tout instinct de fusion avec les autres. Agréable à court terme, la fusion se révèle vite désastreuse, vous faisant perdre toute votre autonomie.

Beaucoup d'hypersensibles m'ont révélé que l'un de leurs problèmes majeurs était justement représenté par l'absence de frontières. En conséquence, il leur arrive souvent de s'immerger dans des problèmes qui ne sont pas les leurs, de se laisser brutaliser par des gens, d'en dire plus qu'il ne faut, de se retrouver embourbés dans les pétrins des autres, de nouer des relations intimes trop vite ou avec des gens qu'ils devraient au contraire éviter.

Retenez bien ceci : *les frontières ne s'élèvent pas en un jour !* Il faut du temps, de l'entraînement. Faites-en votre but. Des frontières solides sont votre droit, votre responsabilité, votre plus grande source de dignité. Mais ne soyez pas trop chagriné s'il vous arrive de commettre une erreur. Félicitez-vous au contraire des progrès que vous avez accomplis.

Il existe maintes raisons d'élever de solides frontières. Entre autres, elles vous permettent de maintenir la stimulation excessive à distance. J'ai connu quelques hypersensibles (en particulier une personne qui avait été élevée dans un lotissement surpeuplé) capables d'exclure à volonté tous les stimuli de leur environnement. Voilà un talent bien commode ! C'est le terme « à volonté » qui est important ici. Il ne s'agit pas de vous dissocier involontairement, de « tomber dans les pommes ». Je parle de la capacité de ne plus entendre les voix et autres bruits ou, tout au moins, d'atténuer leurs effets sur notre organisme.

Voulez-vous vous entraîner ? Asseyez-vous à côté de la radio. Élevez une frontière imaginaire tout autour de vous afin d'exclure tout ce qui vous gêne. Cette frontière peut être constituée de lumière, d'énergie, d'une présence protectrice. Puis allumez la radio. Commencez par essayer de ne pas assimiler le message de l'animateur. Même si vous entendez toujours les mots, empêchez-les de pénétrer dans votre esprit. Au bout d'un moment, éteignez la radio et réfléchissez à ce que vous venez de vivre. Pourriez-vous vous autoriser à exclure l'émission de votre esprit ? Sentez-vous la présence de la frontière tout autour de vous ? Si vous n'y parvenez pas encore, recommencez dans quelques jours. Avec l'entraînement, vous y parviendrez.

Le message de notre corps

1. Je ne veux pas me sentir dépassé par les événements. Lorsque tu me places dans cette situation, je me sens complètement démuni. C'est douloureux. Protège-moi.
2. Je suis né ainsi et je ne changerai pas. Je sais que tu penses parfois qu'il a dû m'arriver quelque chose de terrible pour que je devienne aussi pénible ou, tout au moins, « pire » que ce que

j'étais. Mais si tel est le cas, tu devrais éprouver encore plus de compassion pour moi. Parce que je n'y peux rien. *Par conséquent, ne me reproche pas ce que je suis.*

3. Je suis merveilleux, car je te permets de ressentir et de percevoir beaucoup plus profondément tout ce qui t'entoure. Je suis vraiment ce que tu as de mieux.
4. Intéresse-toi à ma santé et prends soin de moi lorsque cela se révèle nécessaire, si tu le peux à ce moment-là. Si tu ne peux pas, j'espère que tu fais au moins un effort et que je n'aurai pas longtemps à attendre.
5. Si tu dois absolument reporter mon moment de repos, demande-moi gentiment si ça ne me dérange pas trop. Je deviens capricieux, je suis malheureux lorsque tu t'irrites contre moi et que tu essaies de me forcer à m'agiter.
6. N'écoute pas les gens qui t'affirment que tu me gâtes trop. Tu me connais. C'est à toi de décider. C'est vrai qu'à certains moments, il serait préférable de me laisser tranquillement pleurer dans mon coin. Mais fais confiance à ton intuition. Parfois, je sais bien que je suis trop malheureux pour qu'on me laisse seul. J'ai besoin d'une routine, certes, mais il en faut plus pour me gâter.
7. Lorsque je suis épuisé, j'ai besoin de sommeil. C'est d'ailleurs le cas même lorsque je donne l'impression d'être bien réveillé. Un horaire régulier et des activités paisibles, routinières avant de m'endormir sont très importants. Sinon, je reste étendu dans le noir pendant des heures, incapable de m'endormir, de plus en plus énervé. J'ai besoin de passer beaucoup de temps au lit, même sans dormir. J'ai parfois envie de faire un petit somme pendant la journée. Ne m'en prive pas.
8. Apprends à mieux me connaître. Par exemple, je ne comprends pas comment on peut manger dans des restaurants bruyants. C'est ridicule. D'ailleurs, ce genre d'endroit me porte sur les nerfs.
9. J'aime les jeux simples et la vie sans complications. Ne m'entraîne pas à plus d'une soirée par semaine.
10. Je suis capable de m'habituer à tout, si on m'en donne le temps, mais *je supporte très mal les changements brusques.* Évite-les, s'il te plaît, même si tu as peur de passer pour une poule mouillée auprès des autres qui, eux, n'en souffrent pas. Laisse-moi avancer lentement.

11. Mais attention, ne me chouchoute pas. Je ne veux surtout pas que tu me traites de maladif ou de faiblard. Je suis merveilleusement habile et robuste, mais à ma façon. Je ne veux pas que tu passes ton temps à t'inquiéter à mon sujet. Je ne veux pas être surprotégé. Je ne veux pas que tu t'excuses auprès des autres de mes prétendues faiblesses. Je ne veux pas que l'on me considère comme un fléau, toi ou les autres. Mais surtout, je compte sur toi, l'adulte, pour savoir comment t'y prendre.
12. Ne m'ignore pas. Aime-moi !
13. Accepte-moi, tel que je suis.

METTEZ À PROFIT CE QUE VOUS VENEZ D'APPRENDRE

Écoutez les premiers conseils de votre corps.

Choisissez un moment de tranquillité où vous savez que vous ne serez pas interrompu. Vous devez vous sentir solide et prêt à partir en exploration de vous-même. L'exercice qui suit peut susciter en vous des émotions puissantes. Si vous commencez à vous sentir oppressé, ralentissez ou arrêtez-vous. Il est également possible que l'exercice vous paraisse difficile en raison de certains facteurs de résistance qui incitent l'esprit à vagabonder, le corps à se sentir mal à l'aise ou en état de somnolence. Si cela vous arrive, ne vous inquiétez pas. Recommencez à diverses reprises et savourez tous les résultats, quels qu'ils soient.

Partie I

Lisez les instructions jusqu'au bout avant de commencer. Autant que possible, évitez ensuite de vous y référer.

1. Recroquevillez-vous comme un bébé ou étendez-vous sur le ventre ou sur le dos ; retrouvez la position qui, selon vous, était votre position préférée.
2. Efforcez-vous de penser à partir de votre corps, comme un bébé. Pour vous aider à oublier votre cerveau d'adulte, respirez consciemment pendant quelques minutes depuis le centre de votre corps, votre estomac.

3. Ensuite, redevenez un nourrisson. Peut-être croyez-vous avoir oublié cette époque, mais votre corps lui, s'en souvient. Vous pourriez commencer par évoquer une image, celle d'une tempête par exemple, semblable à la description par laquelle nous avons entamé ce chapitre. Ou préféreriez-vous un beau ciel bleu?
   Vous pourriez également essayer de remonter jusqu'à votre premier souvenir conscient, même s'il date d'un âge légèrement plus avancé que celui du nouveau-né. Il n'y a rien de mal à vouloir être un nourrisson doté de la maturité d'un enfant un peu plus âgé. Par exemple, l'enfant pourrait se souvenir qu'il vaut mieux ne pas appeler à l'aide, que la solitude est préférable.
4. N'oubliez jamais que vous êtes un nourrisson *hypersensible.*
5. Soyez conscient de votre principal besoin.

Partie II

Aujourd'hui même, ou dans quelques jours, relisez toutes les instructions afin d'éviter de vous y référer par la suite. Cela risquerait de vous distraire.

1. Imaginez un magnifique bébé d'environ six semaines. Tout petit. Admirez sa douceur, sa délicatesse. Dites-vous que vous feriez n'importe quoi pour protéger ce nourrisson.
2. Maintenant, répétez-vous que ce merveilleux bébé représente votre propre corps. Même s'il ressemble à un bébé que vous avez vu récemment, il est le fruit de votre imagination.
3. Observez le bébé qui commence à gémir et à s'énerver. Quelque chose ne va pas. Demandez-lui: «Que puis-je faire pour toi?» Écoutez attentivement la réponse. C'est votre corps qui parle.
   Ne vous sentez pas ridicule à l'idée d'«inventer» tout cela. Naturellement, vous êtes en train de tout inventer, mais votre corps participe d'une manière ou d'une autre à l'«invention».
4. Répondez, ouvrez le dialogue. Si vous croyez avoir quelque difficulté à répondre aux besoins de cet enfant, parlez-en. Si vous souhaitez lui faire des excuses, n'hésitez pas. Si vous vous irritez ou ressentez de la tristesse, ne vous alarmez pas. Au contraire, il est bénéfique de cerner la relation que vous entretenez avec ce bébé.

5. N'hésitez pas à refaire cette partie de l'exercice, en vous y prenant différemment. Par exemple, la fois suivante, ouvrez votre esprit à la présence de l'enfant, à n'importe quel âge et dans n'importe quel contexte. Laissez-le choisir les circonstances.

CHAPITRE 4

Le recadrage de votre enfance et de votre adolescence

Soyez un parent pour vous-même

Dans ce chapitre, nous commencerons à repenser votre enfance. En lisant les expériences caractéristiques d'enfants sensibles, vous sentirez vos souvenirs remonter en surface. Mais vous les interpréterez différemment, sous l'éclairage de votre propre sensibilité.

Ces expériences sont cruciales. Comme dans le cas d'une plante, le genre de graine qui s'enfonce dans le sol – votre tempérament inné – n'est que l'un des facteurs de la croissance. La qualité du sol, la quantité d'eau et de soleil ont exercé une profonde influence sur le développement de la plante que vous êtes aujourd'hui. Si les conditions sont défavorables, les feuilles, les fleurs et les graines auront piètre allure. Si, enfant, vous avez dû adopter un certain type de comportement pour assurer votre survie, votre sensibilité n'a jamais eu la chance de se dévoiler au grand jour.

Lorsque j'ai commencé mes recherches, j'ai rapidement découvert deux types d'hypersensibles. Certains, en effet, ont déclaré vivre des moments de dépression et d'anxiété ; d'autres, en revanche, n'avaient jamais été troublés par ce genre de problème. Il fallait établir une distinction très claire entre les deux groupes. Ultérieurement, j'ai constaté que les hypersensibles portés à la dépression et à l'anxiété avaient presque tous vécu des enfances difficiles. Chez les moins sensibles, les problèmes de l'enfance ne se traduisent pas aussi fréquemment par la dépression et l'anxiété.

Quant aux hypersensibles dont l'enfance avait été heureuse, ils ne souffraient d'aucun de ces troubles. Il est donc important que tout le monde fasse la différence entre l'hypersensibilité et la névrose, soit certains types d'anxiété intense, de dépression, de dépendance ou d'évitement de l'intimité, qui sont en général les séquelles d'une enfance troublée. Il est vrai que certains d'entre nous souffrent à la fois d'hypersensibilité et de névrose. Mais il ne faut surtout pas confondre les deux. D'ailleurs, cette confusion est à l'origine de certains des stéréotypes négatifs dont on affuble les hypersensibles (toujours anxieux, déprimés, etc.). Par conséquent, faisons tous l'effort d'appeler les choses par leur nom.

Il est facile de comprendre pourquoi une enfance troublée risque de faire plus de ravages chez les hypersensibles que chez les autres.

Les hypersensibles perçoivent tous les détails, toutes les répercussions d'une expérience dangereuse. Mais nous avons tendance à sous-estimer l'importance de l'enfance, car tant de choses se produisent avant même que nous soyons capables de nous en souvenir. En outre, nous essayons inconsciemment d'oublier tout ce qui nous a fait souffrir. Si votre nourrice, par exemple, était irascible et a fini par vous paraître dangereuse, votre esprit conscient a enterré cette information insupportable, tandis que votre inconscient acquérait une profonde méfiance à l'égard de tout.

Sachez cependant qu'il est possible d'estomper ces effets négatifs. J'ai connu des hypersensibles qui avaient réussi à se débarrasser d'une bonne partie de leur dépression et de leur anxiété. Mais il faut du temps.

Même si vous avez eu une enfance idyllique, votre hypersensibilité a dû vous causer quelques problèmes. Vous vous sentiez différent des autres. Vos parents et vos instituteurs, en dépit de leurs compétences dans d'autres domaines, ont dû se poser maintes questions à votre sujet. Il n'existait que peu de données sur l'hypersensibilité et la société exerçait des pressions sur vos parents pour qu'ils fissent de vous un être « normal », semblable à l'idéal de l'époque.

Enfin, souvenez-vous que l'enfance d'un garçon hypersensible est différente de celle d'une fille hypersensible. Dans ce chapitre, je noterai justement ces différences au passage.

Marianne, petite fille dont la sagesse était synonyme d'évitement

Marianne, âgée d'une soixantaine d'années, m'a très longtemps consultée pour comprendre certaines de ses «compulsions». Vingt ans auparavant, elle s'était lancée dans la poésie et la photographie. Aujourd'hui, elle jouit d'une notoriété considérable.

En dépit de ses malheurs, elle reconnaît que ses parents ont fait de leur mieux. Elle a réussi à accepter son passé et continue d'en tirer les leçons, intérieurement et extérieurement, grâce à son art. Si vous lui demandiez aujourd'hui si elle est heureuse, elle répondrait probablement que oui. Mais ce qui importe ici, c'est qu'elle a régulièrement grandi en sagesse.

Marianne était la plus jeune de six enfants. Ses parents étaient des immigrants allemands qui s'efforçaient de joindre les deux bouts dans une petite ville du centre des États-Unis. Les sœurs aînées de Marianne se rappellent que leur mère éclatait en sanglots chaque fois qu'elle se savait de nouveau enceinte. Les tantes de Marianne affirment que leur sœur était profondément déprimée. Et pourtant, Marianne ne se souvient pas d'avoir vu sa mère écrasée sous le chagrin, la dépression, la lassitude ou le désespoir. Elle tenait impeccablement sa maison et fréquentait consciencieusement l'église. Quant au père, il «travaillait, mangeait, dormait».

Les enfants ne se sentaient pas mal aimés. Mais les parents n'avaient tout simplement ni le temps, ni l'énergie, ni l'argent nécessaires pour leur montrer de l'affection, entretenir une conversation ou leur offrir des vacances. Cette couvée de six poussins, pour reprendre l'expression de Marianne, s'est élevée toute seule.

Des trois types d'attachement dont vous avez entendu parler au chapitre précédent, Marianne a dû adopter l'évitement. Elle devait se débrouiller seule, créer le moins de remous possible.

La petite Marianne hypersensible, partageant son lit avec des monstres

Pendant ses deux premières années, Marianne dut partager son lit avec ses trois frères aînés. Malheureusement pour elle, ils se livrèrent sur leur petite sœur à des expériences sexuelles, comme le font parfois les enfants livrés à eux-mêmes. Au bout de deux ans, les parents l'installèrent dans la chambre des filles. Tout ce dont elle se souvient, c'est qu'enfin elle allait se sentir en sécurité pendant la nuit. Mais elle continuerait d'être ouvertement harcelée par l'un de ses frères jusqu'à l'âge de 12 ans.

Les parents de Marianne n'avaient jamais rien remarqué. Elle était persuadée que si elle dénonçait ses frères, leur père les tuerait. En fait, le meurtre était une possibilité constante. Elle se souvient d'avoir été horrifiée par la décapitation quotidienne de poulets dans la cour de la ferme et l'attitude indifférente, voire cruelle, de sa famille à l'égard de cette nécessité de la vie. Par conséquent, sa perception des enfants de la famille comme une couvée de poussins revêt des connotations particulièrement intéressantes.

En sus des tourments sexuels, ses frères la taquinaient et l'effrayaient. Ils la traitaient, en fait, comme leur jouet. Plus d'une fois, ils la firent s'évanouir de terreur. (Les hypersensibles sont des cibles parfaites en raison de leurs réactions violentes.) Mais toute chose a son bon côté, car en sa qualité de jouet, elle les accompagnait partout et jouissait d'une liberté que peu de filles pouvaient goûter à cette époque. Ses frères, dont elle préférait la coriace indépendance à la passivité de sa mère et de ses sœurs, devinrent ses modèles. Pour une enfant sensible, l'expérience fut en quelque sorte précieuse.

Marianne était particulièrement attachée à l'une de ses sœurs plus âgées. Mais celle-ci mourut lorsque Marianne avait 13 ans. Aujourd'hui, elle se souvient d'être demeurée allongée sur le lit de ses parents, les yeux dans le vague, attendant des nouvelles de sa sœur. Ses parents lui avaient dit que s'ils ne téléphonaient pas dans l'heure qui suivait, cela signifierait que sa sœur était morte. Lorsque l'horloge sonna l'heure, Marianne prit un livre et se mit tranquillement à lire. Elle venait de tirer une autre leçon des dangers de l'attachement et on ne l'y reprendrait plus.

Marianne la petite fée, Marianne dans la basse-cour

Voici le premier souvenir de Marianne. Elle est étendue sur son lit, nue, en train de regarder les particules de poussière danser dans les rayons du soleil, émerveillée par tant de beauté. Par conséquent, le souvenir de sa sensibilité est une source de joie. Il en a été de même toute sa vie et c'est d'autant plus le cas aujourd'hui, où elle peut s'exprimer grâce à son art.

Vous remarquerez que, dans ce premier souvenir d'enfance, elle est seule. Dans le même ordre d'idées, ses poèmes et photos portent principalement sur des objets, plutôt que sur des êtres animés. Ses œuvres représentent souvent des maisons aux portes et aux fenêtres closes. Le vide angoissant qui caractérise certaines de ses images nous rappelle nos expériences d'enfants, surtout si nous avons appris, très jeunes, à éviter l'intimité.

Sur l'une des photos prises pendant sa psychothérapie, Marianne a placé des poulets bien nets au premier plan. (Souvenez-vous de l'importance qu'elle accorde à cette image.) En arrière, on devine un grillage et la porte de la basse-cour, qui ressemble vaguement à une porte de prison. Encore plus flou, sur le seuil obscur du poulailler se tient un groupe fantomatique d'enfants en haillons. Une autre image importante est née d'un rêve dans lequel une petite fée irritée habitait un jardin secret dont l'entrée était interdite.

Marianne tenta ensuite de résoudre ses problèmes par la consommation de nourriture, d'alcool et de diverses drogues, de manière compulsive, dans des proportions qui frisaient l'exagération. Mais elle était trop intelligente pour se laisser complètement aller. Son esprit pratique et un QI de plus de 135 l'en ont empêchée. Dans un rêve, elle traîne la poussette d'un nourrisson affamé, courroucé, tout le long d'une salle de banquet qui regorge de nourriture. Mais l'enfant refuse tout. Nous avons découvert que le bébé était en fait affamé d'amour et d'attention. À l'instar des poulets qui ont faim, lorsqu'on ne nous donne pas ce dont nous avons besoin, nous mangeons tout ce que nous pouvons trouver.

Les hypersensibles et l'attachement

Aux chapitres précédents, nous avons parlé de l'importance du lien qui nous unissait à notre nourrice, généralement notre mère.

Les répercussions d'un lien non sécurisant se font sentir toute notre vie, à moins que nous ne réussissions à nouer un lien extrêmement sécurisant avec quelqu'un d'autre à l'âge adulte, un conjoint par exemple ou un psychologue, dans le cadre d'un traitement de longue haleine. Malheureusement, les relations ordinaires ne réussissent pas toujours à éliminer l'insécurité qui remonte à l'enfance (l'évitement de l'intimité ou la compulsion de fusionner et la crainte d'être abandonné). Pour couronner le tout, étant donné que nous ne savons pas exactement ce que nous recherchons inconsciemment, nous sommes portés à commettre à maintes reprises les mêmes erreurs, à choisir le type de personne qui, justement, éveille chez nous un sentiment d'insécurité.

Bien que j'aie découvert une tendance légèrement plus marquée chez les hypersensibles à nouer des liens non sécurisants une fois parvenus à l'âge adulte, cela ne veut pas dire que l'hypersensibilité soit responsable de cette situation[1]. C'est probablement parce qu'un enfant sensible est plus conscient qu'un autre des nuances subtiles qui imprègnent toute relation.

Votre hypersensibilité vous a appris maintes leçons, en particulier ce que vous pouviez attendre de votre nourrice : de l'aide, afin d'atténuer l'hyperstimulation ou, au contraire, une dose supplémentaire de stimuli. Chaque jour, vous avez appris quelque chose de nouveau.

Dans le *Journal d'un bébé* (voir le chapitre 2), Stern fournit l'exemple d'un « duo de risettes » entre la mère et Joey, le bébé imaginaire. La mère gazouille et approche son visage de celui de l'enfant, puis l'éloigne. Joey sourit, éclate de rire, encourage la mère à poursuivre le jeu. Mais, à un moment donné, la situation devient trop intense. À ce moment-là, Joey rompt tout contact oculaire en détournant les yeux, afin de désamorcer le stimulus. Pour décrire ce duo, Stern reprend l'analogie de la tempête, la mère jouant le rôle du vent qui balaye l'enfant. Lorsque Joey se sent dépassé par les événements, il réagit ainsi.

> Sa prochaine rafale se rapproche à toute vitesse, fouettant l'espace et le bruit. Elle fond sur moi. Elle me frappe. J'essaie de la contrer, puis de m'élever aussi vite, mais elle me fait frémir jusqu'au fond des os. Je tremble. Mon corps se fige. J'hésite, puis je fais demi-tour.

Je tourne le dos au vent. Et je retrouve ainsi le calme, seul dans mon coin[2].

Voilà qui devrait rencontrer un écho, maintenant: Joey s'efforce tout simplement de retrouver le degré optimal de stimulation décrit au chapitre 1. Les personnes qui ont l'habitude de prendre soin des bébés perçoivent en général ce phénomène. Lorsqu'un bébé s'ennuie et s'agite, elles inventent des jeux tels que le duo de risettes ou quelque chose de plus stimulant, un concours de grimaces, par exemple, ou font mine de se diriger lentement vers l'enfant en grondant, sur un ton faussement menaçant: «Maintenant, je vais t'attraper!» Les cris de joie de l'enfant sont une merveilleuse récompense pour l'adulte. En outre, on croit que pour encourager la confiance en soi et la tolérance du nourrisson, il est bon de le pousser jusqu'à la limite de la stimulation. Mais lorsqu'il commence à montrer des signes de détresse, la plupart des adultes cessent immédiatement le jeu.

Maintenant, retrouvons notre Jean imaginaire, notre nourrisson hypersensible. Le duo de risettes ne diffère sans doute guère de celui qui amuse tant Joey, sinon qu'il est en général plus bref et plus calme. La mère de Jean a coutume d'adapter les jeux à la personnalité de son fils, pour éviter de l'inquiéter.

Mais que se passe-t-il lorsque d'autres personnes s'amusent avec lui? Lorsque sa sœur aînée, par exemple, ou son grand-père, rendent le duo de risettes plus intense? Que se passera-t-il si, au moment où Jean détourne les yeux pour marquer une pause, sa sœur rapproche son visage au point qu'ils se trouvent de nouveau face à face? Ou si elle tourne de force le visage de Jean vers le sien?

Jean fermera peut-être les yeux.

Que se passera-t-il si la sœur hurle dans l'oreille de Jean?

Que se passera-t-il si Grand-Papa le chatouille ou le lance dans les airs à plusieurs reprises?

Jean n'est plus capable de maîtriser son degré de stimulation. À chacun de ses hurlements déchaînés, les adultes répondent par une nouvelle interprétation: «Il aime ça, vraiment il adore. Il a simplement un peu peur.»

La question vitale : aimez-vous vraiment ça ?

Imaginez-vous à la place de Jean. Quel méli-mélo ! La source de votre stimulation est totalement indépendante de votre volonté. Votre intuition vous murmure que l'adulte, habituellement si compétent, est aujourd'hui incapable de vous aider. Et pour couronner le tout, il rit, il s'amuse et s'attend à ce que vous en fassiez autant.

Voilà une bonne raison pour laquelle il vous est peut-être difficile encore aujourd'hui de décider de ce que vous aimez et de ce que vous n'aimez pas, indépendamment de ce que les autres aiment vous faire ou pensent que vous devriez aimer.

Je me souviens d'avoir un jour observé deux personnes qui s'amusaient à lancer leurs chiots dans les vagues et l'eau de plus en plus profonde. Les petits chiens revenaient désespérément se jeter dans les bras de leurs maîtres, tout en sachant pertinemment qu'ils allaient être obligés de répéter l'expérience. Non seulement cela leur paraissait être la seule possibilité, en dehors de la noyade, mais encore ces bras appartenaient aux humains qui offraient confort et nourriture, la seule sécurité que les chiots eussent jamais connue. C'est pourquoi ils agitaient frénétiquement la queue et j'imagine que leurs propriétaires s'illusionnaient, persuadés que les animaux adoraient le « jeu ». Les chiots eux-mêmes ne savaient peut-être plus que penser, au bout d'un moment.

J'ai connu une hypersensible dont le premier souvenir était d'avoir joué le rôle de « galette » dans une réunion de famille. Bien qu'elle pleurât et suppliât ses parents de lui épargner ce sort, la petite fille de deux ans dut passer de bras en bras. En revivant les sentiments longtemps refoulés qui avaient accompagné ce souvenir, elle comprit que ce jeu (ainsi que d'autres circonstances du même genre qu'elle avait sans doute complètement refoulées) avait instillé en elle un sentiment incontrôlable de terreur à l'idée d'être soulevée dans les bras d'un étranger, d'être physiquement dominée et de n'avoir pas été protégée par ses parents.

Par conséquent, c'est pendant vos premières années que vous avez appris à faire confiance à vos parents et au reste du monde ou, au contraire, à vous en méfier. Si l'expérience a été positive, votre sensibilité vous a rarement entraîné vers des états de stimulation extrême. Vous saviez comment réagir, vous aviez la situation bien en main. Si vous demandiez aux adultes de cesser le jeu, ils vous obéissaient. Vous saviez qu'ils vous viendraient en aide le cas échéant. En revanche, si vous souffrez d'anxiété ou de timidité chronique, si vous êtes plutôt asocial, c'est probablement parce que l'expérience vous a appris qu'il était préférable de ne pas faire confiance aux adultes. Car cette confiance n'est pas innée mais acquise.

Naturellement, entre ces deux extrêmes, il existe maintes nuances. Peut-être avez-vous appris à faire confiance dans certaines circonstances mais pas dans d'autres. Toutefois, il est vrai que pendant ses deux premières années, l'enfant adopte une stratégie universelle tout en bâtissant une représentation mentale du monde qui risque fort de le hanter toute sa vie[3].

Les hypersensibles qui ont connu une enfance heureuse

Malgré tout, nous avons de bonnes raisons de penser que les hypersensibles connaissent des enfances particulièrement heureuses. Gwynn Mettetal, psychologue à l'Université de l'Indiana, cherche à savoir comment aider les parents des enfants dont le tempérament pose un problème. Elle constate que la majorité des parents s'efforcent de comprendre leurs enfants et de les élever correctement. Ces bonnes intentions suffisent parfois à susciter chez l'enfant sensible, qui s'en rend compte, un sentiment plus puissant qu'à l'accoutumée d'être aimé de ses parents[4].

Il est fréquent que les parents d'un enfant hypersensible nouent un lien particulièrement étroit avec lui. La communication est plus subtile, les triomphes de l'enfant sont plus significatifs. « Maman, regarde ! J'ai marqué un but ! » acquiert un sens nouveau pour les parents comme pour l'entraîneur, lorsque le joueur de soccer est un hypersensible. En outre, puisqu'il s'agit d'un trait héréditaire, il y a de fortes chances pour que l'un des parents, voire les deux, soit déjà passé par là.

Des recherches entreprises à la faculté de médecine de l'Université de la Californie, à San Francisco, ont permis de découvrir que les enfants « hypersensibles au stress » se blessaient et tombaient malades plus souvent lorsqu'ils étaient en situation de stress, mais que dans des circonstances normales, la proportion était inversée. Le degré de stress étant fortement influencé par la qualité du lien qui unit l'enfant à ses parents et par l'atmosphère familiale, je crois qu'on peut affirmer sans hésiter que les enfants hypersensibles qui se sentent en sécurité jouissent d'une santé particulièrement florissante. Voilà qui est fort intéressant.

Enfin, si vos parents étaient distants tout en étant bienveillants, peut-être avez-vous reçu assez d'amour et bénéficié d'un espace vital suffisamment vaste pour vous permettre de grandir tranquillement, tout seul. Il est possible que des compagnons imaginaires, des personnages de roman ou la nature même vous aient suffi. Plus que les autres enfants, vous appréciiez la solitude. Peut-être votre intuition et vos qualités ont-elles attiré un adulte avec lequel vous avez noué une relation saine, un parent ou un enseignant. Un contact de ce genre, même limité, suffit parfois à avoir des effets bénéfiques.

Si vous avez été élevé au sein d'une famille particulièrement difficile, sachez que votre trait vous a peut-être protégé, en vous aidant à vous distancier du chaos dans lequel un enfant ordinaire aurait été plongé. Lorsque vous entamerez votre guérison, votre intuition vous servira de guide. Bien que les spécialistes des liens familiaux aient découvert que nous avions tendance à faire vivre nos expériences à nos enfants, il y a des exceptions, soit les adultes qui ont réussi à refermer les blessures les plus douloureuses de leur enfance. Si vous accomplissez cet effort, vous aussi, vous y réussirez. Nous reparlerons de cela au chapitre 8.

Le monde extérieur et ses terreurs

Vous avez bientôt l'âge d'aller à l'école. De nouvelles tâches vous attendent et c'est à ces occasions que votre sensibilité peut se révéler un avantage, tout comme un inconvénient. Ainsi que l'a constaté par lui-même le jeune Robert (chapitre 2), votre sortie dans le vaste monde a peut-être stimulé votre imagination, vous a fait prendre conscience d'un millier de nuances qui échappaient aux autres, vous a procuré une grande joie en vous permettant d'apprécier les plus petites beautés de la vie. Mais votre sensibilité a probablement fait surgir en vous des frayeurs et des phobies « irraisonnées ».

À cet âge, les frayeurs peuvent s'intensifier pour diverses raisons. Tout d'abord, le simple conditionnement. Les événements, quels qu'ils soient, qui vous ont ému à l'extrême sont désormais liés, dans votre raisonnement, à l'hyperstimulation; par conséquent, ils viennent s'ajouter à la liste de vos frayeurs. Peut-être avez-vous également compris que l'on attendait beaucoup de vous, que l'on vous reprocherait vos hésitations. En troisième lieu, vos « antennes » d'hypersensible ont capté les sentiments de votre entourage, en particulier ceux que les autres essayaient de dissimuler, à votre vue ou à la leur. Effrayé par certains de ces sentiments (étant donné que votre survie, après tout, dépendait de ces gens-là), peut-être avez-vous refoulé ces révélations. Mais votre peur, elle, a surnagé, s'exprimant par des frayeurs « irraisonnées ».

Enfin, souvenez-vous que votre sensibilité vous permet de détecter l'inconfort, la désapprobation et la colère d'autrui. C'est pourquoi vous vous êtes sûrement évertué à respecter aussi fidèlement que possible tous les règlements existants, terrifié à l'idée de commettre une erreur. Mais cette « perfection » constante vous obligeait à refouler une large part de sentiments très humains: irritation, exaspération, égoïsme, rage... Parce que vous vous montriez toujours désireux de leur plaire, les autres pouvaient négliger vos besoins même s'ils étaient, en réalité, plus aigus que les leurs. Votre colère s'en trouvait aggravée. Mais, terrifié par ce sentiment indigne, vous l'enterriez au plus profond de vous-même. La crainte d'« exploser » est donc devenue une autre source de frayeurs « irraisonnées[5] » et de cauchemars.

En outre, il est fort possible que la patience manifestée par vos parents pendant vos trois premières années à l'égard de votre sensibilité ait fini par s'user. Peut-être espéraient-ils que vous vous en débarrasseriez en grandissant. Mais lorsque le moment est venu de vous envoyer à l'école, ils savaient fort bien que le monde extérieur ne vous traiterait pas avec douceur. Peut-être ont-ils commencé à se reprocher de vous avoir surprotégé. C'est alors qu'ils ont décidé de faire de vous un être plus coriace. Il est possible qu'ils aient sollicité l'aide d'un psychothérapeute, vous faisant comprendre, en termes non équivoques, que quelque chose n'allait pas. Ne vous étonnez donc pas que cette accumulation ait fini par aggraver votre anxiété.

Le problème des garçons sensibles

Autant de garçons que de filles naissent hypersensibles[6], semble-t-il. Malheureusement, ils sont très vite victimes des stéréotypes véhiculés par notre société. En effet, chaque culture a une idée bien précise de la manière dont petits garçons et petites filles devraient se comporter.

Nous accordons tellement d'importance à cette question que cela en devient grotesque. Une collègue m'a décrit une expérience psychologique inédite. Un bébé avait été installé dans un parc en compagnie d'une gardienne qui, lorsque les passants lui posaient la question, répondait qu'elle ignorait s'il s'agissait d'un garçon ou d'une fille; elle avait simplement accepté de le surveiller quelques minutes et n'avait pas songé à poser la question à la mère. Toutes les personnes qui s'arrêtaient pour admirer ce joli bébé étaient extrêmement troublées de ne pas connaître le sexe de l'enfant. Certaines offrirent même de le déshabiller pour vérifier. D'autres études révèlent pourquoi le sexe est si important: on n'élève pas garçons et filles de la même manière[7].

Il est fascinant de constater que la société accorde aux personnes de chaque sexe un degré bien précis de sensibilité. Les femmes doivent être sensibles, certes, mais chez les hommes, il ne s'agit pas d'une caractéristique très recommandable. Et tout commence à la maison. Il semble que les mères aiment moins les garçons « timides » que les autres, ce qui, d'après les chercheurs, peut être interprété comme « une conséquence du système de valeurs de la mère[8] ». Quel handicap de départ, pour le petit garçon! Le reste de la société réagit aussi de manière très négative, surtout si l'enfant fait également preuve de douceur de caractère à la maison.

Les fillettes sensibles : compagnes rêvées de leur mère

Contrairement aux garçons, les fillettes timides s'entendent bien avec leur mère[9], car elles sont considérées comme « de bonnes petites filles ». Malheureusement, elles risquent aussi d'être surprotégées. Il est possible que pour la mère, une fillette sensible soit l'enfant rêvée, qui ne désirera pas, ne devra pas, ne pourra pas quitter la maison. Naturellement, cette attitude étouffera tout désir naturel de la petite fille d'explorer le monde extérieur et de surmonter ses frayeurs.

À tous les âges, les filles souffrent des effets néfastes (qui se manifestent notamment par le retrait) de l'attitude négative de leur mère : critiques exagérées, rejet, froideur[10]. Cela s'applique sans doute encore plus aux filles sensibles. En outre, les pères oublient fréquemment d'aider les fillettes à surmonter leurs frayeurs. Mais surtout, les petites filles souffrent plus que les garçons de l'attitude des deux parents, pour le meilleur comme pour le pire[11].

Et maintenant, il est temps de penser à ce que vous pourriez faire pour vous « rematerner ». Commencez par répondre au questionnaire intitulé « Comment réagissez-vous aux menaces d'hyperactivation ? »

COMMENT RÉAGISSEZ-VOUS AUX MENACES D'HYPERACTIVATION ?

N'hésitez pas à cocher plusieurs des affirmations ci-dessous, même si elles vous paraissent contradictoires. Cochez tout ce qui s'applique à vous. Répondez à chaque question dans l'absolu, sans vous préoccuper de la réponse que vous avez donnée aux autres.

Lorsque j'ai peur d'essayer quelque chose de nouveau ou lorsque je suis sur le point d'être hyperstimulé ou surexcité, voici ce que je fais en règle générale.

- ❑ J'essaie d'échapper à la situation.
- ❑ Je cherche tous les moyens de juguler la stimulation.
- ❑ Je m'attends à pouvoir endurer la situation d'une manière ou d'une autre.

- ❏ Je ressens une panique croissante à l'idée que quelque chose pourrait mal tourner.
- ❏ Je demande à quelqu'un en qui j'ai confiance de m'aider ou, tout au moins, je garde cette personne à l'esprit.
- ❏ Je m'éloigne de tout le monde, afin que personne ne puisse venir aggraver mon problème.
- ❏ J'essaie de me retrouver avec d'autres : amis, famille, un groupe que je connais bien — ou je vais à l'église, je suis un cours, je sors dans un endroit public.
- ❏ Je me promets encore plus énergiquement d'éviter cette situation dorénavant, même si cela me prive de beaucoup d'avantages.
- ❏ Je me plains, je m'irrite, je fais tout ce qu'il faut pour que les personnes responsables cessent de me perturber.
- ❏ J'essaie de me calmer, d'y aller une étape à la fois.

Votre propre méthode : ______________________________

Toutes ces réactions se justifient, même la peur qui peut nous inciter à agir. Mais elles ne conviennent pas à toutes les situations, par conséquent essayez de faire preuve de souplesse. Si vous utilisez moins de trois de ces méthodes, regardez la liste et envisagez d'en adopter davantage.

Qui vous a enseigné ces méthodes ? Qu'est-ce qui aurait pu vous empêcher d'en utiliser davantage ? En remontant jusqu'à l'enfance pour retrouver les origines de vos réactions, vous pourriez faire le tri entre celles qui sont encore utiles et les autres.

Essayez d'être un parent différent pour vous-même

Certaines situations sont hyperstimulantes en raison de leur intensité ou de leur durée excessives. L'enfant en vous est incapable de supporter les feux d'artifice ou de passer une heure de plus au carnaval. Le chapitre précédent aurait dû vous inciter à prendre votre corps au sérieux lorsqu'il vous affirme en avoir assez. Mais, parfois, il est simplement rempli d'appréhension à l'idée de ce qui risque de se produire ou d'avoir à monter dans la grande roue. Lorsque c'est l'inconnu qui engendre l'hyperstimulation, étant donné que par le passé c'est justement l'inconnu qui s'est révélé terrifiant, nous avons tendance à rejeter tout ce qui est nouveau sans même l'essayer. Ainsi, nous nous privons de beaucoup de joies.

Pour modifier votre attitude, vous devez acquérir l'expérience des situations nouvelles. Un hypersensible ne sait jamais ce que la nouveauté lui réserve. Les parents qui comprennent leurs enfants sensibles ont mis au point une stratégie d'approche progressive. Un jour ou l'autre, les enfants apprennent à l'utiliser d'eux-mêmes. Si vos parents ne vous ont pas enseigné cette méthode, il est temps de l'apprendre par vous-même, afin d'aller à la rencontre de la nouveauté.

J'ai adapté ici certains des conseils relatifs à l'« enfant timide »[12] qu'offre Alicia Lieberman dans son livre, *Emotional Life of the Toddler*. Ils pourraient être utiles aux adultes qui appréhendent les nouvelles situations.

1. Tout comme un parent ne plonge pas un nourrisson tout seul dans une nouvelle situation, emmenez quelqu'un avec vous.
2. Tout comme un parent commence par parler de la situation avec l'enfant, parlez à la partie effrayée de vous-même. Mettez l'accent sur ce que vous connaissez déjà, ce qui ne présente aucun danger.
3. Tout comme un parent promet à l'enfant qu'il pourra s'en aller s'il « commence à paniquer », autorisez-vous à rentrer à la maison si vous en avez envie.
4. Tout comme un parent sait que l'enfant se sentira à l'aise au bout d'un certain temps, dites-vous que la parcelle de vous-même qui a peur sera réconfortée si vous lui laissez le temps de s'adapter à la nouveauté.
5. Tout comme un parent prend soin de ne pas réagir à la peur de l'enfant par une inquiétude injustifiée, si vous sentez que la partie effrayée de vous-même a besoin d'aide, ne réagissez pas par une anxiété que la partie « courageuse » de vous-même juge disproportionnée.

En outre, souvenez-vous que l'hyperactivation est parfois confondue avec l'anxiété. Un parent compétent pourrait réagir ainsi : « Oui, j'en conviens, il se passe beaucoup de choses ici. Tout cela fait battre ton cœur plus vite, n'est-ce pas ? »

Qu'est-ce qui est préférable : protection ou déception ?

La décision la plus difficile consiste peut-être à choisir dans quelle mesure vous devriez vous protéger, dans quelle mesure vous devriez, au contraire, vous contraindre à aller de l'avant. C'est un écueil auquel se heurtent tous les parents des enfants sensibles. Vous savez certainement comment exercer des pressions sur vous-même : exactement comme le faisaient autrefois vos parents, vos enseignants et vos amis. En effet, rares sont les hypersensibles qui échappent aux pressions externes qui les contraignent à « faire comme les autres », à se comporter « normalement », à faire plaisir aux autres. Même lorsque les autres ont disparu de notre vie depuis longtemps, nous essayons encore de leur faire plaisir. Tout comme eux, nous rejetons notre besoin de protection occasionnelle. Pour reprendre les termes du chapitre précédent, nous en faisons trop.

Peut-être, au contraire, avez-vous adopté une attitude surprotectrice qui, au bout du compte, ne vous est d'aucune utilité lorsque vous êtes à la fois effrayé et enthousiaste à l'idée de tenter une nouvelle expérience, à la hauteur de vos compétences. Auquel cas, vous n'en faites pas assez.

N'est-il pas décourageant de regarder nos amis prendre plaisir à quelque chose que nous avons trop peur d'essayer ? Ne sous-estimez pas ce sentiment de découragement. Il est peut-être encore présent à l'âge adulte, tandis que vous voyez votre entourage faire carrière, voyager, déménager et nouer toutes sortes de relations. Pourtant, au fond de vous-même, vous savez que vous avez autant sinon plus de talent, de motivation et de potentiel.

Lorsque nous désirons quelque chose, deux possibilités s'ouvrent à nous : soit nous faisons en sorte de l'obtenir avant qu'il soit trop tard, soit nous sommes incapables de prendre les mesures nécessaires pour assouvir notre envie. Comme vous l'avez vu au chapitre 2, dans la description de notre développement que fournit Rothbart, les adultes sont capables d'orienter leur attention, grâce à la volonté, afin de prendre la décision de surmonter une frayeur. Si votre envie est puissante et si vous décidez d'agir pour l'assouvir, il est probable que vous réussirez.

En grandissant, nous cessons également de prétendre que nous serons un jour capables de faire absolument tout. La vie est courte, les limites sont nombreuses et les responsabilités écrasantes. Nous réussissons à cueillir quelques moments de joie, tout comme nous imprégnons le monde de notre joie. Mais il est impossible de tout avoir ou de tout faire, pas plus pour nous que pour les autres.

Ce ne sont pas tous les hypersensibles qui sont découragés à l'idée de ne pas pouvoir en faire autant que leurs semblables. Ils sont rarement victimes de l'envie. Ils apprécient leur trait de personnalité et savent qu'il leur donne une longueur d'avance sur les autres dans bien des domaines. C'est pourquoi je suis persuadée que le découragement, tout comme l'incapacité de se protéger, naît d'attitudes qui nous ont été inculquées durant notre petite enfance.

Il n'est jamais trop tard pour surmonter le découragement

Certes, il est sage d'accepter ce que nous ne pouvons changer, mais nous ne serons jamais trop vieux pour remplacer le découragement par de petits morceaux de confiance et d'espoir.

Enfant, j'appréhendais tout particulièrement l'idée de tomber. C'est pourquoi, lorsque je me trouvais en hauteur ou en situation d'équilibre instable, mon système nerveux s'activait au point de me faire perdre toute coordination. Je ne tenais donc pas particulièrement à apprendre à faire du vélo ou à patiner. Ma mère en a probablement été soulagée. Toute ma vie, je me suis principalement contentée d'observer ceux qui s'adonnaient à l'activité physique, à une brillante exception près. Cet événement marquant eut lieu à la fin d'une célébration du solstice d'été, en Californie, dans un ranch au pied des montagnes.

Des femmes de tous les âges assistaient à la rencontre. Mais le soir, lorsqu'elles eurent découvert une balançoire, on aurait juré un groupe de fillettes. Les cordes qui retenaient la balançoire étaient très longues et nous entraînaient en surplomb d'une pente. Au crépuscule, cela donnait l'impression de s'envoler vers les étoiles. C'était du moins ce qu'elles affirmaient. Toutes l'avaient essayée, sauf moi.

Je demeurai à l'extérieur, une fois le reste du groupe rentré, et j'observai la balançoire. Comme toujours, j'avais honte de me comporter en poule mouillée, bien que personne ne s'en fût vraiment rendu compte.

Puis une femme plus jeune que moi apparut et offrit de m'apprendre à utiliser la balançoire. Je refusai, mais elle n'en tint pas compte. Elle promit de ne pas me pousser plus haut que je le lui demanderais. Et elle me tendit la balançoire.

Il me fallut du temps, mais je me sentais en sécurité avec elle. Je parvins à mobiliser le courage nécessaire pour m'envoler vers les étoiles, comme les autres.

Je n'ai jamais revu cette jeune femme, mais je lui serai toujours reconnaissante non seulement de m'avoir permis de goûter cette expérience, mais encore d'avoir fait preuve de respect et de compréhension à mon égard, de m'avoir appris à me balancer, une petite envolée à la fois.

À l'école

Les souvenirs d'école de Marianne sont identiques à ceux des autres hypersensibles. Excellente élève, elle débordait également d'idées qui incitaient les autres à la suivre. Mais elle s'ennuyait souvent. Elle avait une imagination exubérante et lisait pendant les cours. En général, on la jugeait comme « la plus maligne » de la classe.

Parallèlement à l'ennui, elle souffrait de l'hyperstimulation qui caractérise l'ambiance scolaire. Elle se souvient surtout du vacarme qui éclatait dès que l'institutrice sortait de la salle de classe. Bien que le bruit ne l'effrayât pas, elle avait du mal à le supporter. À la maison, le tohu-bohu perpétuel, provoqué par la présence de huit personnes entassées dans une petite maison, lui portait sur les nerfs. Par beau temps, elle allait se cacher dans les bois ou sous le perron pour lire. Sinon, elle faisait en sorte de ne plus entendre ce qui se passait autour d'elle pendant qu'elle lisait.

À l'école, cependant, l'hyperactivation était parfois plus difficile à éviter. Un jour, l'institutrice lut tout haut des reportages sur les horribles souffrances de certains prisonniers de guerre. Marianne s'évanouit.

Vos débuts à l'école vous ont mis en contact, tout comme Marianne, avec le monde extérieur. Peut-être avez-vous subi un premier choc, le départ de la maison. Mais même si vous étiez prévenu, si vous aviez fréquenté le jardin d'enfants, rien n'aurait pu préparer vos sens à une longue journée dans une classe bruyante de première année. Dans le meilleur des cas, les enseignants faisaient leur possible pour que le degré de stimulation paraisse supportable à un enfant ordinaire. Mais pour vous, c'était déjà trop.

Il est possible qu'au début, vous vous soyez retiré dans votre coquille afin d'observer. Je me souviens parfaitement de la première journée de mon fils à l'école. Il s'installa dans un coin, les yeux écarquillés, frappé de stupeur. Cette attitude est généralement jugée «anormale». On vous demande: «Mais pourquoi ne vas-tu pas jouer avec les autres?» Plutôt que de déplaire à votre institutrice, de peur de paraître «bizarre», peut-être avez-vous réussi à surmonter votre répugnance. Ou peut-être n'y êtes-vous pas parvenu. Auquel cas, vous vous êtes peu à peu retrouvé au centre de l'attention, ce que vous cherchiez précisément à éviter.

Jens Asendorpf, de l'Institut de psychologie Max Plank, à Munich, estime parfaitement normal que certains enfants préfèrent jouer seuls, dans leur coin[13]. À la maison, les parents se rendent compte que ce goût de solitude est simplement un trait de personnalité de l'enfant. Mais à l'école, rien ne va plus. Dès la deuxième année, tout enfant qui joue seul est rejeté par ses condisciples, tandis que les enseignants s'interrogent gravement sur son cas.

Chez certains d'entre nous, l'hyperstimulation et la honte sont à l'origine de mauvais résultats scolaires. Mais comme nous aimons lire et possédons un tempérament studieux, nous excellons généralement à l'école. C'est le développement de notre sociabilité et de nos aptitudes physiques qui est freiné par l'hyperstimulation. Il est possible que pour surmonter cet obstacle, vous vous soyez lié d'amitié avec un autre élève. Peut-être inventiez-vous les jeux les plus amusants, rédigiez-vous les histoires les plus intéressantes, peigniez-vous les plus jolis tableaux.

Si, comme Charles (voir le chapitre premier), vous avez entamé vos années d'étude avec confiance, il est possible que vous ayez joué un rôle de chef auprès des autres. Comme l'a rappelé l'un de mes amis hypersensibles, un physicien: «Connais-tu un seul personnage illustre qui ait eu la vie facile à l'école?»

Garçons et filles

Mes recherches m'ont permis de constater que les garçons hypersensibles en âge scolaire sont principalement des introvertis. C'est logique puisque la société ne les considère pas comme «normaux». Par conséquent, ils doivent se montrer méfiants lorsqu'ils se retrouvent dans un groupe ou en compagnie d'étrangers.

Les filles sensibles, tout comme les garçons, nouent en général une ou deux amitiés véritables pendant leurs années d'école. Mais certaines d'entre elles sont extraverties. Contrairement aux garçons, en affichant leur énervement ou leurs émotions, elles se comportent d'une manière que la société juge «normale». Peut-être même cette attitude contribue-t-elle à les faire accepter des autres filles.

Malgré tout, cette tolérance présente un inconvénient. Une fille sensible ne se sentira jamais obligée d'acquérir la carapace qui est absolument nécessaire aux garçons sensibles pour survivre. Par conséquent, les filles n'ont guère l'habitude de juguler leurs émotions et se sentent souvent incapables de lutter contre l'hyperstimulation. Il leur arrive aussi d'utiliser leurs émotions pour manipuler les autres ou pour se protéger contre l'hyperstimulation. «Si nous jouons encore à ce jeu, je vais me mettre à pleurer.» Chez les filles, l'affirmation de soi qui devient indispensable à l'âge adulte n'est ni recherchée ni souhaitée.

La douance* chez les enfants

Si l'on a découvert que vous étiez « surdoué », vous avez sûrement vécu une enfance plus facile. Votre sensibilité, reconnue comme un aspect de votre talent exceptionnel, était jugée acceptable. Enseignants et parents peuvent aujourd'hui recevoir des conseils judicieux sur la manière d'élever un enfant surdoué. Par exemple, une psychologue[14] rappelle aux parents que ces enfants se sentent généralement mal à l'aise en compagnie de leurs camarades. Les parents ne créeront pas un monstre d'égocentrisme s'ils traitent leur enfant différemment des autres et s'occupent davantage de lui. On conseille aux parents et aux enseignants de permettre aux enfants surdoués de se comporter avec naturel. C'est en fait un conseil judicieux, valable pour tous les enfants dont la personnalité diffère de la moyenne ou de l'idéal. Mais c'est seulement aux surdoués que la société permet de dévier de la norme, parce qu'elle accorde une certaine valeur à cette caractéristique.

Toutefois, rien n'est entièrement négatif. Peut-être avez-vous subi les pressions de vos parents et de vos enseignants. Peut-être vous jugez-vous entièrement d'après vos réalisations. À moins d'avoir été élevé parmi d'autres enfants surdoués, vous avez probablement souffert de la solitude, voire du sentiment d'être rejeté par vos pairs. Aujourd'hui, heureusement, il existe des conseils plus appropriés à l'éducation des enfants surdoués[15]. Je les ai adaptés aux besoins de la personne hypersensible et talentueuse que vous êtes.

Soyez un parent pour votre Soi talentueux

1. Appréciez ce que vous êtes, non ce que vous faites.
2. Complimentez-vous lorsque vous courez des risques et apprenez du nouveau ; n'attendez pas de réussir. Ainsi, vous accepterez plus facilement les échecs.

* Qualité d'une personne particulièrement douée, c'est-à-dire qui possède des aptitudes supérieures à la moyenne dans un ou plusieurs domaines. Le terme est recommandé par l'Office québécois de la langue française et le Réseau des traducteurs en éducation. (N.D.T.)

3. Essayez de ne pas vous comparer perpétuellement aux autres; cette attitude vous expose à une concurrence excessive.
4. Donnez-vous la possibilité de rencontrer d'autres personnes douées.
5. Ne bourrez pas trop votre journée. Gardez-vous du temps pour réfléchir ou rêvasser.
6. Gardez le sens des réalités.
7. Ne dissimulez pas vos aptitudes.
8. Défendez votre droit d'être vous-même.
9. Acceptez l'éventail de vos intérêts, aussi étroit ou aussi vaste soit-il.

Peut-être avez-vous envie d'étudier les neutrinos et rien d'autre. Peut-être avez-vous envie de lire, de voyager, de parfaire vos connaissances ou de discuter jusqu'à plus soif de la signification de la vie humaine sur la planète. Il faut de tout pour faire un monde. (En outre, vos intérêts changeront probablement avec l'âge.) Nous reparlerons de la douance chez les adultes (sujet négligé jusqu'à présent) au chapitre 6.

L'adolescent hypersensible

L'adolescence est un âge délicat pour tout le monde. Mais j'ai constaté qu'en général, c'est un calvaire pour les hypersensibles. Sur des changements biologiques traumatisants viennent se greffer une succession de responsabilités nouvelles: apprendre à conduire, choisir une orientation scolaire ou professionnelle, consommer avec modération de l'alcool, voire des stupéfiants, garder les enfants des autres, travailler comme moniteur dans un camp d'été. À tout cela s'ajoutent une série de petites nouveautés telles que le port de papiers d'identité, d'argent ou de clés. Et voici qu'arrive le coup de grâce, l'éveil des envies sexuelles, avec l'agonie mentale qui les accompagne. Il est évident qu'un adolescent sensible aura beaucoup de mal à accepter le rôle de victime ou d'agresseur sexuel que certains médias semblent associer aux gens de son âge.

Il est toutefois possible de canaliser l'énergie et l'anxiété vers la sexualité parce que leur véritable source est plus difficile à accepter. Songez aux pressions que vous avez subies pour prendre des décisions dont les répercussions coloreront toute votre vie, sans savoir vraiment dans quoi vous vous engagez. Vos parents s'attendent à vous voir quitter le bercail pour toujours, avec enthousiasme ou, du moins, avec résolution. Vous craignez que votre «défaut» n'apparaisse au grand jour si vous ne parvenez pas à faire correctement la transition attendue entre la vie enfantine et l'indépendance d'un adulte.

Il n'est guère surprenant de constater que beaucoup d'adolescents sensibles résolvent leur problème en étouffant leur personnalité dans l'œuf afin de ne pas assister à la débâcle de leurs efforts pour mûrir «normalement». Et malheureusement, les méthodes d'autodestruction sont nombreuses et variées: mariage et maternité prématurés qui nous emprisonnent dans des rôles étroits, dictés par la société, abus de drogues ou d'alcool, infirmité mentale ou physique, adhésion à une secte ou à tout autre organisme qui nous offre la sécurité et répond à nos questions, voire suicide. Naturellement, ces comportements ne sont pas tous engendrés par l'hypersensibilité. Il n'est pas dit que le Soi, plante vivace s'il en est, ne survivra pas à quelques-uns d'entre eux pour fleurir un peu plus tard. Mais ces échappatoires, à la portée de tous les adolescents, attirent aussi certains hypersensibles.

Pour beaucoup, aller à l'université permet de reporter les responsabilités de l'âge adulte. (Ensuite, on fait des études de deuxième cycle, puis une recherche postdoctorale ou un internat.) Il existe d'autres moyens d'assumer très progressivement ces responsabilités. Les moyens dilatoires, par opposition à l'évitement, constituent une excellente tactique, une autre méthode d'apprentissage progressif. Ne vous reprochez pas de l'employer pendant quelques années.

Peut-être avez-vous différé le moment de quitter la maison familiale. Vous avez vécu avec vos parents quelques années, vous avez travaillé pour eux pendant un certain temps, vous avez emménagé avec des amis d'école secondaire. L'apprentissage progressif vous convient. Tout va pour le mieux. Soudain, sans coup férir, vous êtes devenu adulte, vous assumez toutes les responsabilités des adultes.

Il nous arrive cependant d'être trop ambitieux. L'université représente pour certains hypersensibles un pas de géant qu'ils n'arrivent pas à franchir. J'en ai connu tant qui décrochent après le premier trimestre (ou après leur premier retour à la maison, souvent à Noël). Ni leurs parents, ni leurs conseillers, ni eux-mêmes ne comprennent le vrai problème, soit l'hyperstimulation provoquée par un mode de vie entièrement nouveau : nouveaux amis, nouvelles idées, nouveaux projets d'avenir. À tout cela s'ajoutent l'installation dans une résidence bruyante, des nuits blanches, les premières expériences sexuelles, la consommation probable d'alcool et de drogues (ou la nécessité de soigner la gueule de bois des amis).

Même lorsqu'un étudiant hypersensible est tenté de se retirer du jeu pour se reposer, il subit les pressions des autres. Il se sent obligé d'être « normal », de suivre les autres, de se faire des amis, de répondre aux attentes de tout le monde. C'est pourquoi vous devez « recadrer » vos avatars d'étudiant. Ne les considérez pas comme des échecs personnels.

Comme on pourrait s'y attendre, une vie familiale saine est bénéfique aux adolescents, même lorsque vient le moment de quitter le bercail. Chez les hypersensibles notamment, l'ambiance familiale exerce une profonde influence. Avant même que vous soyez parvenu à l'adolescence, votre famille aurait dû vous en apprendre beaucoup sur la manière dont vous pourriez et devriez vous comporter dans le monde extérieur.

Lorsque des garçons et des filles sensibles deviennent des hommes et des femmes sensibles

Au fur et à mesure que les adolescents se transforment en adultes, l'écart entre les sexes s'élargit. Tout comme de petits changements de direction au début d'un voyage, les différences d'éducation entraînent hommes et femmes sensibles vers des destinations entièrement distinctes.

Dans l'ensemble, l'amour-propre des hommes est plus développé que celui des femmes. Lorsque les parents valorisent la sensibilité de leur petit garçon, comme cela a été le cas de Charles (voir le chapitre premier), il jouit à l'âge adulte d'une parfaite confiance en lui. À l'autre extrême, j'ai rencontré beaucoup d'hommes hypersensibles qui haïssaient l'être qu'ils étaient devenus. Cette réaction était entièrement prévisible compte tenu des rejets qu'ils avaient subis.

Une étude des hommes dont la timidité remontait à l'enfance (je présume qu'il s'agissait, pour la majorité, d'hypersensibles) a permis de découvrir qu'ils se mariaient en moyenne trois ans plus tard que les autres hommes, avaient leur premier enfant quatre ans plus tard et se lançaient dans la vie professionnelle trois ans plus tard ; et dans ce domaine, leurs réalisations demeuraient plus limitées[16]. Cet écart est certainement imputable aux préjugés de notre culture envers les hommes timides ou le manque de confiance en soi. Peut-être reflète-t-il également la prudence et la démarche progressive nécessaires aux hypersensibles, voire l'appréciation d'autres aspects de la vie en dehors de la famille et des réalisations professionnelles, tels les recherches spirituelles ou les goûts artistiques. Quoi qu'il en soit, s'il vous a fallu du temps pour vous épanouir, vous êtes en bonne compagnie.

Par contraste, les auteurs de la même étude ont découvert que chez les femmes, les timides franchissaient les diverses étapes de la vie en même temps que les autres. En revanche, il était beaucoup moins courant pour une femme timide d'avoir une vie professionnelle ou de la poursuivre après le mariage. Exactement comme si ces femmes respectaient la tradition patriarcale du passage direct entre la maison paternelle et le foyer conjugal, sans avoir appris à voler de leurs propres ailes.

Et pourtant, à l'école secondaire, ces femmes faisaient preuve d'une « indépendance tranquille, d'intérêt pour les domaines intellectuels, [manifestaient] des aspirations élevées et une voie intérieure[17] ». Il n'est que trop aisé d'imaginer le dilemme de ces femmes, déchirées entre cette « indépendance tranquille », le besoin de suivre cette voie intérieure et le sentiment qu'un mariage traditionnel représente le seul havre de paix possible.

Bien des femmes avec lesquelles je me suis entretenue considéraient leur premier mariage comme une erreur, une tentative de résoudre les problèmes causés par leur sensibilité soit en faisant entrer quelqu'un d'autre dans leur vie, soit en adoptant un rôle de femme tranquille et sans histoire. J'ignore si le pourcentage de divorces est plus élevé parmi ces couples, mais il est possible que les raisons d'une séparation soient différentes de celles qu'invoquent habituellement les autres femmes. En effet, il semble qu'au bout d'un certain temps, ces femmes se sentent contraintes non seulement d'affronter seules le monde extérieur, mais encore de laisser enfin s'épanouir leur intuition, leur créativité et leurs autres talents. Lorsque le premier mariage ne permet pas cette croissance intérieure, il devient une sorte de transition entre la maison parentale et l'indépendance, un tremplin depuis lequel la femme peut s'élancer lorsqu'elle se sent enfin prête.

C'est ainsi que Marianne explique son mariage. Elle s'était en effet mariée jeune et avait dû attendre la quarantaine pour laisser s'épanouir les talents créatifs et intellectuels si apparents pendant ses années d'école. Chez elle (et chez le tiers des femmes que j'ai interrogées), la simple sensibilité n'était pas seule en cause. Ces femmes avaient été traumatisées par des expériences sexuelles. Marianne, par exemple, avait été harcelée par ses frères. Même en l'absence de violences explicites, on sait que toutes les jeunes femmes perdent une large part de leur amour-propre au moment de la puberté, probablement lorsqu'elles se rendent compte qu'elles jouent le rôle d'objets sexuels. Une fille hypersensible comprendra encore mieux tout ce que cela entraîne et tentera immédiatement de se protéger. Certaines se mettent à manger gloutonnement pour perdre tout pouvoir de séduction, d'autres se réfugient dans l'étude ou le sport à outrance afin de ne pas garder de temps libre, d'autres enfin choisissent très tôt un garçon auquel elles se raccrochent pour avoir la paix.

Marianne avait entièrement cessé d'être un leader et d'impressionner ses enseignants par son intelligence dès son arrivée à l'école secondaire, soit à l'époque où sa poitrine avait commencé à se développer plus que celle de la moyenne des adolescentes. Soudain, elle attirait l'attention des garçons. Elle s'était mise à porter une blouse épaisse, par tous les temps, afin de se fondre dans le décor. En outre, les filles les plus populaires étaient « stupides, ricaneuses et obsédées par les garçons ». Marianne se refusait à devenir comme elles.

Cela ne l'empêchait pas d'être souvent accostée. Un jour, deux garçons la suivirent et parvinrent à l'embrasser de force. Elle rentra chez elle horrifiée. Dès qu'elle eut franchi la porte d'entrée, elle aperçut un rat — imaginaire ou non, elle n'en saura jamais rien — qui descendait les escaliers à sa rencontre. Pendant des années, chaque fois qu'elle embrasserait un garçon, l'image du rat se présenterait à son esprit.

À 16 ans, elle tomba amoureuse pour la première fois, mais rompit dès que la relation devint trop sérieuse. Elle demeura vierge jusqu'à l'âge de 23 ans. Un jour, un garçon avec qui elle était sortie la viola. À partir de ce moment-là, elle se donna à qui voulait bien d'elle, à l'exception des garçons qui lui plaisaient vraiment. Puis elle épousa un homme qui la maltraita jusqu'au jour où elle rassembla son courage afin de demander le divorce. C'est à ce moment-là qu'elle entama sa carrière artistique.

Par conséquent, il est possible de circonscrire ici aussi une différence entre la manière dont la sensibilité se manifeste chez chaque sexe. Les garçons sensibles s'écartent des autres afin de prendre leur temps pour s'engager dans la vie. Chez un homme, la sensibilité est un handicap. En revanche, elle est considérée comme « normale » chez une femme. Les filles sensibles n'ont malheureusement aucune difficulté à suivre la voie des valeurs traditionnelles sans avoir auparavant appris à se débrouiller par elles-mêmes dans le monde extérieur.

Nous grandissons dans un environnement très influencé par les valeurs de la société

Nous sommes à la fin d'un chapitre, mais peut-être au début d'une nouvelle vie ; vous avez appris à interpréter votre enfance sous l'éclairage de votre sensibilité et à vous « rematerner » si vous en ressentez la nécessité.

Vous constaterez que ce chapitre s'articule surtout autour des relations que vous entretenez avec autrui : parents, reste de la famille, pairs, enseignants, étrangers, amis, partenaires et conjoints. Les humains vivent en société, même les hypersensibles ! Le moment est donc venu d'examiner les rapports sociaux entre les hypersensibles et ce monde extérieur qui ne cesse de faire irruption, soit l'état d'esprit que l'on qualifie de « timidité ».

METTEZ À PROFIT CE QUE VOUS VENEZ D'APPRENDRE

Le recadrage de votre enfance

Au cœur de ce chapitre, voire du livre tout entier, se trouve le recadrage de votre vie sous l'éclairage de votre sensibilité. Cela consiste à donner à vos échecs, à vos blessures, à votre timidité, à vos moments d'embarras et à tout le reste une interprétation différente, plus froidement exacte et plus chaudement compatissante.

Énumérez les principaux événements de votre enfance et de votre adolescence, les souvenirs qui ont fait de vous ce que vous êtes. Peut-être s'agit-il de moments ponctuels, par exemple une pièce jouée à l'école ou le jour où vos parents vous ont annoncé qu'ils allaient divorcer. Ou peut-être s'agit-il d'une catégorie d'événements — le premier jour d'école chaque année ou le départ au camp d'été. Certains de ces souvenirs seront négatifs, voire traumatisants et tragiques. Vous vous souviendrez d'avoir été taquiné ou brutalisé. D'autres seront positifs mais peut-être un peu écrasants : le matin de Noël, les vacances familiales, les succès, les honneurs.

Choisissez l'un d'eux et suivez les étapes suivantes pour le recadrer, comme vous l'avez fait au chapitre premier.

1. *Pensez toujours à votre réaction à l'événement et à la manière dont vous l'avez toujours interprété.* Avez-vous « mal » réagi ? Votre réaction n'a-t-elle pas été ce que les autres attendaient ? S'est-elle prolongée trop longtemps ? Avez-vous décrété que vous n'étiez bon à rien ? Avez-vous essayé de dissimuler votre détresse aux autres ? Si vous n'y êtes pas parvenu, les autres vous ont-ils dit que vous exagériez ?
2. *Examinez votre réaction dans le contexte de ce que vous savez désormais de la manière dont votre corps fonctionne automatiquement.* Ou imaginez-moi, l'auteur, en train de vous l'expliquer.
3. *Demandez-vous si vous pouvez encore remédier au problème.* Si vous le jugez bon, parlez-en à quelqu'un. Peut-être à une personne qui était présente à l'époque et qui pourrait vous aider à insérer de nouveaux détails dans le tableau d'ensemble. Vous pourriez également noter votre nouvelle interprétation de l'expé-

rience et l'ajouter au récit de l'ancienne. Gardez toutes ces notes à titre de rappel.

Si vous le jugez utile, vous pourriez réitérer l'expérience avec un autre événement de votre enfance, dans quelques jours, et ainsi de suite jusqu'à ce que vous ayez épuisé votre liste. Ne brûlez pas les étapes. Laissez quelques journées s'écouler. Vous avez besoin de temps pour « digérer » tout événement important.

CHAPITRE 5

Les rapports sociaux
Pourquoi vous qualifie-t-on de timide ?

« Tu es trop timide. » Combien de fois avez-vous entendu cela ? Après avoir lu ce chapitre, vous envisagerez la question sous un autre angle. En effet, dans quelles circonstances la timidité se manifeste-t-elle le plus souvent ? Dans les rapports sociaux, soit les relations relativement distantes. (Nous parlerons des relations intimes au chapitre 7.) Certes, pour beaucoup d'hypersensibles, ce genre de rapports ne présente aucun problème. Mais je m'adresse ici aux personnes qui souffrent de ce que les autres appellent « timidité », « évitement » ou « phobie » des rapports sociaux. Nous étudierons ce phénomène, ainsi que d'autres difficultés propres aux hypersensibles, sous un angle entièrement nouveau.

Je le répète, je ne veux pas dire par là que pour les hypersensibles, les rapports sociaux soient difficiles. Mais même le président des États-Unis et la reine d'Angleterre doivent parfois se demander ce que les autres pensent d'eux. C'est une question que vous vous posez certainement, vous aussi. Et ce souci provoque l'hyperstimulation, votre talon d'Achille.

On nous répète souvent : « Ne t'inquiète pas, personne ne te juge. » Mais votre sensibilité vous permet de constater que, précisément, les gens vous observent et vous jugent. C'est d'ailleurs ce qu'ils font habituellement, mais les non-sensibles ont la bonne fortune de ne pas s'en rendre compte. Votre sort est donc beaucoup moins enviable. Bien que vous soyez capable de détecter les regards désapprobateurs ou d'interpréter les jugements tacites, vous devez faire en sorte de ne pas en souffrir. Voilà qui n'est pas facile.

Vous vous êtes toujours cru timide

La plupart des gens confondent sensibilité et timidité. C'est pourquoi on vous a si souvent reproché la vôtre. On convient qu'un chat, un chien ou un cheval puissent naître « timides », dotés d'un système nerveux plus sensible que le reste de leurs congénères (à moins que l'animal n'ait été maltraité, auquel cas il serait plus exact de le qualifier de « craintif »). La timidité se définit par la crainte que les autres ne nous aiment pas, n'approuvent pas notre comportement. Par conséquent, c'est une réaction, un *état* provoqué par une situation et non un trait permanent. La timidité, même chronique, n'est pas héréditaire, contrairement à la sensibilité. Et bien que la timidité chronique apparaisse surtout chez les hypersensibles, l'un n'entraîne pas forcément l'autre. J'ai rencontré de nombreux hypersensibles qui n'avaient pratiquement jamais souffert de timidité.

La timidité s'explique, chez les hypersensibles comme chez les autres. Si vous êtes souvent timide, c'est probablement parce qu'à un moment donné de votre vie, vous avez été plongé dans une situation (certainement hyperstimulante au départ) dont vous n'êtes pas parvenu à vous extraire avec le succès escompté. Les autres vous ont accusé d'avoir commis une erreur quelconque ou vous ont paru hostiles. Il est également possible que vous n'ayez pas été à la hauteur de vos propres exigences. Peut-être étiez-vous déjà en état d'hyperstimulation, votre imagination débordante vous ayant peint un effroyable tableau de toutes les catastrophes possibles et imaginables.

Il est rare qu'un seul échec suffise à engendrer une timidité chronique, mais cela s'est vu. En général, lorsque nous nous retrouvons dans la même situation, nous sommes encore plus stimulés que la première fois par notre appréhension. La troisième fois, nous avons beau être convaincus de notre bravoure, nous souffrons d'une hyperstimulation intolérable. Nous demeurons cois, nous nous comportons comme des figurants et c'est ainsi que les autres nous traitent. Et ainsi de suite. Il est facile de comprendre comment ce schéma peut se transformer en spirale descendante. Il peut même s'appliquer à d'autres situations analogues, voire à toutes les circonstances dans lesquelles vous vous trouvez face à un groupe.

Les hypersensibles, déjà plus rapidement stimulés que les autres, sont très vite emportés par cette spirale. Mais vous n'êtes pas né timide, vous êtes simplement né sensible.

Débarrassez-vous de l'idée que vous êtes « timide »

Si vous acceptez l'idée que vous êtes timide, vous vous heurterez à trois écueils. Le premier, c'est qu'elle est totalement fausse. Elle ne vous décrit pas tel que vous êtes; elle ignore votre sensibilité aux subtilités qui vous entourent et les problèmes parfois causés par votre hyperstimulation. Si vous êtes persuadé que c'est la peur qui est responsable de votre stimulation, même si ce n'est pas le cas, vous commencerez effectivement à souffrir de timidité, même si vous n'êtes pas naturellement « timide ».

Cette confusion, entre l'hypersensibilité et l'état d'esprit qu'on appelle timidité, est compréhensible, car 75 p. 100 des gens (du moins aux États-Unis) sont très extravertis[1]. Lorsqu'ils constatent votre émotion, ils ne comprennent pas qu'elle est simplement provoquée par l'hyperstimulation. Car ce n'est pas ce qu'ils ressentent, eux. Ils croient que vous avez peur d'être rejeté. Vous êtes timide, vous craignez le rejet. Pour quelle autre raison éviteriez-vous les rapports sociaux ?

Il vous arrive effectivement d'avoir peur du rejet. Pourquoi pas? Après tout, vous n'incarnez pas l'idéal de notre culture. Mais si vous êtes déjà hypersensible, vous n'avez guère besoin d'une goutte qui risque de faire déborder le vase. Lorsque les autres vous traitent comme si vous étiez timide et farouche, peut-être avez-vous du mal à accepter l'idée que vous préférez, tout simplement, la solitude. C'est vous qui vous rejetez. Ce ne sont pas les autres qui vous rejettent. (En outre, incapable de comprendre votre besoin de calme, car il leur en faut plus pour les émouvoir, les gens moins sensibles projettent parfois sur vous leur propre crainte du rejet; autrement dit, ils vous attribuent une caractéristique qu'ils ont peur de trouver en eux.)

Si vous avez tendance à fuir les foules ou à éviter de rencontrer des étrangers, il vous sera plus difficile de vous comporter avec aisance le jour où vous n'aurez pas le choix. Mais bien que vous ne prisiez guère ce genre de situation, ce n'est pas une raison pour vous qualifier de timide ou de farouche. Lorsque les autres s'efforcent de vous aider, ils se trouvent donc en porte-à-faux. Par exemple, persuadés que vous manquez de confiance en vous, ils vous assurent que vous avez tout pour plaire. En lisant entre les lignes, vous comprendrez que quelque chose ne va pas chez vous : vous manquez d'amour-propre. Ignorant que vous êtes simplement hypersensible, votre entourage explique votre manque de sociabilité par diverses raisons, toutes inexactes, laissant dans l'ombre les aspects positifs de votre personnalité.

En vous qualifiant de timide, vous portez un jugement négatif sur vous-même

Malheureusement, l'adjectif « timide » possède des connotations très négatives. C'est dommage, car la timidité peut aller de pair avec la discrétion, le sang-froid, la réflexion et la sensibilité. Mais d'après les études, la plupart des gens qui rencontrent pour la première fois un hypersensible le considèrent comme timide et, de ce fait, anxieux, gauche, timoré, inhibé et réservé[2]. Jusqu'aux spécialistes de la santé mentale qui adoptent la même attitude en associant timidité et faibles compétences intellectuelles, faible rendement, faible santé mentale. Ce sont seulement les gens qui connaissent parfaitement les « timides », tels que leurs conjoints, qui choisissent de les décrire en termes positifs. D'après une autre étude, les tests utilisés par les psychologues pour évaluer la timidité regorgent de qualificatifs négatifs[3]. Peut-être cela n'aurait-il aucune importance si les tests servaient à circonscrire un état d'esprit, mais on les emploie surtout pour définir les « timides », auxquels est alors fixée une étiquette négative. Cet adjectif dissimule une montagne de préjugés.

Si vous vous qualifiez de timide, vous risquez de le devenir

Une expérience psychologique plutôt amusante, entreprise à l'université Stanford par Susan Brodt et Philip Zimbardo[4], démontre à quel point il est utile de comprendre que nous ne sommes pas des timides, mais simplement des hypersensibles qui peuvent souffrir d'une stimulation excessive.

Brodt et Zimbardo ont réuni un groupe d'étudiantes qui se disaient extrêmement « timides », surtout en compagnie des hommes, et d'autres qui affirmaient ne pas l'être. Dans le cadre de cette étude, qui portait apparemment sur les effets du bruit, chaque étudiante devait passer un certain temps avec un jeune homme qui ignorait s'il avait affaire à une jeune femme « timide » ou non et avait reçu les instructions de nouer le même genre de conversation avec chacune. Le côté intéressant de l'histoire, c'est que certaines des jeunes femmes timides ont cru que les symptômes de l'hyperstimulation – battements cardiaques, rapidité du pouls – étaient provoqués par la puissance du bruit. En conséquence, leur conversation s'est révélée aussi animée que celle des jeunes femmes non timides. Elles n'ont pas eu plus de difficultés que les autres à orienter la discussion vers le sujet de leur choix.

En revanche, l'autre groupe de jeunes femmes « timides », auquel on n'avait fourni aucune cause externe d'hyperstimulation, s'était révélé beaucoup moins loquace, préférant laisser au jeune homme l'initiative de la conversation. Une fois l'expérience terminée, on a demandé au jeune homme de distinguer les femmes timides des autres. Il a été incapable de faire la différence entre les non-timides et celles auxquelles on avait fait croire que leur hyperstimulation était causée par le bruit.

Ces femmes, en fait, avaient oublié leur timidité, convaincues que les symptômes d'hyperstimulation n'avaient aucun rapport avec leur comportement en société. Elles déclarèrent ensuite n'avoir pas souffert de leur timidité et avoir trouvé l'expérience agréable. Les responsables leur demandèrent ensuite si, la fois suivante, elles préféreraient être seules pour participer à une autre expérience sur les « effets du bruit ». Les deux tiers répondirent par la négative, contrairement à 14 p. 100 des autres femmes timides et à 25 p. 100 des non-timides. Il est évident que ces femmes qui se disaient timides avaient apprécié l'expérience simplement parce qu'on les avait persuadées que leur hyperstimulation était causée par un facteur entièrement étranger à leur timidité.

La prochaine fois que vous vous sentirez mal à l'aise en société, souvenez-vous de cette expérience. Il est possible que les battements de votre cœur ne soient pas provoqués par la présence d'étrangers. Peut-être êtes-vous simplement agacé par le bruit ou d'autres facteurs dont vous n'êtes qu'à demi conscient, mais qui n'ont strictement rien à voir avec les personnes qui vous entourent. Par conséquent, il ne vous reste plus qu'à faire abstraction des facteurs extérieurs (si vous y parvenez!) et à vous amuser.

Je vous ai fourni trois bonnes raisons de ne plus vous qualifier de timide. C'est un terme inexact, négatif et propice à l'autosuggestion. Ne laissez pas non plus les autres vous en affubler. Il est de votre devoir de citoyen d'éliminer ce préjugé social. Non seulement il est injuste mais, comme nous l'avons vu au chapitre premier, il est dangereux, car il étouffe la voix des hypersensibles en érodant leur confiance en eux.

Comment interpréter votre inconfort en société ?

L'inconfort en société (expression que je préfère à « timidité ») est presque toujours causé par l'hyperstimulation, qui nous rend ou nous fait paraître gauches. Peut-être également craignons-nous cette hyperstimulation. Nous avons peur de faire une gaffe, de rester bouche cousue. Mais l'appréhension à elle seule suffit en général à susciter l'hyperstimulation une fois que nous nous trouvons en société.

Mais n'oubliez pas que l'inconfort est temporaire et que d'autres possibilités s'offrent à vous. Imaginons que vous avez froid. Vous pouvez soit le supporter, soit trouver un environnement plus confortable, soit créer vous-même la chaleur dont vous avez besoin — allumer un feu, chauffer davantage — ou demander aux personnes responsables de le faire pour vous. Vous pourriez également mettre un manteau. Bref, la seule chose que vous devriez éviter de faire à tout prix, c'est de vous reprocher d'être, de par votre nature même, plus sensible au froid que les autres.

Cela s'applique également à un sentiment d'inconfort en société, provoqué par l'hyperstimulation. Vous pouvez soit le supporter, soit rentrer chez vous, soit modifier d'une manière quelconque l'atmosphère ou demander aux autres de le faire, soit adopter une attitude qui vous donnera l'aisance dont vous manquez (par exemple adoptez le rôle de votre persona. Nous en reparlerons un peu plus loin).

Quoi qu'il en soit, vous devez vous débarrasser consciemment du sentiment d'inconfort. Ne vous lamentez donc plus sur la gaucherie « incurable » dont vous faites preuve en société.

Cinq stratégies pour atténuer l'hyperstimulation en société

1. L'hyperstimulation, vous le savez, n'est pas nécessairement provoquée par la peur.
2. Trouvez d'autres hypersensibles, avec qui vous pourrez bavarder en tête-à-tête.
3. Mettez à profit vos aptitudes qui réduisent la stimulation.
4. Fabriquez-vous une persona qui vous convient et mettez-vous consciemment dans sa peau.
5. Expliquez votre trait de personnalité aux autres.

Ne sous-estimez pas les bienfaits de l'aveu de votre hyperstimulation, surtout si les symptômes sont provoqués par un phénomène qui n'a rien à voir avec la compagnie avec laquelle vous vous trouvez. Si l'on vous juge défavorablement, vous saurez que ce n'est pas le véritable « vous », mais celui qui se trouve provisoirement énervé par l'hyperstimulation. Quiconque fera la connaissance du véritable « vous », de l'être calme et subtil que vous êtes habituellement, sera favorablement impressionné. Vous savez que c'est vrai puisque vous possédez des amis intimes qui vous admirent.

J'avais déjà atteint un âge respectable lorsque je décidai de reprendre mes études supérieures interrompues. Le premier jour, la première heure, dans la cafétéria, je laissai tomber un verre de lait, m'éclaboussant ainsi que les personnes qui se trouvaient autour de moi. Personne ne m'avait bousculée. L'incident eut lieu en présence de tous mes futurs condisciples et professeurs, soit les gens mêmes devant lesquels je souhaitais faire bonne impression.

Le choc vint s'ajouter à un degré de stimulation déjà presque intolérable. Mais grâce aux recherches que j'effectuais à l'époque sur les hypersensibles comme vous et moi, je sus exactement pourquoi cela m'était arrivé. Mon incapacité de tenir ne serait-ce qu'un verre de lait à la main était entièrement prévisible. La journée fut difficile, mais je fis mon possible pour ne pas laisser le lait renversé accroître encore mon malaise.

Pendant la journée, je rencontrai, à ma grande satisfaction, d'autres hypersensibles. Nous avions tous commis un impair quelconque ce jour-là. Dans un milieu ordinaire, il faut compter environ 20 p. 100 d'hypersensibles et 30 p. 100 de modérément sensibles. Une enquête effectuée par questionnaire anonyme sur la timidité a permis de découvrir que 40 p. 100 des répondants se considéraient comme timides[5]. Dans une salle pleine, il y a de fortes chances qu'au moins une autre personne souffre des mêmes affres que vous. Essayez d'accrocher son regard après avoir commis votre gaffe. Vous y lirez une profonde compassion. En un éclair, vous vous serez fait un nouvel ami.

En attendant, utilisez toutes les stratégies suggérées au chapitre 3 pour atténuer votre stimulation. Marquez une pause, faites une promenade, respirez profondément, bougez. Dressez la liste des options qui s'offrent à vous. Peut-être est-il temps de tirer votre révérence. Peut-être pourriez-vous simplement changer de place, vous installer près d'une fenêtre ouverte, dans une allée, à proximité de la porte. Réfléchissez à une présence tranquille, familière, qui pourrait vous venir en aide.

À certains moments de cette première journée à l'université, j'eus l'impression que les professeurs ne tarderaient guère à me juger anormale. Pour un non-sensible ordinaire, un degré aussi élevé de stimulation ne peut être que le symptôme de terribles conflits et d'une grave instabilité. Je mis donc en pratique toutes mes stratégies. Je fis une promenade, je méditai, je m'éloignai du campus pour déjeuner, je téléphonai chez moi. Et finalement, la journée ne se déroula pas trop mal.

Nous avons souvent l'impression que notre hyperexcitation est beaucoup plus évidente qu'elle ne l'est en réalité[6]. Vous savez déjà que lorsque nous faisons la connaissance de quelqu'un, nous entrons uniquement en contact avec la persona de surface. Si vous vous comportez de manière prévisible, parlez comme les autres, même si vous n'en avez pas envie, personne ne vous taquinera ou vous considérera comme arrogant, distant ou sournois. Par exemple, les recherches indiquent que les étudiants « timides » ont l'impression de faire beaucoup d'efforts pour se montrer à l'aise en société. Pourtant, les autres jugent en général que ces « timides » n'en font pas assez[7]. Notre culture, qui ne comprend pas l'hypersensibilité, est probablement responsable de cette attitude. Tant qu'elle perdurera, vous devrez vous faciliter la vie en vous comportant comme les autres. Adoptez une persona, une sorte de masque (le mot latin *persona* signifie masque) derrière lequel vous pourrez être qui vous voulez.

Dans d'autres circonstances, la meilleure stratégie consiste à expliquer votre hyperstimulation. Cela m'arrive par exemple lorsque je dois parler en public ou enseigner à une nouvelle classe. Je leur précise qu'il me faudra quelques minutes pour laisser se dissiper la tension nerveuse que je ressentirai en commençant. Ensuite, tout ira bien. Si vous mettez la question de votre hypersensibilité sur le tapis, pendant une discussion de groupe, vous constaterez que la conversation prend un tour plus intime, que chacun se met volontiers à parler de ses propres appréhensions en société. Vous ne vous culpabiliserez plus, vous serez libre de marquer une petite pause et vous ne vous sentirez pas exclu au retour. Peut-être un petit geste suffirait-il à atténuer votre stimulation, par exemple baisser le volume de la musique ou l'intensité de la lumière. Vous pourriez également demeurer dans votre coin pendant les présentations.

La mention de votre hypersensibilité suscitera l'un de deux types de réactions. Tout dépendra, en fait, des mots que vous utiliserez pour vous décrire. Le premier stéréotype qui viendra à l'esprit des personnes présentes, c'est celui de la victime passive, faible et troublée. Mais vous pourriez, si vous le voulez, faire apparaître l'image d'un être réfléchi, doué, profond, puissant. Il faut beaucoup d'entraînement dans le choix des mots pour réussir à évoquer le second. Nous en reparlerons au chapitre 6.

Lorsque je dois passer une journée, voire une fin de semaine entière en compagnie d'un groupe, je précise d'emblée que j'ai besoin de solitude. Je m'aperçois alors que je ne suis pas la seule. Mais même si je suis effectivement la seule à monter me coucher tôt ou à faire de longues promenades en solitaire, j'ai appris à ne pas éveiller la commisération de mes compagnons. Au contraire, je m'entoure d'une aura de mystère. Les membres de la classe des conseillers royaux doivent songer à ces considérations. Soyez un personnage énigmatique. Vous ne vous en porterez que mieux.

Stimulation et introversion

Nous avons commencé par nous débarrasser de l'étiquette du « timide » et par analyser les manifestations familières de l'hyperstimulation. Mais vous devez comprendre que les rapports sociaux se présentent sous maintes formes.

Un fait, toutefois, est commun à toutes. En effet, pour la majorité d'entre nous, l'hyperstimulation de source externe est provoquée par les autres, que ce soit à la maison, au travail ou en public. Nous sommes tous des êtres sociables qui goûtons la compagnie des autres et dépendons pour une large part des relations que nous entretenons avec eux. Mais beaucoup d'hypersensibles évitent les gens qu'ils rencontrent dans des circonstances hyperstimulantes : les étrangers, les fêtes, les foules. Pour la plupart d'entre nous, c'est une stratégie intelligente. Dans un monde hyperstimulant et très exigeant, chacun doit établir ses priorités.

Naturellement, il nous est presque impossible de vivre avec aisance une situation que nous avons coutume d'éviter. Mais nous pouvons apprendre à la tolérer et c'est amplement suffisant. Cela nous permet de consacrer l'énergie ainsi économisée à ce qui nous tient à cœur.

Il est vrai, également, que certains hypersensibles évitent les étrangers, les fêtes et autres situations de groupe parce qu'ils ont subi un rejet par le passé. Parce qu'ils ne correspondaient pas à l'idéal d'une personne joviale et enjouée, on les a jugés durement. En conséquence, ils évitent les gens dont ils ne sont pas sûrs. C'est une attitude très raisonnable, bien qu'attristante, et qui n'a rien de honteux.

Selon les études, 70 p. 100 des hypersensibles sont « introvertis ». Cela ne veut pas dire qu'ils sont misanthropes. Simplement, ils préfèrent avoir quelques amis intimes plutôt qu'un large cercle de relations et n'aiment ni les fêtes bruyantes ni les foules. Mais la personne la plus introvertie peut se montrer extravertie et trouver amusante la compagnie d'un étranger ou se divertir dans une foule. Quant aux plus extravertis, ils se comportent parfois en introvertis.

Quoi qu'il en soit, les introvertis sont des êtres sociables. Qui plus est, la qualité de leurs rapports sociaux exerce une profonde influence sur leur bien-être[8]. Car pour eux, c'est la qualité qui compte, plutôt que la quantité.

(Toutefois, si vous ne vous sentez pas bien dans votre peau, ce n'est pas forcément une relation intime qui résoudra ce problème. En réalité, il nous est presque impossible de nouer une relation saine, véritablement intime, tant que nous ne ressentons pas une impression de bien-être émotif. La psychothérapie, au sens large, pourrait vous aider, comme nous le verrons au chapitre 8.)

Et l'hypersensible extraverti ?

Je tiens à préciser une fois de plus que l'hypersensibilité n'est pas synonyme d'introversion. Mes recherches m'ont permis de constater que 30 p. 100 des hypersensibles étaient extravertis. Si tel est votre cas, vous avez beaucoup d'amis, vous appréciez la compagnie des étrangers, vous êtes à l'aise dans un groupe. Peut-être avez-vous été élevé au sein d'une grande famille très sociable ou dans un quartier sûr. Pour vous, les autres sont une source de sécurité plutôt qu'autant de raisons de vous tenir sur vos gardes.

Malgré tout, vous souffrez parfois d'hyperstimulation, par exemple après une longue journée au travail ou si vous passez trop de temps en ville. À ce moment-là, vous choisissez la solitude. (Curieusement, les non-sensibles extravertis se détendent mieux en compagnie d'autres personnes.) Bien que la plupart des conseils que vous trouverez ici s'adressent aux hypersensibles introvertis, les autres pourront aussi en bénéficier.

Comment apprécier le « genre » introverti ?

Avril Thorne, de l'Université de la Californie à Santa Cruz, a décidé un jour d'observer les introvertis entre eux[9]. À l'aide de tests, elle a réussi à dégager un premier échantillon d'étudiantes très extraverties, puis un autre, d'introverties. Elle les a ensuite réparties par groupes de deux. Certains groupes étaient composés de deux introverties, d'autres d'une introvertie et d'une extravertie. Puis elle a filmé leurs conversations sur vidéocassette.

Les introverties avaient des conversations sérieuses, parlaient de leurs problèmes, se montraient quelque peu méfiantes. Elles avaient tendance à écouter, à interroger, à donner des conseils. Elles concentraient profondément leur attention sur leur vis-à-vis.

En revanche, les extraverties conversaient davantage à bâtons rompus, se demandaient mutuellement leur avis, recherchaient ce qu'elles avaient en commun et se faisaient davantage de compliments. Elles se montraient enjouées et expansives. Elles n'avaient pas de préférence pour un type de compagne ou un autre et semblaient apprécier les deux, comme si leur plaisir principal était représenté par la conversation même.

Lorsque les extraverties se retrouvaient avec des introverties, elles étaient satisfaites de ne pas avoir à se montrer si joviales. Quant aux introverties, elles considéraient leur conversation avec les extraverties comme « une bouffée d'air frais ». Par conséquent, Thorne nous présente l'image de deux types qui, chacun, apporte une contribution *d'une importance égale*. Mais étant donné que le type introverti est en général dévalorisé, il serait utile de consacrer du temps à mettre en relief les vertus des introvertis.

Que pensait Carl Jung des introvertis ?

Carl Jung considérait l'introversion comme l'une des divisions fondamentales entre les humains, responsable des principales querelles de la philosophie et de la psychologie, dont la plupart pouvaient se résumer par la question suivante. Pour comprendre une situation ou un sujet, est-il préférable d'en analyser les facteurs externes ou leur interprétation interne ?

Pour Jung, les deux attitudes qui, chez la majorité des gens, ont tendance à alterner, pouvaient se comparer à l'inspiration et à l'expiration[10]. Mais chez certaines personnes, l'un des deux types l'emportait sur l'autre. En outre, cela n'avait rien à voir avec la sociabilité. Un être introverti était simplement tourné vers l'intérieur, vers le sujet, vers le Soi, plutôt que vers l'extérieur, vers l'objet. L'introversion naît d'un besoin et d'un désir de protéger l'aspect intérieur «subjectif» de la vie, de le valoriser davantage et, surtout, de l'empêcher d'être écrasé par le monde «objectif»[11].

De l'avis de Jung, on n'accordera jamais assez d'importance aux introvertis.

> Ils sont la preuve vivante que ce monde riche et varié, que cette vie débordante et enivrante n'existent pas uniquement à l'extérieur, mais s'épanouissent aussi à l'intérieur. (...) Leur vie nous apprend plus que leurs paroles. (...) Elles nous enseignent l'autre possibilité, celle de la vie intérieure qui fait si douloureusement défaut à notre civilisation12.

Toutefois, Jung était parfaitement au courant du préjugé de la culture occidentale envers les introvertis. Que les extravertis manifestent ce préjugé, cela, il était capable de l'admettre. Mais il était convaincu que les introvertis qui se dévalorisent portent gravement préjudice au monde tout entier.

Il faut de tout pour faire un monde

À certains moments, nous sommes heureux d'apprécier le monde tel quel, nous sommes reconnaissants envers ceux qui nous aident, ces extravertis qui parviennent à nouer des liens avec de parfaits étrangers. Mais à d'autres, nous avons besoin d'une ancre intérieure, car nous accordons toute notre attention aux nuances les plus subtiles de notre expérience intime. Discuter des films que nous avons vus et des restaurants que nous avons essayés ne suffit pas toujours. Notre âme ressent parfois le besoin d'analyser des questions plus profondes. C'est même essentiel.

Linda Silverman, spécialiste des enfants surdoués, a découvert que plus l'enfant est intelligent[13], plus il a de chances d'être introverti. En effet, les introvertis font preuve d'une créativité exceptionnelle. Ils donnent des réponses inhabituelles à quelque chose d'aussi simple que le test psychodiagnostique de Rorschach[14].

Ils sont plus souples que les autres, car ils sont souvent contraints de faire ce que les extravertis font sans même y penser, soit rencontrer des étrangers ou assister à des fêtes. Mais certains extravertis peuvent éviter l'introversion pendant des années. Ce côté éclectique des introvertis revêt une grande importance à l'âge où ils commencent à acquérir les intérêts qui leur ont manqué dans leur jeunesse. En outre, le retour sur soi devient plus important au fur et à mesure que nous prenons de l'âge. Par conséquent, on pourrait dire que les introvertis vieillissent plus harmonieusement que les autres.

Vous êtes donc en bonne compagnie. N'écoutez pas les mauvaises langues qui vous affirment que vous devriez cesser de jouer les rabat-joie. Appréciez la légèreté des autres, certes, mais ne dépréciez pas vos qualités. Si la conversation à bâtons rompus n'est pas votre fort, soyez fier de votre silence. Enfin, si votre humeur change, si vous vous extériorisez pendant un moment, soyez aussi gauche que vous avez envie de l'être. Dans une ambiance entièrement nouvelle, n'importe qui serait gauche. Vous avez la chance de posséder un petit morceau de sagesse. Il serait prétentieux de vouloir la posséder tout entière.

Comment se faire des amis

Pour maintes raisons, les introvertis préfèrent les relations intimes. En effet, les amis intimes se comprennent et s'entraident plus facilement. Naturellement, les blessures qu'ils s'infligent sont en général plus profondes, mais elles contribuent à la croissance intérieure, qui occupe une place importante dans la vie de nombreux hypersensibles. Grâce à votre intuition, vous aimez probablement parler de sujets complexes tels que la philosophie, les sentiments, les luttes qui font partie de l'existence quotidienne. Voilà des sujets difficiles à aborder lors d'une première rencontre, lors d'une soirée, par exemple. Enfin, les introvertis possèdent des caractéristiques qui leur facilitent les relations intimes. C'est avec leurs intimes qu'ils connaissent le succès en société.

Les extravertis ont toutefois raison d'affirmer qu'un étranger, c'est un ami qu'on ne connaît pas encore. Tous nos amis intimes ont un jour été des étrangers. Au fur et à mesure que vos relations évolueront ou s'émousseront, vous devrez rencontrer de nouveaux amis en puissance. Essayez donc de vous souvenir dans quelles circonstances vous avez rencontré votre meilleur ami.

Qu'exigent de vous les bonnes manières ?

Si vous êtes généralement introverti, rappelez-vous que dans la plupart des situations, vous devrez répondre à des exigences minimales de comportement en société. Les hypersensibles sont capables de résumer toutes les règles du savoir-vivre en trois mots : calmez votre interlocuteur. (Ou en deux : soyez gentil.) Un silence de mort, parce qu'il est inattendu, risque fort de placer vos interlocuteurs sur des charbons ardents. Mais une jovialité exagérée – l'erreur habituelle de l'extraverti – embarrassera tout autant un hypersensible. Contentez-vous de prononcer quelques paroles agréables, à connotation neutre.

Je l'admets, ce genre de conversation ennuiera probablement les gens moins sensibles qui adorent la stimulation. Mais un hypersensible a besoin de réduire son propre degré de stimulation au moment où il fait la connaissance d'un étranger, même si celui-ci est capable de demeurer tout à fait imperturbable. Ultérieurement, vous pourrez devenir l'interlocuteur le plus passionnant qui soit. (Mais à ce stade, vous courez encore des risques calculés et chaque petit succès vient s'ajouter au total.)

Vous avez besoin, c'est évident, d'un cours avancé sur les personas ou rôles en société. Une bonne persona englobe naturellement de bonnes manières et un comportement prévisible, non stimulant. Mais vous pouvez l'adapter à vos besoins personnels. Par exemple, pour un banquier, il est souhaitable de présenter une persona fiable et pratique. S'il possède un tempérament d'artiste, il a tout intérêt à le cacher. Les artistes, au contraire, devraient dissimuler à leurs admirateurs toute aptitude financière. Un étudiant devrait avoir l'intelligence de paraître modeste. Quant aux enseignants, ils doivent en général procurer une impression d'autorité.

L'idée d'une persona est contraire à l'idéal nord-américain de franchise et d'authenticité. Les Européens, en revanche, savent parfaitement qu'il est préférable de ne pas dire tout ce qui nous vient à l'esprit. Malheureusement, certains ont tendance à s'identifier entièrement à leur persona. Nous en connaissons tous. Étant donné qu'il n'y a rien à voir sous le masque, nous sommes incapables de déterminer s'ils sont malhonnêtes ou sournois. Mais il est rare que ce soit le cas d'un hypersensible.

Si vous croyez que je vous suggère ici d'être hypocrite, examinez la question sous un autre angle. C'est comme si vous choisissiez le degré de franchise que vous jugez approprié à chaque circonstance. Prenons un exemple. Vous venez de faire la connaissance de quelqu'un qui souhaite devenir votre ami alors que vous n'avez pas l'intention de donner suite à la relation. Il est fort probable que si vous refusez son invitation à déjeuner, ce ne sera pas en ces termes: «Je me suis rendu compte que je n'avais pas envie de me lier avec vous.» Vous trouverez certainement une excuse comme: «Mon emploi du temps est un peu trop chargé en ce moment», ou quelque chose de ce genre.

Cette réponse présente un certain degré de franchise. En effet, si vous disposiez d'un temps infini, vous accepteriez sans doute de franchir au moins une autre étape dans votre relation avec cet individu. Lui révéler pourquoi vous n'avez pas la moindre intention de le revoir n'est pas, à mon avis, moralement justifiable. Mais une bonne persona et de bonnes manières vous permettent de faire preuve de compassion, sans pour autant manquer de franchise, surtout vis-à-vis de gens que vous connaissez à peine.

Dans quelles circonstances avez-vous fait la connaissance de vos meilleurs amis?

Inscrivez les noms de vos meilleurs amis. Utilisez une page par personne. Puis répondez aux questions suivantes.

- Les circonstances vous ont-elles forcé à parler?
- L'initiative est-elle venue de l'autre?
- Vos sentiments, ce jour-là, étaient-ils différents des autres jours?
- Vous sentiez-vous particulièrement extraverti ce jour-là?
- Comment étiez-vous habillé? Étiez-vous ou non satisfait de votre apparence?

- Où étiez-vous ? À l'école, au travail, en vacances, à une soirée ?
- Quelles étaient les circonstances ? Qui vous a présentés ? Ou vous êtes-vous retrouvés face à face par hasard ? L'un des deux a-t-il lié conversation sur un sujet particulier ? Que s'est-il passé ?
- Quand et comment avez-vous compris qu'une amitié était née entre vous ?
- Maintenant, recherchez les points communs entre toutes les situations décrites. Par exemple, bien que vous n'aimiez pas les soirées, elles vous ont permis de faire la connaissance de deux de vos meilleurs amis. Avez-vous dégagé des caractéristiques communes, par exemple le fait d'aller à l'école ou de travailler avec d'autres, qui sont absents de votre vie pour le moment ? Comment allez-vous mettre à profit ce que vous venez d'apprendre ? Vous promettez-vous d'assister à au moins une soirée par mois ? (Ou, au contraire, d'éviter dorénavant toutes les soirées, étant donné qu'en ce qui vous concerne, ce n'est pas l'endroit idéal pour se faire des amis.)

Comment développer vos aptitudes en société ?

Qu'ils soient présentés sous forme de livres, de cassettes, d'articles, de conférences ou de cours, les conseils à cet égard se divisent en deux catégories. Dans le premier cas, ils vous sont fournis par des spécialistes de l'extraversion, des rapports sociaux, des ventes, de la gestion du personnel et de l'étiquette. Ce sont des gens souvent spirituels, toujours joviaux. Ils vous parlent d'apprentissage et non de guérison ; par conséquent, ils ne maltraitent pas votre amour-propre en laissant entendre que vous souffrez d'un problème sérieux. Si vous décidez de faire appel à ces professionnels, sachez que votre but n'est pas de leur ressembler mais d'apprendre quelques trucs utiles. Ils publient des livres intitulés *Comment séduire les foules* ou *Trouvez toujours les mots qu'il faut* (ces titres sont fictifs, mais de nouveaux livres sur cette question paraissent tous les jours).

La seconde catégorie d'informations provient des psychologues qui se spécialisent dans le traitement de la timidité. Ils commencent par vous inquiéter, afin de vous motiver, puis vous entraînent pas à pas dans un programme extrêmement complexe et très bien documenté. Grâce à ces méthodes, vous apprendrez à modifier votre comportement. Aussi efficace que soit cette démarche, elle présente quelques problèmes pour les hypersensibles. Car même si vous la jugez plus adaptée que la première à votre cas, il est évident qu'en utilisant des expressions comme « guérir votre timidité » ou « surmonter votre syndrome », le psychologue ne fera que raffermir votre conviction que vous souffrez d'un handicap. Qui plus est, cette démarche néglige totalement les aspects positifs de votre trait de personnalité.

Quels que soient les conseils que vous lirez ou entendrez, rappelez-vous que rien ne vous oblige à accepter la manière dont les extravertis — soit les trois quarts de la population — définissent l'aisance en société : s'entretenir quelques minutes avec chaque personne présente, savoir rattraper la conversation au vol, éviter les silences « gênants ». Vous avez vos points forts : vous aimez les discussions sérieuses, vous savez écouter, vous n'êtes pas embarrassé par les silences qui font remonter en surface des pensées profondes.

Peut-être en savez-vous déjà presque autant que ces spécialistes. J'ai confectionné un petit questionnaire à partir des points les plus importants. Mettez donc vos connaissances à l'essai.

COMMENT SE SENTIR À L'AISE EN SOCIÉTÉ — DERNIÈRES TROUVAILLES

Répondez par « vrai » ou « faux ». Vous trouverez le corrigé à la page 153.

1. Il est utile de réprimer les pensées négatives du genre : « Je ne lui plairai probablement pas » ou « J'échouerai, comme d'habitude ». V F
2. Lorsque quelqu'un se sent timide, les autres s'en rendent compte. V F
3. Tout le monde subit inévitablement quelques rejets ; ne vous blâmez pas. V F
4. Pour vaincre la timidité, il est utile de se donner des objectifs ; par exemple, faire une nouvelle connaissance par semaine. V F

5. En brûlant les étapes, nous atteindrons plus vite nos objectifs. V F
6. Il vaut mieux ne pas répéter à l'avance ce que nous dirons en rencontrant un étranger ou lorsque nous nous trouverons dans une situation nouvelle, sinon nos paroles sembleront rigides et dépourvues de spontanéité. V F
7. Attention au langage corporel ! Moins il transmet de messages, mieux c'est. V F
8. Lorsque vous essayez d'ouvrir ou de poursuivre la conversation, posez des questions un peu trop personnelles, auxquelles votre interlocuteur ne pourra pas répondre par un ou deux mots seulement. V F
9. Vous pouvez montrer que vous êtes attentif en vous asseyant le dos contre le dossier de votre chaise, bras et jambes croisés, le visage impassible et en évitant de regarder votre interlocuteur dans les yeux. V F
10. Ne touchez jamais votre interlocuteur. V F
11. Ne lisez jamais le journal avant de sortir en société, de peur que les nouvelles ne vous dépriment. V F
12. Il n'est pas vraiment nécessaire de parler de soi ; il suffit que le sujet de conversation soit intéressant. V F
13. Une personne qui sait écouter répétera ce qu'elle vient d'entendre en faisant écho aux paroles de son interlocuteur ; ensuite, elle répondra en émettant ses propres sentiments et non ses idées. V F
14. Ne révélez pas de détails intéressants à votre sujet sinon on vous jalousera. V F
15. Pour rendre une conversation plus agréable, plus profonde, il est parfois utile de confier nos faiblesses ou nos problèmes. V F
16. Essayez de ne pas contredire votre interlocuteur. V F
17. Si la conversation vous donne envie d'apprendre à connaître l'autre personne, dites-le-lui. V F

Sources : Jonathan Cheek, *Conquering Shyness* (New York, Dell, 1989) et M. McKay, M. Dewis et P. Fanning, *Messages : The Communication Book* (Oakland, Calif., New Harbinger Press, 1983).

Vous savez quoi dire mais vous n'osez pas ? Ne vous culpabilisez pas.

Gretchen Hill, psychologue de l'Université du Kansas[15], a demandé à des timides et à des non-timides de décrire ce qu'ils considéraient comme un comportement approprié dans 25 situations en société. Elle a constaté que les timides savaient autant que les autres ce que l'on attendait d'eux, mais se disaient incapables de le faire. Elle en a conclu que les timides manquaient de confiance en eux. Étant donné que c'est la faiblesse que l'on nous attribue le plus souvent, on nous suggère d'acquérir de l'assurance. Comme cela nous est impossible, nous voilà de retour à la case départ. Mais nous avons peut-être des raisons valables, car notre hyperstimulation nous a souvent empêchés de nous comporter comme il le fallait. Naturellement, certains d'entre nous s'attendent à ne pas pouvoir adopter un comportement correct en société. Nous exhorter à acquérir de l'assurance ne suffit pas. Il vaut mieux s'en tenir à la démarche en deux volets de ce chapitre: analysez votre hyperstimulation et appréciez le genre introverti, le vôtre.

Si nous ne parvenons pas à mettre en pratique ce que nous savons sur les rapports sociaux, c'est aussi peut-être parce que nous sommes prisonniers de certains éléments de notre enfance. Ou de certains sentiments qui monopolisent notre attention. Comment savoir ? Si vous passez votre temps à vous répéter « Je ne sais pas pourquoi j'ai fait cela ; ça ne me ressemble pas » ou « Malgré tous mes efforts, rien ne marche », c'est probablement votre cas.

L'histoire de Paule

Paule est indubitablement née hypersensible. Ses parents avaient constaté sa « timidité » dès sa naissance. Elle avait toujours été beaucoup plus sensible au bruit et au tohu-bohu que ses amis. Lorsque je fis sa connaissance, elle avait une trentaine d'années. Elle exerçait la profession de coordonnatrice de congrès et d'autres manifestations importantes. Mais en dépit de son indéniable compétence, elle n'avait aucune chance d'être promue, car sa peur de parler en public ou d'avoir affaire à des étrangers l'empêchait de diriger une équipe de plus de quatre ou cinq personnes. Au point qu'elle avait organisé sa vie en fonction des réunions qu'elle devait animer. Elle passait des heures à se préparer, soit en faisant de l'exercice, soit en accomplissant divers rituels qui devaient lui permettre d'affronter ses collègues.

Paule avait lu tous les livres possibles et imaginables sur la question. Elle avait réussi à mobiliser sa volonté, qui était considérable, afin de surmonter sa terreur. Mais après avoir constaté que son problème n'était guère courant, elle avait essayé de suivre un traitement psychologique approfondi, qui lui permit de circonscrire certaines des origines de ses frayeurs. Elle put ainsi commencer à s'en libérer.

Le père de Paule possédait un tempérament extrêmement colérique. (Il est devenu alcoolique depuis.) Il était toutefois intelligent, possédait un esprit analytique et avait coutume d'aider les enfants à faire leurs devoirs. Il s'occupait beaucoup d'eux et se montrait un peu moins cruel envers Paule qu'envers ses frères. Peut-être une partie de cette attention était-elle d'origine sexuelle, c'est du moins ce que Paule semblait découvrir peu à peu, avec une perplexité croissante. Quoi qu'il en soit, de toute la famille, c'était elle qui était la plus perturbée par les crises de rage du père.

La mère de Paule s'inquiétait beaucoup du qu'en-dira-t-on. Elle était entièrement sous la coupe de son mari, menait une existence de martyr, entièrement vouée à ses enfants. Et pourtant, elle détestait tout ce qui touchait à leur éducation. Elle les assommait d'histoires d'horreur sur ses divers accouchements et, selon toute évidence, ne supportait guère les bébés. Il est donc bien peu probable que le premier lien affectif de Paule ait été sécurisant. Lorsque Paule fut un peu plus âgée, sa mère commença à lui faire des confidences. Malheureusement, elle lui en dit beaucoup trop et inclut à sa liste des misères de l'existence un catalogue exhaustif des raisons pour lesquelles les relations sexuelles étaient ce qui pouvait arriver de pire à une femme. Curieusement, son père aussi avait tendance à lui parler de ses rapports intimes avec son épouse.

Analysées sous l'éclairage de ce vécu d'enfant, les terreurs de Paule n'étaient, en fait, que la manifestation d'une méfiance profonde à l'égard d'autrui. Il est vrai que née sensible, elle se trouvait facilement en état d'hyperstimulation. Mais l'absence de lien sécurisant dans son enfance l'avait empêchée d'apprendre à affronter avec confiance des situations menaçantes. Sa mère, qui avait peur de tout et de tout le monde, lui avait enseigné cette frayeur irrationnelle, au lieu d'encourager l'acquisition d'une certaine confiance. Les premières fois où Paule avait essayé de s'exprimer avec franchise, son père avait réagi par la colère.

Il est possible que sa peur de parler en public ait été provoquée par la certitude qu'elle en savait trop sur les sentiments peut-être incestueux de son père et la vie privée de chacun de ses parents.

Ces problèmes ne sont pas faciles à résoudre, mais un thérapeute compétent doit être capable de les faire remonter jusqu'à la conscience afin de les analyser. Les petites voix que nous avons étouffées il y a bien longtemps sont enfin libres de se faire entendre. Peut-être aurons-nous encore besoin d'une formation plus spécialisée en rapports sociaux, mais une fois les problèmes de l'enfance résolus, elle se révélera certainement efficace.

Conseils de base aux hypersensibles

Voici quelques suggestions à propos de certaines situations qui embarrassent souvent les hypersensibles.

Converser à bâtons rompus. Que préférez-vous? Parler ou écouter? Décidez-vous. Si vous souhaitez écouter, vous constaterez que votre interlocuteur sera tout content de parler. Posez quelques questions précises ou simplement: «Que faites-vous dans la vie?»

Si vous avez envie de parler (ce qui vous permettra d'orienter la conversation et d'éviter l'ennui), songez à l'avance à des sujets qui vous intéressent, sur lesquels vous êtes capable de disserter à loisir. Par exemple: «Quel temps affreux! Mais au moins, ça m'oblige à rester à l'intérieur pour écrire.» L'autre vous demandera ce que vous écrivez. Ou: «Quel temps affreux! Je n'ai pas pu m'entraîner aujourd'hui!» Ou encore: «Quel temps affreux! Mes reptiles détestent la pluie!»

Se souvenir des noms. Peut-être avez-vous oublié le nom de quelqu'un parce que vous étiez en état d'hyperstimulation lorsque vous avez fait la connaissance de cette personne. Lorsque vous entendez un nom, essayez de l'utiliser immédiatement: « Enchanté de faire votre connaissance, Arnold. » Puis réutilisez-le deux phrases plus loin. Un peu plus tard, remémorez-vous les personnes dont vous avez fait la connaissance. Le nom devrait rester gravé dans votre esprit. Mais ne vous inquiétez pas outre mesure, les hypersensibles ont souvent une très mauvaise mémoire des noms.

Formuler une demande. Lorsqu'il s'agit de quelque chose de mineur, des informations par exemple, nous ne devrions pas nous heurter à des difficultés. Mais il arrive qu'après avoir inscrit cette requête à notre ordre du jour, elle prenne des proportions énormes. Si possible, formulez-la au moment même où elle vous traverse l'esprit. Vous pouvez également rassembler vos requêtes afin de les formuler toutes en même temps, un jour où vous vous sentez particulièrement en forme. Quant aux demandes plus importantes, essayez de les minimiser. Dites-vous que cela prendra seulement quelques minutes et ne posera aucun problème à votre interlocuteur. Dans le cas d'une requête majeure, il serait judicieux de mettre par écrit tous les points cruciaux. Commencez par vous assurer que vous avez affaire à la personne compétente. En outre, vous pourriez répéter la scène avec un ami, en lui demandant de jouer le rôle de l'autre personne. Je n'affirmerai pas que cela rendra la réalité plus facile à assumer, mais au moins, vous serez mieux préparé.

Vendre. En toute franchise, il est bien rare que les hypersensibles se lancent dans ce type d'activités professionnelles. Mais même si vous n'êtes pas dans le commerce, il vous arrivera à maintes reprises de vouloir vendre une idée ou l'une de vos œuvres artistiques, voire de vous vendre vous-même afin de décrocher un emploi. Et si vous aviez une idée susceptible de soulager quelqu'un en particulier ou d'être utile au monde en général ? Sous sa forme la plus amène, celle qui vous convient probablement, la vente consiste simplement à partager ce que vous savez. Une fois que les autres auront compris que vous attachez de la valeur à un objet ou à une idée, ils prendront leur décision en paix.

Lorsqu'il est question de recevoir ou de prendre de l'argent, les hypersensibles se culpabilisent facilement. (Persuadés d'être « anormaux », nous nous demandons : « Mais qu'est-ce que je vaux après tout ? ») Nous devrions faire un effort pour ne pas nous brader ou simplement nous débarrasser de nos produits. Nous avons besoin d'argent pour apporter notre contribution au monde. Les autres n'ont aucune difficulté à comprendre cela. C'est exactement ce qui se passe lorsque vous achetez quelque chose.

Formuler une plainte. Voilà qui est souvent très difficile pour un hypersensible, même si la plainte est justifiée. Entraînez-vous, le jeu en vaut la chandelle. Il contribue à donner de l'assurance à ceux qui se sentent souvent méprisés simplement en raison de ce qu'ils sont : trop jeunes, trop vieux, trop gros, trop basanés, trop sensibles, etc.

Préparez-vous, cependant, à la réaction de votre interlocuteur. La colère est l'émotion la plus stimulante, pour une raison très claire : elle mobilise nos forces en vue du combat. Que ce soit la nôtre, la leur ou celle d'un tiers que vous observez en simple spectateur, elle a un effet stimulant.

Se retrouver dans un petit groupe. Pour un hypersensible, qu'il s'agisse d'une équipe de travail, d'un comité ou d'une classe, le simple fait de se retrouver dans un groupe engendre quelques difficultés. Nous captons souvent des nuances qui échappent aux autres. Mais nous nous taisons, parce que nous avons peur de l'hyperstimulation. Néanmoins, un jour ou l'autre, quelqu'un nous demandera notre avis. Moment embarrassant, certes, mais important pour le groupe. Les hypersensibles, généralement peu causants, oublient qu'une personne réservée acquiert avec le temps de plus en plus d'influence sur le reste du groupe. Non seulement vos coéquipiers souhaitent vous donner l'occasion de vous exprimer, mais encore ils sont peut-être inconsciemment préoccupés par votre attitude. Faites-vous ou non partie du groupe ? Êtes-vous en train de les juger ? Êtes-vous mécontent et songez-vous à quitter le groupe ? Si vous décidiez de vous en aller, leurs appréhensions seraient justifiées. C'est la raison pour laquelle on finit par accorder tant d'attention aux personnes réservées. La politesse remplit son rôle, certes, mais la peur est toujours présente. Si vous ne vous joignez pas au groupe avec l'enthousiasme attendu, vous ferez parler de vous. Les autres estimeront peut-être qu'il est préférable de vous rejeter avant que vous les rejetiez. Si vous ne me croyez pas, gardez le silence la prochaine fois que vous vous retrouverez dans un groupe d'étrangers et surveillez le déroulement des événements.

C'est pourquoi, si vous souhaitez garder le silence, vous devrez d'abord assurer à vos collègues que vous ne les rejetez pas, que vous n'avez pas l'intention de quitter le groupe. Affirmez-leur que vous faites partie du groupe simplement en écoutant. Si l'idée du groupe éveille en vous des sentiments positifs, décrivez-les. Précisez à vos collègues que vous parlerez lorsque vous vous sentirez prêt. Ou demandez-leur de vous poser à nouveau la question.

Peut-être choisirez-vous d'expliquer votre sensibilité. Mais vous risquez alors d'être étiqueté et donc, de demeurer prisonnier de cette étiquette.

S'exprimer ou jouer en public. Les hypersensibles sont particulièrement bien placés pour se produire en public. Je ne plaisante pas. (Je vous laisse réfléchir à toutes les raisons pour lesquelles ce genre d'activités nous épouvante.) Tout d'abord, nous avons souvent quelque chose d'important à dire, qui a échappé aux autres. S'ils nous sont reconnaissants de notre contribution, nous en ressentons une grande satisfaction intérieure. Par conséquent, la prochaine fois, les affres seront moins douloureuses. Ensuite, il faut nous préparer. Dans certaines situations, exactement comme il nous arrive de revenir en arrière pour vérifier que nous avons bien débranché le fer à repasser, notre comportement peut paraître «compulsif» à des gens qui ne sont pas aussi résolus que nous à éviter toutes les mauvaises surprises (une maison réduite à un tas de décombres calcinés, par exemple). Mais n'importe qui devrait se préparer à fond pour paraître devant un auditoire sans souffrir d'hyperstimulation. Étant donné que les hypersensibles se préparent plus que les autres, ils réussissent mieux qu'eux. Voilà les deux raisons pour lesquelles tous les livres sur la timidité citent l'exemple de tant de politiciens, d'interprètes et de comédiens qui ont réussi à surmonter ce problème. Ce qu'ils ont fait, vous assure-t-on, vous aussi vous pouvez le faire.

Le secret, ici, c'est la préparation. Vous ne serez jamais trop préparé. Si vous n'avez pas peur de lire tout haut, rédigez votre communication et lisez-la. Vous acquerrez ainsi de la confiance en vous. Dans les cas où cette stratégie risque de paraître quelque peu inhabituelle, expliquez à votre auditoire pourquoi vous lisez. Adoptez un ton confiant pour lire votre discours.

Pour bien lire, il faut aussi se préparer et s'entraîner. Apprenez à lire de manière expressive, en mettant l'accent là où il le faut. Arrangez-vous pour ne pas dépasser le temps qui vous est imparti tout en lisant lentement.

Ultérieurement, vous pourrez essayer de vous contenter de notes. Lorsque j'assiste à une conférence, je prends toujours quelques notes avant de lever la main pour parler ou poser une question, au cas où j'aurais soudain un trou de mémoire. (C'est une stratégie que j'emploie dans toutes les situations propices à l'hyperstimulation, y compris chez le médecin.)

Enfin et surtout, entraînez-vous autant que possible devant un auditoire en reproduisant, le plus exactement possible, les circonstances de votre communication. Utilisez la même salle, à la même heure, portez les vêtements que vous avez choisis pour le grand jour, vérifiez l'état de marche des micros, etc. En bref, limitez le nombre d'éléments nouveaux. C'est le plus grand secret de la préparation, car la familiarité avec le décor vous permet d'endiguer l'hyperstimulation. Une fois prêt, rien ne vous empêche de prendre plaisir à votre intervention.

En ce qui me concerne, c'est l'enseignement qui m'a permis de vaincre la peur de parler en public. Pour un hypersensible, c'est un bon début. Vous offrez vos connaissances, l'auditoire a besoin de vous, votre côté consciencieux prend le dessus. L'auditoire, qui n'est en général pas là pour s'amuser, appréciera d'autant plus tout ce que vous ferez pour rendre le cours agréable. Et une fois que vous vous sentirez suffisamment à l'aise pour les exprimer, vous aurez de véritables illuminations.

Malheureusement, les étudiants peuvent être méchants. J'ai eu la chance de débuter dans une université où la politesse et la reconnaissance étaient de rigueur. Si vous parvenez à susciter ce genre d'atmosphère dans la salle, l'enseignement vous paraîtra beaucoup plus facile. Certains étudiants ont peur, eux aussi, de parler en public. Vous pourriez vous aider mutuellement.

Et si les autres vous observent? Le font-ils vraiment? Peut-être avez-vous créé en vous un auditoire imaginaire que vous craignez. Il est facile de le transporter partout avec vous en le « projetant » (le voir là où il n'est pas ou, tout au moins, pas dans la mesure que vous l'imaginez).

S'il est vrai que d'autres personnes vous observent, pourquoi ne pas leur demander poliment de s'en aller? Pourriez-vous refuser qu'on vous observe? Ou pourriez-vous prendre plaisir à être observé?

Voici l'histoire de mon unique leçon de danse du ventre. Il m'est pratiquement impossible d'apprendre une activité physique en groupe parce que le simple fait de me savoir observée détruit toute ma coordination. Par conséquent, j'accumule du retard et je deviens de plus en plus gauche.

Cette fois-là, en revanche, je décidai de jouer un nouveau rôle, celui de l'enseignante distraite mais attachante (très important!) qui a toujours la tête dans les nuages et oublie complètement où elle a laissé le reste du corps. Elle s'était retrouvée dans une situation cocasse, un cours de danse du ventre, et tout le monde s'amusait 10 fois plus en observant ses ridicules contorsions.

Par conséquent, je me savais observée, mais cela ne me dérangeait pas. Les autres riaient mais d'un rire que je jugeais bon enfant. À chacun de mes progrès, je recevais d'extraordinaires compliments. Cette méthode s'est révélée efficace.

La prochaine fois qu'on vous observera, essayez de regarder les autres en face et de jouer un rôle qui, vous le savez, vous divertira aussi. « Nous autres, poètes, n'avons jamais su faire des additions » ou « Pour un mécanicien-né, il est bien difficile de dessiner un paysage qui ne ressemble pas à un moteur disséqué ».

Nous nous trouvons parfois dans des situations embarrassantes pour tout le monde. Et puis après? Nous rougissons, mais nous n'en mourons pas. C'est l'un des inconvénients de notre condition humaine. Heureusement, cela ne se produit pas très souvent. Je me souviens d'une réception en particulier où je faisais la queue. Mon fils, alors âgé de trois ans, a tiré accidentellement sur ma jupe qui s'est dégrafée et a glissé jusqu'à terre. Qui dit mieux? Tout ce qui nous reste à faire, c'est divertir nos amis avec cette anecdote.

METTEZ À PROFIT CE QUE VOUS VENEZ D'APPRENDRE

Recadrez vos moments de timidité.

Remémorez-vous trois occasions où vous avez ressenti une gêne en société. Si possible, choisissez trois situations très différentes les unes des autres, dont vous vous souvenez en détail. Recadrez-les, l'une après l'autre, sous l'éclairage des deux principes fondamentaux de ce chapitre: (1) la timidité n'est pas un trait de personnalité, c'est une émotion transitoire que n'importe qui peut éprouver; (2) le genre introverti en société est tout aussi acceptable que le genre extraverti.

1. *Essayez de vous rappeler comment vous avez réagi et comment vous interprétiez cette réaction jusqu'à présent.* Peut-être avez-vous récemment souffert d'un accès de «timidité» à l'occasion d'une soirée, un vendredi soir, après une longue journée de travail. Des collègues vous ont entraîné et vous les avez suivis, espérant rencontrer quelqu'un qui pourrait devenir un ami. Mais les autres vous ont délaissé, vous êtes demeuré seul dans votre coin. Vous aviez l'impression d'être le point de mire parce que vous ne parliez à personne. Après être parti plus tôt que les autres, vous avez passé le reste de la soirée et toute la nuit à réévaluer votre personnalité et votre vie. Vous vous êtes senti bien malheureux.
2. *Examinez votre réaction en tenant compte de ce que vous savez maintenant sur la manière dont votre système nerveux s'active automatiquement.* Ou imaginez-moi en train de vous l'expliquer: «Voyons, calmez-vous! Une salle bondée, bruyante, après une dure journée de travail… Vos amis vous laissent tomber, vous vous remémorez d'autres expériences désagréables du même genre… Voilà les gouttes qui ont fait déborder le vase. Vous êtes du genre introverti. Très bien, assistez à des fêtes, mais choisissez-les plus judicieusement. Par exemple, de petites réunions intimes entre amis, où vous connaissez déjà tout le monde. Sinon, essayez de découvrir une personne aussi sensible, aussi intéressante que vous et sauvez-vous ensemble dès que possible. Pour les hypersensibles, c'est la solution la plus pratique. Vous n'êtes ni timide ni repoussant. Vous

rencontrerez des gens intéressants, vous nouerez des relations étroites avec eux. Il vous suffit de bien choisir les circonstances. »

3. *Que pourriez-vous faire à ce moment précis ?* Peut-être pourriez-vous téléphoner à un ami, prendre rendez-vous pour passer un agréable moment ensemble.

CORRIGÉ DU TEST
« COMMENT SE SENTIR À L'AISE EN SOCIÉTÉ — DERNIÈRES TROUVAILLES »

Si vous avez correctement répondu à 12 questions ou plus, désolée de vous avoir fait perdre votre temps ! Vous devriez écrire un livre. Sinon, les réponses ci-dessous vous seront utiles.

1. *Vrai.* Les « pensées négatives » contribuent à l'hyperstimulation et nous empêchent d'écouter attentivement notre interlocuteur.
2. *Faux.* Il est possible que vous remarquiez la timidité de quelqu'un, parce que vous êtes vous-même hypersensible, mais la majorité des gens ne se rendent compte de rien.
3. *Vrai.* On vous rejettera pour toutes sortes de raisons qui n'auront strictement rien à voir avec vous. Si cela vous chagrine, lamentez-vous quelques instants sur votre sort. Puis n'y pensez plus.
4. *Vrai.* Il est judicieux de franchir un certain nombre d'étapes bien précises par jour ou par semaine ; dites-vous qu'il n'y a que le premier pas qui coûte.
5. *Faux.* Brûler les étapes serait une excellente idée si vous en étiez capable. Mais étant donné que vous avez peur d'avancer et, aussi, d'échouer, promettez à la partie effrayée de vous-même que vous n'irez pas trop vite, même si vous savez qu'un jour ou l'autre, cette frayeur s'estompera.
6. *Faux.* Plus vous répéterez, moins vous serez nerveux. Une fois plus décontracté, vous pourrez laisser libre cours à votre spontanéité.
7. *Faux.* Le langage corporel transmet toujours un message. La raideur et l'immobilité peuvent avoir plusieurs significations, principalement négatives. Laissez vos muscles se détendre, montrez de l'intérêt, de l'affection, de l'enthousiasme ou simplement de la vie.

8. *Vrai*. Il n'y a rien de répréhensible à poser des questions personnelles. La plupart des gens adorent parler d'eux-mêmes. Votre audace leur plaira, car ils l'interpréteront comme une marque d'intérêt.
9. *Faux*. Assis ou debout, rapprochez-vous autant que l'autorise la bienséance, adoptez une posture confortable, décroisez bras et jambes et regardez votre interlocuteur dans les yeux ; si ce contact oculaire vous énerve, regardez plutôt le nez ou l'oreille de votre interlocuteur — la majorité des gens sont incapables de voir la différence — et souriez, soyez expressif. (Prenez garde toutefois de ne pas démontrer un intérêt excessif, qui n'est sans doute pas ce que vous recherchez.)
10. *Faux*. Tout dépend naturellement des circonstances. Mais vous pouvez effleurer brièvement l'épaule, le bras ou la main de votre interlocuteur, de préférence au moment de prendre congé. Ce simple geste imprégnera votre relation de chaleur humaine.
11. *Faux*. En général, il suffit de jeter un coup d'œil au journal pour avoir des idées de sujets de conversation. En outre, vous aurez l'impression d'être à l'écoute du monde extérieur. Évitez simplement les reportages déprimants.
12. *Faux*. Il est important de se révéler aux autres lorsqu'on a l'intention de nouer de véritables relations. Cela ne veut pas dire que vous serez obligé de divulguer vos secrets les plus profonds. Au demeurant, des révélations trop personnelles ne conviennent pas à une rencontre de ce genre et risquent de vous énerver. Prenez soin, toutefois, de solliciter fréquemment l'opinion de votre interlocuteur.
13. *Vrai*. Par exemple, votre interlocuteur vous fait part de l'enthousiasme que suscite en lui le travail qu'il vient d'entamer. Vous pourriez émettre une remarque du genre : « J'ai entendu dire que ce dossier vous intéressait au plus haut point. Vous devez être aux anges ! » En prenant le temps de mentionner ce que ressent l'autre, vous jouez l'une de vos cartes maîtresses, votre sensibilité aux sentiments. Vous encouragez également votre interlocuteur à dévoiler un coin de sa vie intérieure. C'est justement ce genre de conversation qui vous intéresse.

14. *Faux*. Il n'est pas question de vous vanter, naturellement. Mais nous aimons tous nous entretenir avec des gens intéressants. Prenez le temps de dresser la liste des aspects de votre vie qui vous paraissent les plus dignes d'intérêt et demandez-vous comment vous pourriez les glisser dans la conversation. Par exemple, remplacez «je me suis installé ici parce que j'aime la montagne» par «je me suis installé ici parce que j'ai décidé d'ouvrir une école d'alpinisme» ou «... parce que j'aime prendre des photos d'oiseaux de proie dans un décor de montagnes».
15. *Vrai* — mais dans une certaine mesure seulement. Lors d'un premier contact, il n'est pas recommandé de révéler trop de besoins ou de problèmes. Vous ne devez pas paraître trop effacé, trop passif, voire ignorant des règles de comportement. Mais une personne qui est capable d'avouer quelques faiblesses humaines tout en donnant l'impression d'être parfaitement à l'aise dans sa peau possède quelque chose d'attachant. (Ma réplique favorite est celle du capitaine Picard dans *Star Trek. The Next Generation*: «J'ai commis quelques magnifiques bévues dans ma vie!» Voilà un personnage tout à la fois modeste, humble et conscient de sa valeur.) Il est évident que si votre interlocuteur a fait une révélation douloureuse ou gênante, vous placerez la conversation sur un plan plus intime en l'imitant.
16. *Faux*. La plupart des gens apprécient les discussions animées. En outre, le sujet du débat vous tient peut-être à cœur ou met en relief un aspect de la personnalité de votre interlocuteur que vous devriez connaître.
17. *Vrai*. Naturellement, prenez le temps de cerner vos sentiments et attendez-vous à être parfois rejeté.

CHAPITRE 6

Épanouissez-vous au travail

Suivez votre bon plaisir et rayonnez de lumière intérieure

De tous les sujets que j'aborde dans mes séminaires, c'est pour la vocation, le gagne-pain, le travail que beaucoup d'hypersensibles manifestent l'intérêt le plus vif. Cela se comprend, car nous ne sommes pas des mordus de la journée de 15 heures, pas plus que du stress ou de l'hyperstimulation en milieu de travail. Mais je crois que si nous nous heurtons à des difficultés, c'est parce que nous ne sommes pas conscients de la valeur de notre rôle, de nos méthodes et de notre contribution. Par conséquent, ce chapitre porte d'abord sur notre place dans la société et sur celle de notre vocation dans notre vie intérieure. Aussi abstraites que vous paraissent ces notions, elles ont d'importantes répercussions concrètes. C'est seulement une fois que vous aurez découvert votre véritable vocation que votre intuition commencera à résoudre vos problèmes professionnels. (La solution ne se trouve pas dans les livres, car chacun de nous vit une situation qui lui est propre.)

« Vocation » et « vacances » ont deux étymologies différentes

Une vocation, c'était autrefois un « appel » bien particulier, celui de la vie religieuse. Quant à ceux qui n'étaient pas « appelés », ils se contentaient, dans la culture occidentale comme dans les autres, de suivre les traces de leurs parents. Au Moyen Âge, on naissait aristocrate, serf, artisan et ainsi de suite. Étant donné que dans les sociétés christianisées d'origine indo-européenne la classe des « conseillers royaux » dont j'ai parlé au chapitre premier était constituée d'ecclésiastiques officiellement célibataires, il était impossible d'y naître. C'était le seul emploi auquel on parvenait par « vocation ».

La Renaissance se caractérise notamment par un essor de la classe moyenne, tout au moins dans les villes. Il devint plus facile de choisir une profession qui n'était pas forcément celle d'un parent. Mais l'idée qu'il existe un métier idéal pour chacun d'entre nous est très récente. (Elle est apparue à peu près en même temps qu'une autre idée, celle que pour chacun de nous, il existe un conjoint idéal.) À cette époque, le nombre de vocations s'était multiplié. Il devenait de plus en plus important — et de plus en plus difficile — de trouver le métier idéal.

La vocation de tous les hypersensibles

Comme nous l'avons vu au chapitre premier, les sociétés les plus dynamiques du monde, parmi lesquelles nos cultures occidentales, sont nées d'une répartition de la population en deux catégories : les rois guerriers, coriaces et impulsifs, d'une part, et les prêtres, les juges et les conseillers royaux, réfléchis et érudits, d'autre part. J'ai également précisé que l'équilibre entre ces deux catégories était indispensable à la survie de ces sociétés et que la majorité des hypersensibles appartenaient à la deuxième, celle des conseillers.

Toutefois, en ce qui a trait à la vocation professionnelle, je ne veux pas dire par là que tous les hypersensibles devraient devenir théologiens, érudits, psychothérapeutes, experts-conseils ou juges, même s'il s'agit de professions qui leur siéent tout particulièrement. Mais quelle que soit notre vocation, il est évident que nous ne la vivrons pas de la même manière qu'un guerrier. Nous nous comporterons davantage en prêtres ou en conseillers royaux, nous adopterons un comportement réfléchi. Sans un hypersensible aux commandes, les guerriers sont portés à prendre des décisions sur des coups de tête, ils manquent d'intuition, ils font un usage exagéré de la force, ils ignorent les leçons du passé et négligent de se renseigner sur les tendances de l'avenir. Il n'entre pas dans mes intentions de les insulter, car ils sont ainsi faits. (Cette dichotomie est à l'origine du rôle de Merlin, dans l'histoire du roi Arthur. D'ailleurs, ce genre de duo figure dans la plupart des légendes indo-européennes.)

Comme tous les conseillers, un hypersensible n'aura jamais trop d'instruction ou d'expérience. (J'ai ajouté l'expérience, car les hypersensibles ont tendance à acquérir de l'instruction au détriment de l'expérience.) Plus nous élargirons l'éventail de notre expérience, *dans les limites du raisonnable* (ne vous croyez pas obligé d'apprendre à faire du parapente), plus nos conseils gagneront en sagesse.

En outre, il faut qu'un hypersensible soit instruit pour faire apprécier son comportement plus réservé, plus subtil. Je crois que nous devrions demeurer bien représentés dans les professions qui nous conviennent tout particulièrement — enseignement, médecine, droit, arts, science, psychothérapie, religion — mais qui, peu à peu, sont envahies par les moins sensibles. Cela signifie que ce sont désormais des guerriers qui répondent aux besoins de la société, soit des gens qui ne se préoccupent que d'expansion et de profit.

Notre influence apaisante a décru en partie parce que nous avons perdu le respect de nous-mêmes. Mais les professions mêmes perdent aujourd'hui le respect des autres, dépouillées de la calme dignité qui représentait notre principale contribution.

Je ne veux pas dire par là que les moins sensibles fomentent une sanglante conspiration pour nous évincer. La vie en société, de plus en plus difficile, de plus en plus stimulante, constitue un milieu propice à leur épanouissement. Mais ils ne pourront prospérer bien longtemps sans nous.

La vocation et son individuation

Qu'en est-il de votre vocation particulière ? Dans la foulée de Carl Jung, je conçois chaque vie comme le produit de l'individualisation, qui nous permet à chacun de découvrir la question dont la réponse est la raison d'être de notre présence sur Terre. Il est possible que cette question ait été laissée en suspens par l'un de vos ancêtres. Mais vous devrez essayer d'y répondre dans le contexte de votre époque. Dites-vous bien que si la tâche était facile, il ne faudrait pas toute une vie pour l'accomplir. Ce qui compte, c'est avant tout de vous y prendre de manière à satisfaire pleinement votre âme.

C'est à ce phénomène d'individuation que le mythologue Joseph Campbell fait allusion, lorsqu'il exhorte les étudiants incertains de leur vocation à «chercher ce qui leur apporte la plénitude[1]». Il précise qu'il ne s'agit pas ici de suivre la voie la plus facile ou la plus agréable, mais de s'adonner à une tâche qui leur convient parfaitement, qui les appelle. La possibilité d'exercer ce métier (et, avec un peu de chance, d'être payé pour le faire!) est l'une des grandes bénédictions de la vie.

L'individuation exige une sensibilité et une intuition peu communes. Mais vous finirez par savoir si vous vous êtes posé la question qui vous convient et si vous recherchez la réponse dans des conditions qui vous satisfont. Tout comme un voilier est conçu pour réagir à la moindre brise, les hypersensibles sont littéralement créés pour s'adonner à ce travail. Cela signifie que la raison d'être de votre existence consiste à poursuivre votre vocation personnelle.

Métiers et vocations

Malheureusement, qui acceptera de payer un hypersensible pour lui permettre de chercher sa plénitude? Jung affirmait, à juste titre je crois, que c'est une grossière erreur d'entretenir cette catégorie de la population. En effet, si l'on n'oblige pas un hypersensible à faire preuve de sens pratique, il perdra tout contact avec le reste du monde. Il se retrouvera en train de prêcher au fin fond du plus lointain désert. Mais comment gagner sa vie en poursuivant sa vocation?

L'une des stratégies consiste à chercher le point d'intersection entre notre plus grand plaisir et le plus grand besoin du monde extérieur. C'est là que nous trouverons une activité que les autres seront désireux de subventionner. Nous gagnerons notre vie en exerçant un métier que nous aimons.

Notez toutefois que la relation entre notre vocation et notre emploi n'est ni figée ni statique. Vous pouvez fort bien travailler pour gagner de l'argent et poursuivre votre vocation pendant vos heures de loisir. Prenez l'exemple d'Einstein, qui a conçu sa théorie de la relativité alors qu'il occupait un poste de secrétaire dans un bureau d'enregistrement des brevets. Son emploi n'exigeant aucune concentration, il en profitait pour réfléchir à ce qui l'intéressait. Il vous sera peut-être possible de trouver ou de créer un emploi qui satisfera votre vocation tout en vous permettant de gagner correctement votre vie. Il existe probablement beaucoup d'emplois de ce genre. Songez aussi qu'au fur et à mesure que vous acquerrez de l'expérience, votre travail changera et votre vocation s'enracinera de plus en plus profondément.

La vocation de l'hypersensible libéré

L'individuation permet avant tout d'entendre les voix intérieures en dépit des bruits intérieurs et extérieurs. Nous sommes parfois prisonniers des exigences des autres. Peut-être s'agit-il de responsabilités véritables ou simplement des idées reçues de ce qui constitue le succès : argent, prestige, sécurité. N'oublions pas non plus les pressions que les autres exercent sur nous une fois qu'ils se sont rendu compte que nous n'aimons pas déplaire.

Un jour ou l'autre, beaucoup d'hypersensibles, sinon la majorité, sont finalement contraints de prendre la voie de ce que j'appelle la « libération », même si cette évolution ne se produit que dans la seconde moitié de la vie. Ils finissent par entendre la question intérieure, les voix qui les appellent, plutôt que les questions auxquelles les autres leur demandent de répondre.

Cependant, nous sommes si désireux de plaire qu'il nous est difficile de nous affranchir. Nous sommes trop conscients des besoins d'autrui. Mais notre intuition finit par capter la question intérieure qui appelle une réponse. Il est possible que nous soyons malmenés pendant des années par ces deux courants contraires.

Par conséquent, ne vous tourmentez pas si vous constatez que le chemin est long et difficile. La libération est presque inéluctable.

Attention toutefois de ne pas vous mettre en tête une image idéalisée de ce que vous devez devenir. Cela, ce n'est pas la libération. Vous devrez découvrir qui vous êtes et non ce que vous croyez que quelqu'un d'autre veut que vous deveniez.

RECADREZ LES ÉLÉMENTS CRITIQUES DE VOS ANTÉCÉDENTS PROFESSIONNELS

Le moment est peut-être opportun pour marquer une pause en vous livrant à un petit travail de recadrage, comme vous l'avez fait aux chapitres précédents. Dressez la liste des principales étapes que vous avez suivies pour parvenir à votre emploi actuel ou des divers emplois que vous avez occupés. Analysez votre interprétation habituelle de ces événements. Peut-être vos parents souhaitaient-ils faire de vous un médecin, mais vous avez toujours su, en votre for intérieur, que ce n'était pas votre vocation. Incapable toutefois de fournir d'explication concrète, vous avez peut-être accepté l'idée que vous étiez « trop mou » ou que vous « manquiez de motivation ». Écrivez ce que vous comprenez aujourd'hui, grâce à l'explication de votre hypersensibilité. En l'occurrence, bien peu d'hypersensibles peuvent survivre au rythme de travail inhumain qu'imposent malheureusement la plupart des facultés de médecine.

Votre nouvelle lucidité vous suggère-t-elle ce que vous pourriez faire ? Si vos parents sont déçus par votre refus d'étudier la médecine, peut-être pourriez-vous discuter avec eux de ce que ce genre d'études entraînerait pour vous. Ou peut-être s'agit-il simplement de trouver un programme plus humain, ou une spécialité connexe telle que la physiologie ou l'acupuncture, qui vous permettrait d'adopter un rythme de travail totalement différent.

Comment reconnaître votre vocation ?

Il est possible que certains d'entre vous s'efforcent encore de découvrir leur vocation et s'énervent de constater que leur intuition ne leur est pas d'une grande utilité. Malheureusement, l'intuition est une arme à double tranchant, car elle nous fait entendre trop de petites voix intérieures, qui, à leur tour, nous ouvrent de multiples horizons. Bien entendu, il serait agréable de pouvoir être utile au reste de l'humanité sans se préoccuper du gain matériel. Mais renier ces voix signifie aussi que nous serions obligés de nous passer des bonnes choses de la vie, de dire adieu à nos ambitions artistiques, de renoncer à une vie sereine, articulée autour de la famille ou, au contraire, imprégnée de spiritualité. Et pourquoi pas une existence proche de la nature ! Peut-être nous épanouirions-nous en œuvrant pour des causes écologiques. Les besoins des humains sont si grands !

Toutes les voix se font entendre avec une puissance égale. Laquelle a raison ? Si vous vous sentez assommé sous cette avalanche d'idées, peut-être aurez-vous du mal à prendre une décision, quelle qu'elle soit. C'est le cas des personnes très intuitives. Mais un jour ou l'autre viendra le moment de choisir une vocation particulière. Commencez dès aujourd'hui à procéder par élimination. Réduisez toutes les possibilités à deux ou trois. Dressez la liste des avantages et des inconvénients de chaque option. Ou faites semblant pendant deux ou trois jours d'avoir pris une décision définitive et voyez comment vous y réagissez.

Il est également possible que les hypersensibles très intuitifs ou très introvertis ne soient pas très bien informés. Nous avons tendance à nous fier à notre intuition. Nous n'aimons pas réclamer. Pourtant, en recueillant des renseignements précis, nous contribuerons justement à l'individuation des gens introvertis ou intuitifs.

Si vous jugez que « non, vraiment », vous ne pouvez pas, vous dévoilez le troisième obstacle qui vous empêche de découvrir votre vocation : le manque de confiance en vous. Au plus profond de vous-même, sans doute savez-vous ce que vous aimeriez véritablement faire. Peut-être même avez-vous choisi un métier qui, vous le savez parfaitement, ne vous convient pas du tout, afin d'éviter toute obligation de vous affirmer. Ou bien vous interrogez-vous encore sur vos aptitudes.

Il est évident que les hypersensibles renâclent à certaines tâches qui, dans notre société, vont de pair avec le succès dans la plupart des professions : parler ou jouer en public, tolérer le bruit, assister à des réunions, nouer des contacts, s'immiscer dans les intrigues de bureau, voyager. Mais si vous parvenez à cerner l'origine de vos problèmes, vous serez déjà bien outillé pour éviter l'hyperstimulation qu'ils suscitent en vous. Par conséquent, il n'est pas d'obstacle que vous ne pourrez vaincre si vous y mettez du vôtre, à la manière qui vous est propre.

Cependant, le manque d'assurance est une caractéristique très compréhensible des hypersensibles. Pendant des années, vous vous êtes cru « anormal ». Peut-être avez-vous essayé si ardemment de plaire aux autres que vous n'êtes plus, pour eux, qu'un paillasson sur lequel ils marchent à loisir. Mais êtes-vous prêt à quitter ce bas monde sans avoir au moins essayé ?

Vous avez peur d'échouer, je sais. Quelle petite voix intérieure vous souffle ce message décourageant ? La voix de la sagesse, qui vous protège ? Ou une voix désagréable qui vous paralyse ? Si vous estimez qu'elle a raison, vous échouerez effectivement. Oubliez les gens qui ont réussi, les héros de tant de films. Je connais beaucoup de gens qui, malgré tous leurs efforts, ont échoué. Bien qu'ils aient perdu des fortunes et des années de leur vie, ils sont satisfaits d'avoir au moins essayé. Ils visent aujourd'hui d'autres buts, riches d'expérience et d'une meilleure connaissance d'eux-mêmes et du monde. Et puisque aucun effort n'est véritablement gaspillé, ils ont acquis la confiance en eux qui leur manquait à l'époque où ils vivaient en spectateurs.

Que font les autres hypersensibles ?

Peut-être pourriez-vous trouver l'inspiration dans le type de carrières que semblent choisir les hypersensibles. Naturellement, chacun de nous exerce son métier à sa façon. Dans le cadre de mon enquête téléphonique, je n'ai pas découvert beaucoup d'hypersensibles chez les vendeurs, à deux exceptions près : un négociant en vins de qualité et un agent immobilier qui, m'affirma-t-elle, utilisait son intuition pour apparier maisons et clients.

Les autres hypersensibles, semble-t-il, imprègnent maintes autres activités de leur réserve, de leur réflexion et de leur conscience professionnelle. Par exemple, ils deviennent enseignants, coiffeurs, courtiers en hypothèques, pilotes, agents de bord, acteurs, secrétaires, médecins, infirmiers, agents d'assurances, athlètes professionnels, chefs cuisiniers ou experts-conseils.

D'autres emplois semblent convenir aux hypersensibles : ébénistes, spécialistes du toilettage d'animaux, psychothérapeutes, ecclésiastiques, opérateurs de machinerie lourde (du bruit certes, mais personne dans les parages), agriculteurs, écrivains, artistes (en grand nombre), radiologues, météorologues, ébrancheurs-abatteurs, scientifiques, phono-dactylos médicales, rédacteurs, chercheurs en sciences humaines, comptables et électriciens.

Bien que, d'après certaines études, les personnes prétendument timides gagnent moins d'argent que les autres, j'ai découvert maints hypersensibles à des postes probablement très bien rémunérés : administrateurs, gestionnaires, banquiers. D'autres études ont toutefois permis de constater que si les répondants prétendument timides étaient moins bien payés, c'était en raison d'une erreur systématique qui déformait les résultats. Cette erreur s'est également glissée dans ma propre enquête. Deux fois plus d'hypersensibles que de moins sensibles s'étaient qualifiés de femme ou d'homme « au foyer », de « parent à temps plein ». Il est évident que leur présence fait baisser le revenu moyen du groupe. Mais ces personnes contribuent au revenu familial en exécutant des tâches qui, si elles étaient rémunérées, coûteraient très cher au ménage.

Les hypersensibles au foyer ont découvert une vocation qui leur convient très bien, sous réserve que la société ne dévalorise pas leur travail. Car en réalité, nous y gagnons tous. Maintes recherches sur l'éducation des enfants, par exemple, ont permis de constater que la « sensibilité », cette qualité si difficile à cerner, était le secret d'une éducation saine[2].

Comment faire de votre vocation un emploi rémunérateur ?

Vous trouverez d'excellents ouvrages sur tout ce que vous pourriez faire pour transformer une activité que vous aimez en un emploi rémunérateur. Par conséquent, je ne mentionnerai ici que les facteurs qui intéressent principalement les hypersensibles.

Peut-être serez-vous obligé de créer un nouveau service ou une nouvelle profession, de fonder votre propre entreprise ou de formuler une nouvelle description de fonctions dans l'organisme pour lequel vous travaillez. Aussi intimidant que cela paraisse, vous réussirez si vous exploitez vos qualités d'hypersensible.

Pour commencer, débarrassez-vous de vos idées reçues sur l'importance vitale des contacts et des relations. Bien qu'ils tiennent inévitablement une certaine place dans votre vie professionnelle, vous disposez d'autres moyens aussi efficaces et beaucoup plus adaptés aux hypersensibles : les lettres, le courriel, la correspondance avec une personne qui, elle, a beaucoup de relations, les déjeuners en compagnie d'un collègue extraverti qui assiste à toutes les conférences.

Ensuite, faites confiance à certains de vos avantages. Votre intuition vous permettra d'analyser les tendances, de percevoir les besoins ou de circonscrire les marchés avant les autres. Si une idée vous enthousiasme, il est fort probable qu'elle en enthousiasmera d'autres, dès que vous leur en aurez fait part. Si votre inspiration n'est pas trop saugrenue, peut-être pourriez-vous en faire bénéficier des emplois existants. Sinon, vous serez l'autorité en la matière et il est probable que quelqu'un aura bientôt besoin de vous, surtout si vous ne tardez pas à faire connaître votre idée de génie.

Il y a des années, une hypersensible passionnée de cinéma et de vidéo décrocha un emploi de bibliothécaire et finit par persuader les autorités universitaires qu'il serait judicieux d'investir dans la création d'une médiathèque ultramoderne. En effet, elle avait compris que les médias électroniques feraient tôt ou tard leur entrée dans l'éducation, surtout l'éducation permanente. Aujourd'hui, sa médiathèque est la plus riche du pays.

Les hypersensibles s'adaptent également très bien au travail autonome (ou à des emplois autonomes au sein d'un vaste organisme). Ils aiment être maîtres de leur emploi du temps, ils apprécient le côté stimulant de l'autonomie, les relations avec les clients et les fournisseurs. Pas de supérieur pour les harceler ou de collègues pour se quereller avec eux. Et, contrairement à beaucoup de petits entrepreneurs débutants, un hypersensible effectue consciencieusement sa recherche et calcule soigneusement les risques.

Prenez garde, toutefois, à certaines tendances. Si vous êtes un hypersensible typique, vous serez également anxieux d'atteindre la perfection. Vous serez pour vous-même le patron le plus exigeant que vous ayez jamais eu. Vous aurez la tentation de vous disperser. Si votre créativité et votre intuition font surgir en vous des milliers d'idées, vous devrez en abandonner la majeure partie. Par conséquent, attendez-vous à devoir prendre quelques décisions déchirantes.

Enfin, si vous êtes introverti, vous devrez faire un effort supplémentaire pour demeurer à l'écoute de votre public ou de votre marché. Peut-être pourriez-vous embaucher un adjoint ou trouver un associé extraverti. Ce serait d'ailleurs une bonne idée, car les associés et les employés peuvent vous protéger en absorbant toutes sortes de stimuli. Mais vous devrez alors trouver le moyen de maintenir votre intuition en contact avec le monde extérieur et votre clientèle, malgré la présence de cet écran protecteur.

Les vocations artistiques

Presque tous les hypersensibles ont un côté artistique qu'ils adorent exprimer. S'ils ne sont pas eux-mêmes artistes, ils savent apprécier les beautés de l'art. Il est fort possible que vous décidiez de poursuivre une vocation artistique, voire d'en faire votre gagne-pain. Les études entreprises sur la personnalité d'artistes célèbres ont révélé que la sensibilité était une caractéristique primordiale. Malheureusement, on a trop souvent tendance à l'associer à la maladie mentale.

Les artistes, voyez-vous, travaillent généralement seuls dans leur coin, peaufinant leur talent et donnant vie à leur subtile vision créative. C'est là que le bât blesse, car le retrait, de quelque sorte qu'il soit, exacerbe la sensibilité. Et plus nous sommes sensibles, plus nous sommes portés à nous retirer du monde extérieur. Lorsque le moment arrive d'exposer nos œuvres, de les interpréter, de les expliquer ou de les vendre, de lire des critiques, d'accepter le rejet ou les félicitations, nous sommes hypersensibilisés à tout ce qui nous entoure. Le flux d'idées surgies de l'inconscient n'a plus d'exutoire. Les artistes sont plus habiles à encourager et à exprimer cette force qu'à comprendre ses sources ou ses répercussions.

Il n'est donc pas surprenant que beaucoup d'entre eux sombrent dans la drogue, l'alcool ou les médicaments qui endiguent leur stimulation ou les remettent en contact avec leur soi intérieur. Mais un jour ou l'autre, leur corps ne suit plus, le déséquilibre est trop grave. En outre, l'artiste est souvent victime du mythe ou du stéréotype selon lequel toute aide psychologique détruira sa créativité en le rendant trop « normal ».

Pourtant, un artiste hypersensible devrait justement réfléchir à tous ces mythes. L'artiste tourmenté et intense est devenu l'un des stéréotypes les plus romantiques de notre culture, après avoir supplanté tour à tour les saints, les hors-la-loi et les explorateurs. À l'occasion d'un cours de création littéraire, le professeur avait dressé au tableau une longue liste d'écrivains en demandant à la classe ce que toutes ces célébrités avaient en commun. Réponse : tentative de suicide. Mais je crois que les étudiants considéraient moins ce phénomène comme une tragédie que comme un risque très romantique du métier qu'ils avaient choisi. Quant à moi, psychologue autant qu'écrivain, je fus extrêmement alarmée. Il est très fréquent que la valeur des œuvres d'un artiste augmente après son suicide ou simplement après que ses contemporains l'eurent déclaré fou. Aussi séduisante que paraisse l'existence de l'artiste à la fois héros et aventurier aux yeux d'un jeune hypersensible, c'est souvent un piège inconsciemment tendu par ceux dont la vie routinière étouffe toute velléité artistique et qui recherchent l'artiste chez les autres, soit un personnage doté de toutes les excentricités qu'ils refoulent en eux. Nous pourrions facilement soulager les souffrances de l'artiste sensible en comprenant et en acceptant le contraste entre la tranquille solitude nécessaire à la création et l'hyperstimulation provoquée par l'exposition ou la présentation des œuvres en public, dont j'ai parlé plus haut. Mais je doute que notre attitude se modifie tant que la société n'aura pas également compris le mythe de l'artiste déséquilibré et le besoin qu'il satisfait.

Servir les autres

Les hypersensibles sont extrêmement conscients des souffrances des autres et, grâce à leur intuition, devinent souvent ce qu'il faudrait faire pour les apaiser. C'est pourquoi beaucoup d'entre eux choisissent de servir l'humanité… et sont un jour ou l'autre victimes du surmenage.

Il n'est toutefois pas indispensable d'être surmené pour être utile aux autres. Beaucoup d'hypersensibles aiment travailler en première ligne, mais c'est aussi là qu'ils reçoivent une dose maximale de stimulation. Ils se sentiraient coupables de rester tranquillement à l'abri tout en envoyant les autres accomplir des tâches qui leur paraissent si ardues. Mais j'espère que vous avez compris, grâce à votre lecture, que certaines personnes adorent monter au front et s'y épanouissent. Pourquoi ne pas les laisser satisfaire leurs désirs ? Après tout, nous avons tout autant besoin de l'état-major qui, perché sur une hauteur, surveille le champ de bataille afin de formuler la stratégie.

Autrement dit, certains aiment cuisiner, d'autres aiment laver la vaisselle. Pendant des années, j'ai été incapable de laisser les autres laver la vaisselle derrière moi. J'ai toujours adoré cuisiner, c'est l'un de mes passe-temps favoris. Et puis un jour, lorsque l'un de mes invités a affirmé, avec suffisamment de force, qu'il aimait laver la vaisselle mais détestait cuisiner, je l'ai cru.

Un été, au cours d'une visite du *Rainbow Warrior,* le navire de Greenpeace, j'entendis les membres de l'équipage narrer quelques-unes de leurs aventures. Par exemple, ils avaient été largués juste devant l'étrave d'un énorme navire-usine et étaient demeurés dans la mire des torpilles et des mitrailleuses pendant des jours. J'ai beau aimer les baleines, je ne serais pas d'une grande utilité dans ces circonstances. Mais je savais que d'autres moyens de les aider étaient à ma disposition.

Par conséquent, dites-vous bien que rien ne vous oblige à choisir un métier qui multipliera le stress et la stimulation. Quelqu'un d'autre sera aux anges de pouvoir le faire à votre place. Pourquoi travailler 15 heures par jour ? Au contraire, il est de votre devoir de l'éviter. Peut-être serait-il préférable de ne pas le crier sur tous les toits, mais en conservant votre santé physique et en faisant votre possible pour ne pas dépasser votre degré optimal d'activation, vous serez bien plus utile à ceux qui ont besoin de vous.

La leçon de Grégoire

Grégoire était un enseignant hypersensible, très apprécié de ses élèves comme de ses collègues. Pourtant, il vint me voir pour analyser les raisons qui l'incitaient à quitter la seule profession dont il eût jamais rêvé. L'enseignement, me dit-il, ne convenait guère aux hypersensibles. Je convins qu'effectivement, ce n'était pas un métier facile pour nous. Mais je sais également que des enseignants sensibles jouent un rôle essentiel dans les progrès de la société et le bonheur des individus. L'idée de voir une perle telle que Grégoire abandonner la profession m'était insupportable.

Après en avoir discuté avec moi, il convint aussi que l'enseignement était une vocation très logique pour des hypersensibles chaleureux. En fait, les postes d'enseignants devraient être taillés sur mesure pour eux. Malheureusement, les pressions sont telles que peu d'entre eux parviennent à y consacrer toute leur carrière. Grégoire comprit qu'il avait désormais la mission de modifier le libellé de sa description de tâches. Il se rendrait beaucoup plus utile à la profession en refusant de faire des heures supplémentaires qu'en désertant son poste.

À partir de ce jour-là, Grégoire décida qu'il ne resterait plus jamais à l'école passé seize heures. Il dut mobiliser toute sa créativité pour inventer des raccourcis. Tous n'étaient pas fantastiques et son âme consciencieuse en souffrit. Il crut devoir cacher son nouvel horaire de travail à ses collègues et à ses supérieurs, qui finirent toutefois par s'en rendre compte. (Le directeur en fut soulagé, après avoir constaté que Grégoire continuait à faire correctement son travail tout en paraissant beaucoup plus heureux.) Certains de ses collègues l'imitèrent, d'autres le jalousèrent sans parvenir à changer leurs méthodes. Dix ans plus tard, Grégoire est toujours aussi bon enseignant, toujours aussi apprécié. Mais aujourd'hui, il s'épanouit dans son travail.

Même lorsque nous sommes complètement épuisés, nous parvenons encore à offrir les fruits de notre travail aux autres. Mais nous perdons contact avec nos points forts, nous adoptons un comportement destructeur, nous nous martyrisons et nous éveillons un sentiment de culpabilité chez les autres. En fin de compte, nous préférons, comme Grégoire, abandonner notre poste avant que notre corps nous force à le faire.

La responsabilité sociale

Il n'entre pas dans mes intentions d'inciter les hypersensibles à abandonner la lutte pour la justice sociale et la santé de l'environnement. Au contraire, nous devons y participer, mais à notre façon. Il est fort possible que si nos gouvernements commettent tant d'erreurs, ce n'est pas tant parce qu'ils subissent les pressions de la gauche ou de la droite, mais plutôt parce que les hypersensibles ne sont pas là pour inciter les autres à réfléchir aux conséquences de leurs actes. Nous avons abdiqué devant les gens moins sensibles, impulsifs et ambitieux, qui s'épanouissent en politique et finissent par tout dominer.

Un célèbre général romain, Cincinnatus, n'avait qu'un désir : terminer tranquillement ses jours dans sa propriété campagnarde. Mais, à deux reprises, on le persuada de reprendre ses fonctions publiques afin de sauver son peuple de désastres militaires. Le monde devrait inciter plus de gens comme lui à faire de la politique. Mais si l'on nous oublie, c'est à nous qu'il incombe de rappeler notre existence de temps à autre.

Les hypersensibles dans le monde des affaires

Il est évident que le monde des affaires sous-estime ses hypersensibles. Il devrait au contraire choyer des gens doués et intuitifs, mais aussi consciencieux et bien décidés à ne pas commettre d'erreurs. Pourtant, c'est l'un des domaines dans lesquels nous avons le moins de chances de réussir, car ses mots clés sont la guerre, la conquête et l'expansion.

Pourtant, il est possible de considérer les affaires au même titre que la vocation d'artiste, de prophète ou de visionnaire, la responsabilité sociale d'un juge, la tâche éducative d'un parent ou d'un enseignant, les soins d'un agriculteur pour ses récoltes.

L'ambiance de travail diffère dans chaque entreprise. Si vous acceptez un poste, demeurez aux aguets. Peut-être le climat vous conviendra-t-il ; peut-être aurez-vous la possibilité de le modifier. Tendez l'oreille et utilisez votre intuition. Qui jouit de l'admiration générale ? Qui reçoit des récompenses ou des promotions ? Ceux qui encouragent une attitude coriace, compétitive, insensible ? Ceux qui, au contraire, accordent une grande place à la créativité et à l'imagination ? à l'harmonie et au moral des troupes ? au service de la clientèle ? à l'assurance de la qualité ? Les hypersensibles devraient se sentir à l'aise dans toutes ces ambiances de travail, à l'exception de la première.

Les hypersensibles surdoués au travail

À mon avis, les hypersensibles sont doués par définition. Mais certains le sont encore plus que d'autres. Un mélange apparemment curieux de caractéristiques très diverses a émergé de toutes les études relatives aux adultes surdoués, donnant naissance au prototype de ce qu'on pourrait appeler l'hypersensible « libéré » : spontanéité, curiosité, puissant besoin d'indépendance et énergie, d'une part, introversion, intuition, sensibilité émotive[3] et non-conformisme, d'autre part.

Si vous faites preuve d'un talent supérieur aux autres dans votre milieu de travail, vous ne tarderez pas à constater que votre chemin est semé d'embûches. Votre originalité deviendra problématique lorsque vos coéquipiers solliciteront vos idées. Beaucoup d'organismes accordent une grande importance à la résolution collective des problèmes, justement parce que cette méthode permet de faire surgir des idées spectaculaires qui sont ensuite tempérées par le reste du groupe. Les ennuis commencent lorsque votre idée vous paraît bien plus brillante que celle du voisin. Et pourtant, les autres ne semblent pas s'en rendre compte. Si vous cédez aux pressions du groupe, vous aurez l'impression de vous trahir et il vous sera difficile de mettre tout l'enthousiasme nécessaire dans la concrétisation d'idées auxquelles vous ne croyez pas. En revanche, si vous vous arc-boutez, vos collègues deviendront hostiles. Vous vous sentirez incompris. Un bon gestionnaire est au courant de cette dynamique de groupe et doit s'efforcer de protéger un employé surdoué. Sinon, il court le risque de voir cet employé aller offrir ses talents ailleurs.

Il est possible, également, que votre travail et vos idées déclenchent en vous un extraordinaire enthousiasme. Bien que les autres aient l'impression que vous jouez à un jeu dangereux, vous jugez les risques minimes, car vous êtes certain de gagner la partie. Mais vous n'êtes pas infaillible et vos collègues se réjouiront de vos échecs, si rares soient-ils. En outre, les gens qui ne partagent pas votre feu sacré vous accuseront d'ergomanie. Ils vous en voudront de tant travailler, car par contraste, vous les faites passer pour des paresseux. Malheureusement, ils ne comprennent pas que pour vous, le travail c'est aussi un plaisir. C'est seulement si vous cessiez de travailler que la vie deviendrait un calvaire. Si tel est le cas, peut-être serait-il judicieux de cacher à tout le monde, sauf à votre supérieur direct, vos journées de 15 heures.

Mieux, raccourcissez vos journées de travail. Essayez de considérer l'enthousiasme le plus positif comme un état d'hyperstimulation et efforcez-vous de trouver un équilibre entre le travail et le divertissement. Vous n'en serez que plus efficace.

Autre fâcheuse conséquence d'un enthousiasme débordant: votre esprit toujours actif risque de vous entraîner vers d'autres œuvres avant même que vous en ayez terminé avec la précédente, laissant les autres recueillir les fruits de votre travail acharné. À moins que vous n'ayez pris vos précautions en conséquence — ce qui serait fort étonnant — ce sera tant pis pour vous.

Le troisième facteur de douance, la sensibilité émotive, peut vous entraîner dans l'écheveau de la vie privée des autres. Au travail en particulier, c'est une propension désastreuse. Vous devez absolument fixer vos frontières professionnelles. N'oubliez pas qu'au travail, vous passez plus de temps qu'ailleurs en compagnie de gens moins sensibles, qui tempéreront votre enthousiasme tandis que vous les ferez profiter de votre sensibilité. C'est en dehors du lieu de travail que vous devriez nouer les relations sérieuses qui vous offrent la profondeur émotive dont vous ressentez le besoin.

C'est également à l'extérieur du milieu de travail que devraient fleurir les relations qui représentent le havre de paix dont votre sensibilité a besoin pour récupérer après les tempêtes qui l'agitent. Ne recherchez pas ce genre d'amitié auprès de vos collègues, encore moins de vos supérieurs. Ils vous jugeront trop émotif et pourraient même aller jusqu'à penser que « quelque chose ne tourne pas rond » chez vous.

La quatrième qualité des surdoués, l'intuition, revêt des connotations presque magiques auprès des autres. Car ils ne voient pas ce que vous voyez, ils ne lisent pas entre les lignes de chaque situation, comme vous le faites. Que faire ? Leur ouvrir les yeux ? Ou accepter leur interprétation des faits bien que cela accroisse votre sentiment secret d'exclusion ? À vous de choisir.

Enfin, il est possible que votre talent vous imprègne d'un certain charisme. Les autres s'efforceront d'être guidés par vous. C'est un sentiment flatteur et vous risquez de céder à la tentation. Mais ils finiront par avoir l'impression que vous leur avez volé leur liberté et ils n'auront pas tout à fait tort.

Peut-être jugez-vous que les autres ont peu à vous offrir en échange de votre talent. Ce qui semblait au départ être un véritable échange pourrait se révéler bien décevant. Mais en abandonnant les autres, vous aggraverez votre sentiment d'aliénation, car au bout du compte, vous avez besoin d'eux, tout comme ils ont besoin de vous.

La meilleure solution consiste à ne pas extérioriser tous vos talents au travail. Faites-en profiter vos loisirs, exprimez-les par l'art, songez à l'avenir, travaillez parallèlement en autonomie, employez-les à jouir de la vie.

Autrement dit, ne vous contentez pas de consacrer vos talents à suggérer les idées les plus excentriques de toute l'entreprise. Servez-vous-en pour accroître votre connaissance de vous-même et pour comprendre le comportement des êtres humains au sein des groupes et des organisations. Auquel cas, apprenez à vous taire et à observer les autres. Vous pourriez aussi adopter le personnage d'un être ordinaire. Mettez vos talents en veilleuse et goûtez le résultat.

Enfin, restez en contact avec maintes autres personnes, au travail et ailleurs. Dites-vous bien que votre *alter ego* n'existe pas. Au demeurant, c'est en acceptant la solitude qui est l'une des caractéristiques du talent, que vous vous libérerez. Mais acceptez aussi les autres, car vous n'avez nul besoin de vous sentir isolé. Tout le monde possède un talent ou un autre. N'oubliez pas non plus cette vérité universelle : aucun être humain, vous pas plus qu'un autre, n'est si doué qu'il échappera au vieillissement et à la mort.

Pour que votre sensibilité soit appréciée à sa juste valeur

Vous avez maintenant une idée des nombreux horizons que votre sensibilité peut vous ouvrir, que vous soyez votre propre patron ou que vous travailliez pour quelqu'un d'autre. Mais j'ai constaté qu'un effort considérable était nécessaire pour que les hypersensibles cessent de se considérer comme anormaux et commencent à apprécier leur trait de personnalité à sa juste valeur. Vous ne convaincrez personne de votre valeur si vous ne réussissez pas à vous convaincre vous-même. Par conséquent, livrez-vous sur-le-champ à l'exercice suivant.

Dressez la liste de tous les atouts possibles des hypersensibles. En suivant les règles du remue-méninges, laissez venir toutes les idées, sans porter de jugement de valeur. Même s'il s'agit d'atouts que peuvent avoir les moins sensibles, inscrivez-les quand même ; ce qui compte, c'est que nous les possédions. Utilisez toutes les stratégies possibles. Procédez par déduction logique à partir d'un trait de personnalité de base, réfléchissez au portrait de plus en plus net d'un hypersensible typique, évoquez l'image des hypersensibles que vous connaissez et admirez, pensez à vous-même, feuilletez ce livre. Votre liste devrait être très longue. Lorsqu'un groupe d'hypersensibles se livre à cet exercice sous ma direction, la liste est interminable. Par conséquent, poursuivez votre recherche jusqu'à ce que vous obteniez une liste d'une longueur respectable.

Ensuite, rédigez un petit discours, du genre de celui que vous pourriez prononcer dans le cadre d'une entrevue, puis une lettre en bonne et due forme. Dans les deux, décrivez vos qualités en insistant subtilement sur la sensibilité afin de mettre l'employeur de votre côté.

Voici un exemple de discours. (Une lettre serait rédigée dans un style plus formaliste.)

> En sus de mes 10 ans d'expérience des jeunes enfants, je possède une connaissance considérable des arts graphiques et l'expérience pratique de la mise en page. Je suis conscient de l'atout unique que représentent ma personnalité et mon tempérament, car je suis consciencieuse, perfectionniste et désireuse de faire du bon travail.
>
> En outre, je crois posséder une imagination exceptionnelle. J'ai toujours été considérée comme très créative (mes résultats scolaires ont toujours été excellents et mon QI est élevé). L'intuition que j'apporte à mon travail a toujours été l'une de mes plus grandes qualités. Je suis également capable de repérer les erreurs ou les problèmes éventuels.
>
> Attention, je ne suis pas une fautrice de troubles. J'aime le calme autour de moi. D'ailleurs, c'est lorsque je me trouve dans un environnement silencieux que je travaille avec le plus d'efficacité. C'est pourquoi la plupart des gens me considèrent comme une agréable collègue de travail, même si je travaille très bien seule dans mon coin ou au sein d'un petit groupe. Mon indépendance et ma capacité de travailler en solo ont toujours été mes principales qualités...

En formation

Durant un atelier de formation, un hypersensible risque de souffrir de stimulation excessive simplement parce qu'il se sait porté à commettre des erreurs lorsqu'on le regarde travailler. En outre, son système nerveux tolère difficilement certaines situations : recevoir un trop-plein d'informations, être entouré de trop de gens qui parlent ou s'efforcent eux aussi d'apprendre, imaginer toutes les conséquences catastrophiques d'un oubli, etc.

Si possible, essayez d'assurer vous-même votre formation. Emportez les manuels à la maison ou restez au bureau une fois que tout le monde est parti afin de travailler seul. Il est possible qu'une formation individuelle, en compagnie d'un instructeur qui saura vous mettre à votre aise, vous convienne davantage. Demandez-lui de vous expliquer chaque étape, puis de vous laisser vous entraîner dans votre coin. Ensuite, demandez à un collègue, à quelqu'un dont la présence ne vous énerve pas — surtout pas à un supérieur — de vous observer.

Le confort physique au travail

Vous êtes déjà hypersensible; vous n'avez pas besoin d'un stress supplémentaire. Il est possible qu'un milieu de travail jugé tout à fait acceptable par les autres vous énerve au plus haut point. Peut-être êtes-vous seul à souffrir des lumières fluorescentes, du bruit — même faible — des machines ou des odeurs de produits chimiques. Il s'agit ici de questions très personnelles, même parmi les hypersensibles.

Si vous décidez de vous plaindre, songez que vous aurez affaire à plus fort que vous. N'oubliez pas, cependant, de mentionner les tentatives que vous avez faites, de votre propre chef, pour résoudre le problème. Insistez sur votre productivité, sur vos réalisations. Rappelez à vos supérieurs que votre rendement pourrait être encore meilleur si la question était réglée, pour autant que cela soit possible.

La promotion

Les recherches entreprises sur les «timides» ont permis de constater que ces personnes étaient moins bien payées que les autres et sous-employées[4]. Je soupçonne que cela s'applique aussi à maints hypersensibles, même s'il s'agit pour eux d'un choix en toute connaissance de cause. Mais si vous ne progressez pas aussi vite que vous le souhaiteriez ou si vous ne voulez pas être victime d'éventuelles compressions d'effectifs, vous devrez formuler une stratégie.

Il est rare que les hypersensibles s'intéressent aux ténébreuses machinations qui se trament dans les bureaux. Ce détachement paraît d'ailleurs suspect aux autres. En effet, nous sommes victimes de nombreux préjugés, surtout si nous travaillons seuls dans notre coin ou si nous nous refusons à confier nos pensées à nos collègues de travail, qui nous jugent distants, arrogants, bizarres. Si nous ne sommes pas ambitieux, nous passons pour indifférents ou faibles. Bien que ces projections soient totalement injustifiées, nous sommes obligés d'être vigilants et de concocter une stratégie pour les désamorcer.

Au moment voulu, faites savoir aux autres, officieusement ou non, que vous vous plaisez dans cette entreprise et que vous aimez bien vos collègues de travail. Peut-être croyez-vous que vos sentiments positifs sont évidents. En réalité, si vous êtes d'un naturel réservé, les autres ne se sont probablement jamais rendu compte de votre satisfaction. Il serait peut-être utile de parler plus ouvertement de votre contribution et du niveau d'avancement que vous aimeriez atteindre dans l'organisme; ne manquez pas de préciser dans quels délais vous estimez que cette promotion devrait vous être offerte.

En attendant, essayez de vous démarquer du reste de vos collègues. Une fois par semaine, rédigez un rapport très détaillé de votre contribution à la prospérité de l'entreprise et de vos réalisations personnelles, au travail et à l'extérieur. Non seulement il vous sera plus facile de vous en souvenir, mais encore vous serez plus porté à les mentionner. Si possible, soumettez ce rapport à votre supérieur à l'occasion de chaque évaluation.

Si vous vous refusez à faire ce petit travail ou si, dans un mois, vous constatez que vous ne vous y êtes pas encore mis, réfléchissez et demandez-vous pourquoi. Auriez-vous l'impression de vous vanter ? Si tel est le cas, dites-vous qu'en omettant de rappeler à votre supérieur et à la haute direction la valeur de votre contribution, vous ne leur rendez guère service. Tôt ou tard, l'insatisfaction vous incitera à aller chercher un emploi ailleurs, à accepter les offres alléchantes des concurrents ou, ce qui serait désastreux, à être licencié au profit d'un collègue moins compétent. Préféreriez-vous attendre que les autres constatent d'eux-mêmes votre valeur ? C'est un désir courant qui remonte à l'enfance. Malheureusement, vous risquez d'attendre longtemps.

Il y a une autre possibilité. Peut-être n'accomplissez-vous pas grand-chose au travail. Peut-être vous en moquez-vous éperdument. Vous préférez tenir le journal des réalisations qui, pour vous, ont de l'importance : les randonnées à vélo, les livres qui vous ont plu, les conversations intéressantes avec des amis. Si vos intérêts extérieurs mobilisent la plus grande partie de votre énergie, c'est donc qu'ils vous intéressent plus que votre travail. Ne pourriez-vous essayer d'être rémunéré pour faire quelque chose qui vous passionne ? Si vous avez l'impression de consacrer la majeure partie de votre temps à d'autres responsabilités — des enfants, un parent âgé —, soyez-en fier. Ajoutez ces tâches à la liste de vos réalisations, même si la majorité des employeurs s'en soucient fort peu.

Enfin, si vous avez l'impression de stagner ou d'être victime d'un mauvais sort, peut-être manquez-vous un peu de perspicacité.

Betty rencontre Machiavel

Durant ses séances de psychothérapie, Betty, l'une de mes patientes hypersensibles, me parlait souvent de ses problèmes au travail. Naturellement, il est impossible au thérapeute de savoir exactement ce qui se passe dans ces circonstances, puisqu'il n'entend qu'un son de cloche. Mais dans le cas de Betty, les promotions lui semblaient bel et bien refusées en dépit de ses indéniables qualités professionnelles.

Lors d'une évaluation, on lui reprocha le type même de comportement qui, au contraire, devrait, semblait-il, être apprécié de n'importe quel supérieur. Elle commença à se demander avec une certaine répugnance si sa supérieure ne l'avait pas prise en grippe. La vie privée de cette femme était apparemment un désastre. En outre, le supérieur précédent de Betty lui avait laissé entendre que sa remplaçante était tout à fait capable de la « poignarder dans le dos ».

Les autres semblaient s'entendre avec la nouvelle supérieure, mais l'intuition de Betty lui suggéra qu'ils faisaient leur possible pour lui plaire parce qu'ils en avaient peur. Betty, beaucoup plus âgée qu'elle, avait tout d'abord pris son agressivité pour un manque de maturité et non pour une menace. Mais elle était perfectionniste et consciencieuse. Elle recevait souvent les louanges de visiteurs qui la considéraient comme l'employée la plus compétente à laquelle ils avaient eu affaire dans son service. Elle se croyait donc en sécurité. En effet, le naturel de Betty ne l'incitait guère à nourrir des pensées négatives envers les autres. Malheureusement, c'était compter sans la jalousie de sa supérieure.

Un jour, Betty décida de prier un employé du service du personnel de la laisser jeter un coup d'œil à son dossier (ce qui était tout à fait admis dans cette entreprise). Elle découvrit que sa supérieure y avait inscrit de purs mensonges sur son compte tout en omettant les informations positives que Betty lui avait demandé de porter au dossier.

Betty finit par comprendre qu'elle était en train de livrer un véritable duel. Mais que faire ? Elle me répéta à maintes reprises qu'elle ne voulait pas s'abaisser à agir comme ce dragon.

Quant à moi, je devais principalement aider Betty à comprendre pourquoi elle était ainsi visée. Elle finit par admettre que ce n'était pas la première fois. Je soupçonnais que dans ce cas précis, c'était parce qu'elle paraissait distante, condescendante et donc, présentait une menace pour une femme plus jeune, moins sûre d'elle. En réalité, Betty n'est rien de tout cela. Mais elle avait longtemps rejeté la possibilité d'un conflit, ce qui était à la racine du problème.

Au travail, Betty était facilement devenue la cible des fâcheux simplement parce qu'elle préférait se tenir à l'écart du reste du « troupeau ». À l'instar de maints hypersensibles introvertis, elle faisait consciencieusement son travail, puis rentrait tranquillement chez elle sans aggraver sa stimulation par des rapports sociaux avec ses collègues. « Je n'aime pas commérer comme le font les autres », m'avait-elle souvent répété. Mais cette attitude l'isolait de la vie de son service. Pour se protéger, elle devait absolument se créer une persona et participer aux conversations entre les employés, savoir ce qui se passait autour d'elle, se faire des amis « bien placés ». Autre conséquence désagréable, les autres avaient l'impression d'être rejetés. Dans le meilleur des cas, ils n'éprouvaient aucun désir de lui venir en aide. C'est pourquoi la nouvelle supérieure savait parfaitement qu'en s'attaquant à Betty, elle ne risquait rien.

Betty avait commis une autre erreur, très caractéristique d'une hypersensible : elle ne s'était jamais rendu compte des aspects les plus déplaisants de la personnalité de sa supérieure. En fait, elle avait tendance à idéaliser ses patrons. Elle attendait d'eux gentillesse et protection. Lorsque ses difficultés la persuadèrent de s'adresser à la personne dont relevait son ennemie, elle estima toutefois « normal » d'informer la supérieure de ses intentions ! Naturellement, cette dernière s'empressa de la battre au poteau et réussit à mettre son propre supérieur de son côté. Betty constata qu'une autre incarnation idéalisée de l'autorité venait de se conduire comme un simple mortel.

Lorsque je suggérai à Betty de se montrer plus perspicace, plus diplomate, elle eut d'abord l'impression que je lui demandai de se « salir ». Je savais que ce besoin de pureté était profondément ancré en elle. Mais un jour, elle rencontra en rêve une chèvre en colère dans un enclos, puis un petit galopin et enfin, une femme d'affaires très chic. Ces rêves permirent de faire remonter en surface des qualités qu'elle possédait déjà, mais qu'elle n'avait jamais exploitées et qu'elle rejetait énergiquement parce qu'elles étaient inacceptables à ses yeux. Elle apprit à se méfier un peu de tout le monde, y compris des personnes qu'elle idéalisait (moi-même, entre autres).

Au fur et à mesure qu'elle apprenait à se connaître – ce qui exigeait d'elle un courage et une intelligence considérables –, Betty finit par admettre que les motivations des autres, quels qu'ils fussent, éveillaient en elle de profonds soupçons. Mais elle avait toujours essayé de refouler cette méfiance, qu'elle considérait comme l'un de ses principaux défauts. Cette réflexion accrut sa confiance en certaines personnes, et surtout en ses propres intuitions. À la fin de ce chapitre, vous aussi aurez la chance de rencontrer votre diplomate intérieur.

Les regrets — évitables ou non ?

L'idée que nous n'obtiendrons pas tout ce que nous désirons avant la fin de notre vie est difficile à accepter. Mais ainsi le veut notre condition humaine. Ne serait-il pas merveilleux de trouver ne serait-ce qu'une parcelle de la réponse à la question que la vie nous pose ? Et si nous trouvions le moyen d'être rémunérés pour le faire, ce serait encore mieux. Si nous parvenions à étudier la question dans l'harmonie et l'appréciation mutuelle, ce serait un miracle. Vous croyez y être parvenu ? Félicitez-vous. Sinon, j'espère que vous avez une idée de ce qui vous reste à faire.

En revanche, peut-être avez-vous l'impression de devoir renoncer à une vocation que d'autres responsabilités vous ont empêché de poursuivre ou que votre culture ne comprend pas. Si vous parvenez malgré tous ces obstacles à trouver la paix, vous êtes certainement le plus sage d'entre nous.

METTEZ À PROFIT CE QUE VOUS VENEZ D'APPRENDRE

Faites la connaissance de votre Machiavel.

Machiavel, qui vécut durant la Renaissance, fut le conseiller de divers princes italiens. Il écrivit un traité d'une brutale franchise sur la manière de se hisser au sommet de la hiérarchie et d'y rester. Son nom est demeuré, peut-être abusivement, synonyme de manipulation, de mensonge, de trahison et d'autres machinations douteuses qui caractérisent la vie de cour. Je ne vous recommande pas de devenir machiavélique, mais je suis convaincue que plus ses caractéristiques vous répugnent, plus vous devez être conscient de leur existence, au fond de vous-même et chez les autres. Plus vous affirmerez ne rien savoir de tout ce grenouillage, plus vous serez troublé par votre capacité de mener une intrigue et celle des autres.

En bref, il y a en chacun de nous un Machiavel qui sommeille. Bien sûr, c'est un impitoyable manipulateur. Mais nul prince, surtout s'il est d'un naturel bienveillant, ne pourrait se maintenir au pouvoir s'il n'avait au moins un conseiller capable de se mettre dans la peau des ennemis du royaume. Écoutez donc les conseils de votre Machiavel, mais ne le laissez pas prendre le dessus.

Peut-être saviez-vous déjà que vous possédiez cette qualité. Il serait alors utile de lui donner une apparence humaine. Créez un personnage, masculin ou féminin, et donnez-lui un nom (vous ne choisirez probablement pas Machiavel). Ensuite, entamez la conversation. Demandez-lui de tout vous révéler sur l'organisme dans lequel vous travaillez. Demandez-lui de vous désigner ceux qui cherchent à obtenir de l'avancement, de vous décrire leurs manœuvres et de vous révéler qui a une dent contre vous. Demandez-lui ce que vous pourriez faire pour progresser. Laissez cette voix vous parler pendant un moment.

Plus tard, réfléchissez à ce que vous avez appris. Utilisez vos valeurs et votre intégrité personnelle pour tempérer ces révélations. Par exemple, votre conseiller vous a-t-il révélé que les manœuvres déloyales d'un collègue dépourvu de scrupules vous portaient préjudice, ainsi qu'à l'entreprise ? Cette petite voix intérieure est-elle le reflet de votre paranoïa ? Ou, au contraire, vous chuchote-t-elle quelque chose que vous saviez déjà sans vouloir l'admettre ? Quelles mesures judicieuses pourriez-vous prendre pour contrer ces machinations ou, tout au moins, pour vous protéger ?

CHAPITRE 7

Les relations intimes
Ou l'hypersensible amoureux

Ce chapitre est une histoire d'amour. Comment les hypersensibles tombent-ils amoureux ? Comment nouent-ils des relations de tendre amitié ? Que font-ils pour entretenir la relation ? C'est ce que nous allons voir.

Qu'est-ce que l'intimité pour un hypersensible ? Il y a mille et une réponses

Cora a 64 ans. C'est une femme au foyer, également auteur de livres pour enfants. Elle n'a été mariée qu'une fois, à son « unique partenaire sexuel » et se déclare fermement « satisfaite de cet aspect de [sa] vie ». Richard, son époux, est « tout sauf un hypersensible ». Mais chacun apprécie ce que l'autre apporte au mariage, maintenant que les difficultés de parcours ont été aplanies. Par exemple, Cora a appris avec le temps à ne pas céder à son mari qui souhaitait lui faire partager ses plaisirs : films d'aventure, ski alpin et Super Bowl. Il s'adonne à ces activités en compagnie de ses amis.

Marc, dans la cinquantaine, est professeur et poète, spécialiste de l'œuvre de T. S. Eliot. Célibataire, il vit en Suède où il enseigne la littérature anglaise. Les amis forment les piliers de sa vie. Il a déniché dans le monde quelques âmes sœurs ou cousines, avec lesquelles il entretient des relations étroites. Je suis persuadée que toutes estiment avoir beaucoup de chance.

Dans le domaine des amours, Marc se souvient de plusieurs passions intenses, dont certaines remontent à son enfance. Il a vécu quelques relations bouleversantes. « Deux, explique-t-il, sont toujours présentes en moi. C'est douloureux. Je sais que ça ne finira jamais, bien que la porte se soit refermée. » Puis il ajoute sur un ton amusé : « Mais les phantasmes, ça me connaît ! »

Anne se souvient d'être tombée éperdument amoureuse dans son enfance. « Il y avait toujours quelqu'un ; c'était une quête, une recherche perpétuelle. » Mariée à 20 ans, elle eut ensuite trois enfants en sept ans. Le ménage manquait toujours d'argent et, au fur et à mesure que la situation se dégradait, son mari devenait de plus en plus violent. Après qu'il l'eut battue à quelques reprises, elle décida enfin de le quitter, de se prendre en main et de conserver son indépendance financière.

Elle rencontra d'autres hommes par la suite, mais ne se remaria jamais. À 50 ans, elle reconnaît que sa « quête du prince charmant » est terminée. D'ailleurs, lorsque je lui ai demandé ce qu'elle avait fait de particulier pour adapter son mode de vie à sa sensibilité, elle a répondu sans hésiter : « J'ai expulsé les hommes de ma vie, c'est une source de stress en moins. » En revanche, les relations étroites qu'elle entretient avec ses enfants, ses sœurs et des amies lui procurent beaucoup de bonheur.

Christine, l'étudiante dont vous avez fait la connaissance au chapitre premier, a elle aussi éprouvé maintes passions intenses pendant toute son enfance. « Chaque année, j'en choisissais un nouveau. Mais au fur et à mesure que je grandissais et que ces relations devenaient plus sérieuses, surtout lorsque j'étais en compagnie de mon amoureux du moment, je n'avais qu'une envie, qu'il me laisse tranquille. Plus tard, j'en ai rencontré un autre avec lequel je suis partie au Japon. Il a beaucoup compté pour moi mais, heureusement, cette histoire-là aussi est en train de se terminer. J'ai 20 ans, je ne peux pas dire que les garçons m'intéressent beaucoup. Je voudrais d'abord apprendre à me connaître moi-même. » Christine, qui s'inquiète tant de sa santé mentale, semble au contraire démontrer un grand équilibre psychologique.

Lily, âgée de 30 ans, eut d'innombrables relations pendant sa jeunesse, en rébellion contre sa mère chinoise, très stricte. Mais il y a deux ans, lorsqu'elle apprit que son mode de vie effréné menaçait gravement sa santé, Lily se rendit compte à quel point elle était malheureuse. Pendant notre entretien, elle alla jusqu'à se demander si elle avait choisi cette vie hyperstimulante pour se distancier d'une famille qu'elle considérait comme morose, dépourvue du dynamisme nord-américain. Une fois guérie, elle rencontra un homme qui lui parut encore plus sensible qu'elle. Leur relation débuta par l'amitié. Bien que Lily l'eût jugé, au départ, aussi effacé que les membres de sa propre famille, un sentiment doux et apaisant naquit entre eux. Ils décidèrent de vivre ensemble. Toutefois, Lily se méfie d'un mariage trop précipité.

Lyne, dans la vingtaine, vient d'épouser Christian, avec qui elle partage une voie spirituelle, de même qu'un amour profond et sincère. Ils ne sont toutefois pas d'accord sur la place des relations sexuelles dans leur vie. Conformément à la tradition spirituelle dans laquelle Christian a été élevé et qu'il partage désormais avec Lyne, l'abstinence est de rigueur. Mais lorsque je m'entretins avec eux, il avait changé d'avis et c'était Lyne qui souhaitait s'abstenir afin de respecter la tradition. Ils sont parvenus à un compromis qui leur convient à tous les deux : des relations sexuelles espacées (une ou deux fois par mois) mais « extraordinairement intenses ».

Ces exemples illustrent la diversité de la réponse des hypersensibles à un désir particulièrement humain, celui d'une relation intime. Bien que je ne dispose pas encore de données statistiques à grande échelle pour le confirmer, il me semble, d'après mes entretiens avec des hypersensibles, que cette diversité est plus prononcée que parmi le reste de la population, que l'on trouve chez eux un nombre plus élevé de célibataires et qu'ils sont plus portés à la monogamie. En outre, ils semblent accorder plus d'importance aux relations avec les amis ou les membres de leur famille qu'à l'amour. Il est possible que cette différence de conception des relations amoureuses soit attribuable à une différence de besoins et d'antécédents personnels. Naturellement, nécessité est mère d'invention.

En dépit de cette diversité, on note quelques problèmes communs, tous engendrés par notre capacité particulière de percevoir des nuances subtiles et notre tendance très prononcée à l'hyperstimulation.

Lorsqu'un hypersensible tombe amoureux

Mes recherches suggèrent que lorsque les hypersensibles tombent amoureux, c'est pour de bon. Cet enthousiasme peut se révéler bénéfique. Par exemple, d'après certaines études, lorsque nous sommes amoureux, nous nous sentons beaucoup plus compétents face au monde extérieur et nous élargissons notre perception de nous-mêmes[1]. En d'autres termes, nous nous sentons plus forts, plus grands, plus beaux, plus intelligents. En revanche, il est bon de connaître certaines des raisons pour lesquelles nous tombons plus passionnément amoureux que le reste de la population – raisons qui n'ont rien ou pas grand-chose à voir avec l'objet de nos feux – au cas où nous préférerions nous passer de ces problèmes.

Avant de commencer, décrivez donc sur papier ce qui s'est passé en vous lorsque vous êtes tombé passionnément amoureux. Ainsi vous pourrez comparer votre expérience avec celles que je vais vous décrire ici.

Je sais que certains hypersensibles donnent l'impression de ne jamais tomber amoureux. (En général, ils adoptent le comportement d'évitement dont j'ai parlé plus haut.) Mais aller jusqu'à affirmer que cela ne vous arrivera jamais revient à affirmer qu'il ne pleut jamais dans le désert. Or, si vous vous y connaissez en déserts, vous saurez que lorsqu'il y pleut, c'est le déluge. Peut-être êtes-vous persuadé que vous ne tomberez jamais amoureux. Mais poursuivez toutefois votre lecture. On ne sait jamais, elle pourra vous servir… en cas de pluie.

L'amour éperdu

Avant de parler de l'amour puissant ou de l'amitié profonde qui aboutissent parfois à une merveilleuse relation, j'aimerais dire quelques mots d'un cas plus rare mais bouleversant, celui de la passion éperdue, impossible. Tout le monde peut en être victime, mais les hypersensibles paraissent légèrement plus vulnérables à cet égard. Étant donné qu'il s'agit en général d'une expérience catastrophique pour les deux parties, il est bon de savoir à quoi s'attendre. On n'est jamais trop prudent…

Ce type de passion n'est généralement pas réciproque et c'est justement là que le bât blesse. L'absence de réciprocité peut être à l'origine même de l'intensité. Si une véritable relation pouvait naître, la cristallisation s'estomperait tandis que les partenaires apprendraient à se connaître, à apprécier mutuellement leurs défauts tout autant que leurs qualités. Mais l'intensité peut également provoquer la rupture, lorsque l'être aimé rejette la passion trop intense simplement parce qu'il la juge trop étouffante et dépourvue de réalisme. Il se sent pris à la gorge et, en fin de compte, mal aimé, car l'autre ne tient aucun compte des sentiments de son partenaire, ne le comprend même pas et n'a de lui qu'une image parfaite, idéalisée. Ce qui ne l'empêche pas de tout abandonner afin de partir à la poursuite du rêve de bonheur parfait que seule cette personne est capable de lui offrir.

Comment peut-on en arriver là ? Il n'existe pas vraiment de réponse, seulement des théories. Carl Jung était d'avis que les introvertis (soit la plupart des hypersensibles) tournaient leur énergie vers l'intérieur afin de protéger la vie secrète qui leur était si précieuse, de l'empêcher d'être asphyxiée par le monde extérieur. Mais il fit également remarquer que plus notre introversion est prononcée, plus elle pèse sur notre inconscient, afin de contrebalancer le mouvement vers l'intérieur. Comme si nous emplissions une maison d'enfants blasés (mais probablement surdoués) qui réussiraient un jour ou l'autre à s'échapper par la porte du jardin. Cette accumulation d'énergie est souvent dirigée vers une personne, un endroit ou un objet qui acquièrent une importance démesurée pour le malheureux introverti. Il est amoureux, certes, mais cette passion n'a pas grand-chose à voir avec son objet. Ce qui importe ici, c'est depuis combien de temps l'énergie est ainsi refoulée.

L'intrigue d'innombrables romans et films s'articule autour de ce genre de passion. Prenons par exemple un classique du cinéma, *L'Ange bleu,* dans lequel un professeur s'éprend d'une danseuse de music-hall. Quant à la littérature, elle nous offre le célèbre roman de Hermann Hesse, *Le Loup des steppes,* dont le héros est un vieillard introverti qui rencontre une jeune danseuse provocante et son cercle de gens passionnés et sensuels. Dans les deux cas, les protagonistes sont désespérément entraînés dans un tourbillon d'amour, de sensualité, de drogue, de jalousie et de violence, soit toute la stimulation sensorielle que leur être intuitif, introverti, avait autrefois rejetée et à laquelle il était incapable de s'adapter. Mais les femmes ne sont pas épargnées. Les héroïnes intellectuelles et introverties de Jane Austen ou Charlotte Brontë succombent elles aussi à des passions dévorantes.

Aussi introverti que vous soyez, vous vivez en société. Il vous est impossible de refouler entièrement votre besoin et votre désir spontané de nouer des relations, même si vous ressentez une puissante envie de vous protéger. Heureusement, lorsque vous vous serez aventuré dans le monde extérieur, lorsque vous aurez connu l'amour à quelques reprises, vous comprendrez que personne n'est parfait. Un de perdu, dix de retrouvés, affirme le proverbe. Pour vous protéger contre une passion trop intense, vous devez entretenir des contacts avec le monde extérieur et non vous en isoler. Dès que vous aurez trouvé un équilibre, vous constaterez que la proximité de certaines personnes vous permet de garder votre calme et vous procure un sentiment de sécurité. Et puisqu'un jour ou l'autre vous vous trouverez sous l'averse, autant vous mouiller tout de suite, en compagnie du commun des mortels.

Remémorez-vous vos relations amoureuses ou amicales. Chacune n'a-t-elle pas suivi une longue période d'isolement?

L'amour humain et l'amour divin

L'amour intense n'est parfois qu'une projection de nos désirs spirituels sur quelqu'un d'autre. Dans ce cas également, si nous vivions quelque temps avec l'objet humain de notre passion, nous ne tarderions pas à comprendre que nous confondons amour humain et amour divin. Mais lorsque la vie commune est impossible, cette projection peut se révéler étonnamment vivace.

À l'origine d'un tel amour se trouve indubitablement un besoin extrêmement puissant. Pour reprendre la terminologie des disciples de Jung, nous possédons chacun en nous un «compagnon de voyage», qui a pour tâche de nous entraîner vers les profondeurs. Mais il peut arriver que nous ne connaissions pas très bien ce compagnon ou, ce qui est encore plus fréquent, que nous le projetions vers les autres, car nous sommes victimes de notre désir exacerbé de trouver l'âme sœur dont nous avons tant besoin. Nous voulons à tout prix faire de ce compagnon un être en chair et en os, et bien que des éléments de notre vie intérieure puissent avoir une existence réelle, il s'agit d'une notion extrêmement difficile à comprendre.

Selon la tradition jungienne, le compagnon intérieur d'un homme est généralement une âme féminine ou *anima,* tandis que celui d'une femme est habituellement un guide spirituel masculin, ou *animus.* Lorsque nous tombons amoureux, c'est souvent de cette *anima* ou de cet *animus,* qui nous entraîneront là où nous désirons aller, au paradis. Nous considérons l'*anima* et l'*animus* comme des êtres en chair et en os, avec lesquels nous souhaitons vivre dans un paradis terrestre, sensuel (généralement une croisière sous les Tropiques ou une fin de semaine de ski dans les Rocheuses, car les publicistes se font un plaisir de nous aider à projeter ces archétypes dans le monde extérieur). Mais attention ! Comprenez-moi bien ! Les êtres en chair et en os, la sensualité, tout cela n'a rien de répréhensible. Mais ils ne remplaceront pas le personnage intérieur ou le but de notre vie intérieure. Voyez donc les dégâts que l'amour divin est capable de commettre lorsque deux mortels décident de s'aimer à la manière des humains.

Il est possible, toutefois, que cette confusion se révèle efficace, tout au moins à un moment donné de la vie. Je citerai ici l'écrivain Charles Williams : « À moins que nous n'offrions notre amour à quelque chose qui, en fin de compte, se révélera faux, le vrai, lui, ne pourra jamais entrer. »

L'amour éperdu et le lien non sécurisant

Comme nous en avons discuté plus haut, toutes les relations des hypersensibles sont fortement influencées par la nature des liens qui les rattachaient à leur première nourrice. Étant donné que seulement 50 à 60 p. 100 de la population ont connu un lien véritablement sécurisant dans leur enfance[2] (pourcentage véritablement scandaleux, vous en conviendrez), si vous ressentez une grande méfiance envers les relations intimes (comportement évitant) ou si vos amours ou vos amitiés sont extrêmement intenses (comportement anxieux-ambivalent), vous pouvez cependant vous considérer comme normal. Mais la puissance de votre réaction, dans un sens ou dans l'autre, est imputable aux problèmes non résolus que vous traînez derrière vous.

Il est fréquent que ceux qui n'ont pas connu de lien sécurisant s'efforcent d'éviter l'amour, de peur d'être blessés. Ou peut-être ont-ils l'impression que toute cette histoire n'est qu'une perte de temps. Ils prennent soin de ne pas se demander pourquoi leur opinion à cet égard diffère tant de celle du reste des humains. Mais si tel est votre cas, quoi que vous fassiez, un jour ou l'autre vous tomberez dans le panneau. Quelqu'un apparaîtra, avec qui vous vous sentirez suffisamment en sécurité pour courir le risque d'un attachement. Il est également possible que votre partenaire vous rappelle quelqu'un de sécurisant, qui a traversé trop brièvement votre vie. Ou peut-être ressentez-vous un besoin désespéré, qui vous incite à courir de nouveau le risque de vous attacher. Cela peut arriver sans crier gare. Voyez l'exemple d'Hélène.

Bien qu'elle considérât son mariage comme réussi, Hélène ne s'était jamais sentie aussi proche de son mari qu'elle l'aurait voulu. Mais lorsqu'elle eut terminé et expédié sa première grande sculpture, dont la création l'avait occupée pendant un an, elle se sentit curieusement désœuvrée. Bien qu'elle parlât très rarement de ses sentiments, elle se surprit un jour à se confier à une femme plus âgée qu'elle, solidement bâtie, qui portait ses longs cheveux gris en chignon.

Jusqu'à cette conversation, Hélène n'avait jamais remarqué cette femme, que le voisinage considérait comme une excentrique. Mais la nouvelle connaissance d'Hélène avait suivi une formation de conseillère et savait écouter. Dès le lendemain, Hélène avait envie de la revoir. L'autre femme, flattée d'avoir attiré l'attention d'une artiste si recherchée, devint son amie.

Mais pour Hélène, c'était plus que de l'amitié. C'était la satisfaction d'un besoin exacerbé. À sa stupéfaction, la relation devint vite sexuelle et le mariage d'Hélène en souffrit. Dans l'intérêt de son mari et de ses enfants, elle décida de rompre. C'est alors qu'elle constata que cela lui était totalement impossible.

Enfin, après un an de scènes orageuses entre les trois protagonistes, Hélène commença à découvrir des défauts intolérables chez son amie, en particulier un très mauvais caractère. Elle parvint à mettre fin à la relation et son mariage survécut. Mais il lui fallut des années et un traitement psychothérapeutique pour comprendre ce qui lui était arrivé.

Lorsqu'elle commença à analyser sa petite enfance, Hélène apprit de sa sœur aînée que leur mère, toujours très occupée, n'avait jamais eu envie de consacrer du temps à ses nourrissons. Hélène avait été élevée par une succession de gardiennes. Elle se souvenait de l'une d'elles, une madame North, qui lui avait ensuite enseigné le catéchisme. Mme North avait toujours fait preuve d'une grande gentillesse, car c'était une personne très chaleureuse. Aux yeux de la petite Hélène, Mme North était le bon Dieu. Comme par hasard, elle possédait une silhouette trapue et coiffait ses cheveux grisonnants en chignon.

Hélène avait été programmée dès l'enfance. Programmée pour éviter de s'attacher à quiconque, puisqu'elle changeait si souvent de nourrice. Mais, à un niveau plus profond, elle était aussi programmée pour s'attacher à quelqu'un comme Mme North et pour tout risquer dans le seul but de se sentir de nouveau en sécurité, comme elle l'avait été pendant quelques heures par jour, auprès de Mme North.

Nous sommes tous programmés d'une manière ou d'une autre : programmés pour plaire et nous raccrocher à la première personne qui promet de nous aimer et de nous protéger, programmés pour trouver le parent parfait et l'adorer de tout notre être, programmés pour éviter de nous attacher, programmés pour nous attacher à quelqu'un qui est le portrait craché de la personne qui nous a rejetés dans notre enfance (afin de voir si nous parvenons à changer son attitude, cette fois-ci) ou qui, au contraire, ne voulait pas que nous devenions adultes, ou simplement programmés pour trouver un havre de paix semblable à celui dans lequel nous avons été élevés.

Remémorez-vous vos antécédents amoureux. Quel rapport y voyez-vous avec vos premiers attachements ? Les avez-vous imprégnés des besoins intenses que vous charriiez avec vous depuis l'enfance ? Il est normal de ressentir encore certains de ces besoins, qui servent de ciment aux relations intimes entre deux adultes. Mais vous ne pouvez pas tout exiger d'un adulte. Si, chez votre partenaire, vous recherchez des besoins d'enfants (par exemple le besoin de ne pas perdre l'autre de vue, ne serait-ce qu'un instant), cela signifie que vous aussi, vous traînez avec vous des problèmes non résolus. Seule la psychothérapie peut vous faire prendre conscience de ce que vous avez perdu, vous aider à pleurer le reste et à maîtriser les sentiments qui vous bouleversent.

Mais qu'en est-il de l'amour « normal », qui, pendant un certain temps, nous fait vivre des moments merveilleusement « anormaux » ?

Les deux ingrédients de l'amour réciproque

Dans le cadre de recherches approfondies que mon mari — sociopsychologue — et moi avons entreprises sur les relations intimes, nous avons analysé des centaines de récits de gens qui étaient tombés amoureux ou avaient noué des liens étroits d'amitié. J'ai constaté la présence de deux leitmotiv[3]. Tout d'abord, la personne qui tombe amoureuse a remarqué chez l'autre des caractéristiques qui lui plaisent énormément. Mais dans l'ensemble, les flèches de Cupidon ne transpercent son armure qu'une fois qu'elle a compris que l'autre la trouvait aussi à son goût.

Ces deux facteurs — aimer certaines caractéristiques de l'autre et découvrir que nous lui plaisons — évoquent l'idée d'un monde dans lequel on s'admire mutuellement et on attend que l'autre déclare son amour. Cette image est importante pour les hypersensibles, qui vivent leurs moments les plus stimulants de leur vie justement lorsqu'ils déclarent leur amour ou reçoivent une déclaration. Mais si nous voulons nouer une relation intime, nous n'avons pas le choix ! Nous devons courir tous les risques du rapprochement, y compris celui de nous déclarer. Voilà une leçon que Cyrano de Bergerac a fini par apprendre, de même que le capitaine John Smith.

Comment tomber amoureux par voie de l'hyperstimulation

Un homme rencontre une jolie femme sur un pont suspendu, qui se balance dans le vent au-dessus d'une gorge profonde[4]. Le même homme rencontre la même femme sur une solide passerelle de bois au-dessus d'un ruisseau. Dans quel cas risque-t-il le plus de tomber amoureux de la femme ? D'après les résultats d'une expérience entreprise par mon mari et l'un de ses collègues (aujourd'hui bien connu en psychologie des rapports sociaux), c'est sans conteste sur le pont suspendu. D'autres recherches ont permis de constater que les probabilités de tomber amoureux étaient beaucoup plus élevées lorsque nous étions en état d'hyperstimulation, même s'il ne s'agissait que de courir sur place ou d'écouter un monologue de comédie[5].

Pourquoi la stimulation, de quelque sorte que ce soit, conduit-elle à l'attirance s'il y a une personne adéquate à proximité ? Plusieurs théories s'affrontent. Tout d'abord, il se peut que nous nous efforcions toujours de trouver une cause à notre stimulation et, dans la mesure du possible, nous aimerions l'imputer à l'attirance que nous éprouvons pour quelqu'un. Deuxième possibilité, nous associerions dans notre esprit un degré élevé, mais tolérable, de stimulation à l'expansion et à l'enthousiasme, deux émotions qui vont généralement de pair avec l'attirance. Cette découverte a des répercussions intéressantes pour les hypersensibles. Puisque nous sommes plus facilement stimulés que les autres, nous risquons de tomber amoureux plus facilement (et plus profondément) lorsque nous sommes en présence d'une personne qui nous attire.

Remémorez-vous vos antécédents amoureux. Avez-vous traversé une période d'hyperstimulation un peu avant de rencontrer une personne que vous avez aimée ou au moment précis où elle a croisé votre route ? Après avoir vécu une expérience douloureuse, avez-vous ressenti un attachement profond à l'égard des gens qui l'ont vécue avec vous ? Ou envers des médecins, des thérapeutes, des parents ou des amis qui vous ont aidé à traverser une crise ou un moment pénible ? Réfléchissez aux amitiés que vous avez nouées au collège et à l'université, soit des moments de la vie ou nous nous retrouvons tous au cœur de situations nouvelles, intenses et stimulantes. Aujourd'hui, vous comprenez pourquoi.

D'autres raisons pour lesquelles les hypersensibles tombent facilement amoureux

Il nous est plus facile de tomber amoureux lorsque nous éprouvons quelques doutes sur notre valeur personnelle. Par exemple, les auteurs d'une étude ont constaté que des étudiantes dont l'amour-propre avait été écorné (par quelque chose qu'on leur avait dit au cours de l'expérience)[6] était plus attirées par un éventuel partenaire masculin que celles dont l'amour-propre était demeuré intact. Dans le même ordre d'idées, nous tombons plus facilement amoureux juste après une rupture.

Comme je l'ai déjà mentionné, les hypersensibles ont tendance à se dévaloriser parce qu'ils ne correspondent pas à l'idéal de notre société. Par conséquent, ils se considèrent comme chanceux si quelqu'un veut bien d'eux. Mais une relation fondée sur ce genre de sentiment se soldera forcément par un échec. Un jour ou l'autre, nous constaterons que la personne dont nous sommes tombés amoureux nous est très inférieure ou, tout simplement, ne nous convient pas.

Remémorez-vous vos antécédents amoureux. L'état lamentable de votre amour-propre a-t-il joué un rôle ?

La solution consiste, naturellement, à nourrir votre amour-propre en recadrant votre vie sous l'éclairage de votre sensibilité, à analyser ce qui vous a fait perdre votre confiance en vous et à affronter le monde extérieur en toute possession de vos moyens, afin de vous prouver que vous valez autant qu'un autre. Vous serez étonné de constater à quel point les gens vous apprécient justement en raison de votre sensibilité.

Il nous arrive aussi de nouer des relations ou de repousser l'idée d'une rupture simplement parce que nous avons peur de la solitude, de l'hyperstimulation ou des situations nouvelles, donc terrifiantes. En fait, c'est à mon avis la principale raison pour laquelle les étudiants tombent amoureux pendant leur première année loin du bercail[7]. Nous sommes faits pour vivre en société, nous nous sentons en sécurité au sein d'un groupe. Mais attention ici ! Évitez de nouer une relation simplement parce que vous avez peur de la solitude. Votre partenaire s'en rendra compte un jour ou l'autre. Soit il en sera blessé, soit il cherchera à profiter de vous. Vous méritez mieux tous les deux.

Remémorez-vous vos antécédents amoureux. La peur de la solitude vous a-t-elle encouragé à tomber amoureux ? Je crois que les hypersensibles devraient comprendre qu'ils sont capables de survivre, du moins pendant un certain temps, sans nouer de relation sentimentale. Sinon, nous ne serons pas libres lorsque nous rencontrerons quelqu'un qui nous plaira vraiment.

S'il vous est impossible de vivre seul, n'ayez pas honte de vous. Peut-être avez-vous perdu votre confiance dans le monde extérieur, pour une raison quelconque. Peut-être quelqu'un vous a-t-il empêché autrefois d'acquérir cette confiance. Mais si vous en avez la possibilité, essayez de vivre seul. Si cela vous paraît trop difficile, consultez un psychothérapeute qui vous guidera tout au long de cette phase, quelqu'un qui ne vous maltraitera pas, qui ne vous abandonnera pas, qui n'a d'autre objectif que celui de vous aider à devenir autonome.

Je ne veux pas dire par là que vous devriez vivre en ermite. Songez au réconfort que procure la compagnie d'amis intimes, de parents loyaux, de votre colocataire qui ne demande pas mieux que de vous accompagner au cinéma, de chiens au grand cœur et de chats câlins.

Comment approfondir une amitié

Les hypersensibles, notamment, ne devraient pas sous-estimer les avantages des amitiés profondes, qui ne sont ni aussi intenses, ni aussi compliquées, ni aussi exclusives que les relations amoureuses. En amitié, les conflits se résolvent souvent d'eux-mêmes. Il est tout à fait possible d'ignorer un peu plus longtemps, voire à perpétuité, des traits de personnalité agaçants. Nous pouvons déterminer jusqu'où va notre amitié sans porter un préjudice durable à l'autre si nous le rejetons et sans en souffrir nous-mêmes. Il arrive même qu'une relation amoureuse naisse de ce qui était au départ une simple amitié.

Pour approfondir une amitié (ou une relation familiale), mettez à profit ce que vous savez des raisons « saines » de tomber amoureux. Dites à l'autre personne que vous l'appréciez. N'hésitez pas à partager une expérience intense, à vivre des moments douloureux avec elle, à travailler ensemble, à faire équipe. Il est difficile de se rapprocher de quelqu'un avec qui l'on se contente d'aller déjeuner de temps à autre. La proximité vous incitera à vous dévoiler. Ce sont les confidences, réciproques et appropriées, qui vous conduiront par la voie la plus directe à l'intimité[8].

Comment trouver l'âme sœur

Il est fréquent que ce soit les moins sensibles qui nous découvrent. À un certain moment, la plupart de mes amis étaient des gens extravertis, moins sensibles (mais gentils et compatissants) qui semblaient fiers de m'avoir découverte, écrivain et recluse. C'étaient des amitiés idéales, qui m'ouvraient des horizons que je n'aurais jamais osé explorer par moi-même. Mais pour maintes raisons, il est bon que les hypersensibles se rapprochent d'autres hypersensibles.

Une excellente tactique consiste à demander à vos amis extravertis de vous présenter à d'autres qui, selon eux, vous ressemblent. Sinon, vous trouverez d'autres hypersensibles en pensant comme eux. Oubliez les bars à l'heure de l'apéritif, les gymnases et les cocktails. Au risque de tomber dans le piège des stéréotypes, j'oserais croire que les hypersensibles hantent plus volontiers les cours du soir, les sorties de la société Audubon ou du Sierra Club, les réunions des églises unitariennes ou quakers, les groupes d'étude des aspects les plus ésotériques de la théologie chrétienne ou juive, les cours d'arts plastiques, les conférences sur la psychologie jungienne, les séances de lecture de poèmes, les réunions de Mensa, les concerts, les opéras ou les spectacles de danse, les conférences préalables à ces représentations, ainsi que les retraites spirituelles en tous genres. Voilà donc quelques idées de points de départ.

Une fois que vous aurez découvert un autre hypersensible, entamez la conversation en parlant du bruit ambiant ou du degré de stimulation que suscite en vous cette situation. Puis suggérez une promenade dans un lieu plus calme. Et vous voilà parti.

La valse-hésitation d'un hypersensible

Je l'ai dit et je le répète, les hypersensibles ont besoin de relations intimes et savent en général comment les entretenir. Pourtant, nous devons constamment surveiller notre côté introverti qui nous pousse à nous protéger, car il nous arrive souvent d'être entraînés dans une valse-hésitation.

De quoi s'agit-il ? Tout d'abord, étant donné notre désir de nous rapprocher de quelqu'un, nous émettons tous les signaux nécessaires. Quelqu'un y répond, affirme vouloir nous voir plus souvent, apprendre à mieux nous connaître et s'efforce peut-être d'entrer en contact physique. Alors, nous faisons marche arrière. L'autre montre de l'impatience pendant un certain temps, puis se résigne et s'en va. Nous nous sentons délaissés, nous recommençons à émettre les signaux. Cette personne ou une autre y répond. Nous sommes aux anges… provisoirement. À partir d'un certain moment, la relation nous étouffe.

Un pas en avant, un pas en arrière, un pas en avant, un pas en arrière, jusqu'à ce que les deux se lassent de cette danse.

Peut-être jugez-vous impossible de trouver l'équilibre entre la distance et la proximité. Si vous essayez de plaire aux autres, vous perdrez de vue vos propres besoins. Si vous ne vous intéressez qu'à vous-même, vous n'apprendrez jamais à exprimer l'amour et à faire les compromis qu'exige toute relation.

Vous avez toujours la solution de nouer une relation avec quelqu'un comme vous. Malheureusement, vous risquez de perdre entièrement contact, de sorte que vous exécuterez seul vos pas de danse, tandis que votre partenaire en fera autant à l'autre extrémité de la pièce. En revanche, une relation avec quelqu'un qui recherche la stimulation et le rapprochement risque de transformer la danse en une douloureuse épreuve. Par conséquent, il m'est impossible de vous fournir une réponse. Mais je sais que les hypersensibles doivent entrer dans la danse et y rester, qu'ils ne doivent ni abandonner ni souhaiter qu'elle se termine. Dans le meilleur des cas, elle représente l'équilibre entre les besoins de chacun et tient compte de la fluctuation des sentiments. Peut-être valserez-vous plus gracieusement avec le temps, peut-être apprendrez-vous à éviter les orteils de votre partenaire. Il est donc temps d'examiner de plus près votre relation la plus intime.

Les relations intimes entre deux hypersensibles

Voilà une relation qui devrait présenter maints avantages. Enfin, chacun se sent compris de l'autre. Les conflits devraient être moins fréquents puisque chacun sait exactement ce que l'autre juge intolérable et comprend son besoin de solitude. En outre, il est probable qu'ils aient les mêmes goûts en matière de loisirs.

Toutefois, chaque médaille a son revers. En effet, vous reculerez tous les deux devant les mêmes obstacles, qu'il s'agisse de demander votre chemin à un étranger ou de passer une journée dans les magasins. Aucun des deux ne se résout à agir. En outre, si vous avez tous deux tendance à vous distancier des autres, personne ne vous obligera à vous rapprocher l'un de l'autre, à affronter votre insécurité. Il est possible qu'une relation distante vous convienne à tous les deux, mais elle sera beaucoup plus aride qu'une relation avec quelqu'un qui recherche une véritable intimité. Naturellement, c'est à vous de juger. Quoi qu'affirment les ouvrages de psychologie populaire, ce qui compte, c'est que vous soyez satisfait de votre sort. Il n'existe aucune loi, humaine ou naturelle, qui pourrait vous obliger à rendre votre relation plus intime ou plus intense.

Enfin, j'ai l'impression que lorsque les deux partenaires ont des personnalités semblables, ils se comprennent parfaitement. Les risques de conflits sont donc minimes. Certains jugeront ce type de relations des plus ennuyeux. Mais vous pourriez aussi en faire un havre de paix et de tranquillité duquel vous pourrez vous élancer vers le monde extérieur ou intérieur. Et lors des retrouvailles, chacun racontera ses aventures ou ses mésaventures à l'autre.

Et si l'autre n'est pas aussi sensible que vous ?

Tout fossé existant entre les membres d'un couple qui passent beaucoup de temps ensemble aura tendance à s'élargir. Si vous lisez mieux les cartes routières et les relevés bancaires que votre partenaire, c'est vous qui deviendrez le spécialiste du couple dans ces deux domaines. Mais le jour où l'autre se retrouvera seul pour trouver son chemin ou répondre aux questions de la banque, il se sentira stupide et démuni. (En réalité, votre partenaire en sait beaucoup plus qu'il ne le pense, après vous avoir regardé faire pendant toutes ces années.)

Chacun de nous doit décider dans quels domaines il peut se permettre d'en apprendre le minimum et dans quels autres il n'est pas recommandé d'être totalement ignorant. Le respect de soi entre également en ligne de compte ici. En outre, pour un couple hétérosexuel, il est difficile d'éviter le piège des stéréotypes sociaux. Peut-être répugnez-vous à accomplir des tâches qui ne sont pas traditionnellement réservées à votre sexe. Ou au contraire, comme mon mari et moi-même, refusez-vous ces stéréotypes. J'éprouve une grande satisfaction à l'idée d'être capable de changer une roue, tout comme il est très content de savoir changer une couche.

Bien que cette spécialisation soit problématique, nous sommes toujours tentés de l'ignorer lorsqu'elle se manifeste dans le domaine psychologique. L'un des partenaires ressent toutes les émotions du couple, tandis que l'autre demeure imperturbable. L'un se sent toujours bien dans sa peau et, de ce fait, ne s'endurcit pas contre le chagrin, la peur, etc. L'autre, en revanche, doit assumer toute l'anxiété et la dépression.

Dans le cas d'un couple formé d'un hypersensible et d'un moins sensible, c'est ce dernier qui finit par se charger de toutes les tâches susceptibles de provoquer l'hyperstimulation chez l'autre. (Si tous deux sont hypersensibles, chacun aura ses spécialités.) Les deux membres du couple y gagnent. La vie est plus harmonieuse, l'un se sent épaulé, l'autre se sent utile. Ce dernier finira par se sentir indispensable et cet état de fait le rassurera.

Pendant ce temps-là, c'est l'autre qui s'occupe de tout ce qui relève du domaine subtil. Peut-être avez-vous l'impression qu'il s'agit de tâches moins importantes. Le partenaire hypersensible, en effet, a de nouvelles idées créatives, réfléchit au sens de la vie, intensifie la communication, apprécie la beauté. Mais si le lien entre eux est solide, c'est probablement parce que la personne moins sensible a véritablement besoin de ce que l'autre lui procure et juge cet apport extrêmement précieux. Faute de quoi, toute son efficacité n'aurait plus aucune raison d'être et finirait sans doute par diminuer. Il arrive que le partenaire sensible soit à l'écoute de ces sentiments et finisse lui aussi par se sentir non seulement indispensable, mais encore supérieur à l'autre.

Dans une relation qui dure depuis des années, les deux partenaires sont probablement très satisfaits de leur répartition des tâches. Toutefois, surtout dans la seconde moitié de la vie, il peut arriver que l'un des deux se rebelle. Le désir de plénitude, le goût de vivre les expériences qui, jusque-là, étaient réservées à l'autre, peuvent se révéler plus puissants que la volonté d'être efficace et d'éviter l'échec. En outre, si la spécialisation est devenue extrême, comme c'est souvent le cas d'un mariage qui dure depuis très longtemps, les partenaires sont désormais tributaires l'un de l'autre, ne peuvent plus se quitter même s'ils en ont envie. L'un, le plus sensible des deux, se sent incapable de survivre dans le monde extérieur, l'autre perdrait son guide vers la vie intérieure. À ce stade, le ciment du couple n'est plus l'amour mais l'absence de choix.

La solution, bien qu'évidente, n'est pas facile à mettre en pratique. Les deux partenaires doivent accepter la nécessité d'un changement, même si pendant quelque temps, leur vie n'est plus organisée de manière aussi efficace. Le plus sensible doit s'efforcer de tenter de nouvelles expériences, de prendre sa vie en main, de se débrouiller tout seul. L'autre doit apprendre à vivre sans l'apport « spirituel » de son partenaire et à entrer en contact avec le monde subtil qui, peu à peu, se hissera à la surface de sa conscience.

Chacun peut servir de mentor à l'autre, mais doit éviter de prendre la situation en main. Sinon, il devra se contenter du rôle de spectateur. Ou oublier entièrement son partenaire, pendant que celui-ci se débrouille seul dans son coin, sans être observé, sans avoir honte de ses misérables tentatives. L'amateur sait qu'il peut compter sur l'aide affectueuse du spécialiste le cas échéant. C'est une merveilleuse offrande et, dans cette situation, le plus beau cadeau que nous puissions faire à quelqu'un.

Lorsque le degré optimal d'activation diffère d'une personne à une autre

Nous venons de décrire le cas dans lequel votre partenaire ou ami moins sensible fait de votre vie un cocon douillet, presque trop confortable. Mais il peut arriver que votre hyperstimulation lui échappe complètement. Par exemple, vous venez de vous livrer ensemble à la même activité. L'autre se sent en pleine forme, vous êtes rompu. Qu'est-ce qui ne va pas chez vous ?

Comment répondre à une prière bien intentionnée, du genre « Mais essaye donc ! » ou « Ne nous gâche pas le plaisir ! » Ce dilemme, je le connais bien, car je l'ai vécu dans mon enfance et une fois mariée. Si je refusais de participer à une activité, les autres soit y renonçaient pour ne pas me laisser seule — je me sentais alors terriblement coupable —, soit partaient s'amuser malgré tout. J'avais alors l'impression d'avoir manqué quelque chose de formidable. Quel dilemme déchirant ! Étant donné que j'ignorais tout, à l'époque, de ma sensibilité, je prenais en général la décision de suivre les autres. Dans certains cas, je m'en félicitais, dans d'autres, c'était une véritable torture qui finissait par me rendre malade. Rien d'étonnant que maints hypersensibles finissent par perdre contact avec le « Soi authentique »[9].

Pendant l'année que nous passâmes en Europe, avec notre fils qui était encore au berceau, nous décidâmes de prendre quelques semaines de vacances en été avec des amis. Le premier jour, nous quittâmes Paris pour la côte méditerranéenne, que nous longeâmes pour nous rendre en Italie. Nous n'avions pas prévu que des hordes de vacanciers européens iraient dans la même direction que nous. Nous nous frayâmes un chemin, ville après ville, pare-chocs contre pare-chocs, dans le couinement des klaxons et la pétarade des mobylettes. Le moment vint de choisir notre ville-étape afin d'y dénicher un hôtel où, tous les cinq, nous réaliserions enfin notre rêve d'un séjour sur la Côte d'Azur, bien que nous n'ayons ni réservations ni beaucoup d'argent. Mon fils, qui s'était diverti pendant des heures en se servant de moi comme trampoline, finit par se fatiguer. Il se mit à pleurer, à ronchonner, puis à pousser des cris perçants. À la fin de la journée, j'étais au bout de mon rouleau.

Une fois dans notre chambre d'hôtel, je n'avais plus qu'une envie, me reposer après avoir couché l'enfant. À cette époque, j'ignorais tout de l'hypersensibilité. Je savais simplement que nous avions tous deux besoin de calme. Sans tarder.

Mon mari et nos amis, cependant, étaient prêts à partir à la conquête du casino de Monte-Carlo. Rares sont les hypersensibles qui s'intéressent au jeu et je ne fais pas exception. Bien qu'il s'agît, en l'occurrence, d'un casino légendaire, je ne tenais plus debout. J'hésitai cependant… Peut-être l'hôtel pourrait-il nous procurer une gardienne… L'idée de rester seule dans mon coin me déprimait.

Je finis cependant par rester à l'hôtel. Mon fils s'endormit d'un sommeil profond. Mais je demeurai éveillée, triste, solitaire, envieuse de ceux qui s'amusaient et quelque peu inquiète de me retrouver dans une ville inconnue. Naturellement, lorsque les autres rentrèrent, ils me régalèrent de leurs anecdotes hilarantes, ponctuées de « quel dommage que tu n'aies pas été là ! ». Non seulement j'étais restée seule dans mon coin, mais encore je n'avais même pas réussi à m'endormir. J'étais demeurée éveillée parce que je m'inquiétais de ne pas pouvoir dormir !

Comme j'aurais aimé savoir à l'époque ce que je sais aujourd'hui ! L'hyperstimulation a tendance à se fixer sur des soucis, des regrets — tout ce qui nous passe par la tête — et ce n'est pas parce que nous allons nous coucher que nous dormirons. Nous sommes bien trop énervés. Pourtant, c'est encore la meilleure solution. Et nous aurons toujours la chance de vivre la même expérience que les autres. Monte-Carlo sera encore là lorsque nous repasserons. Mais surtout, il est merveilleux de pouvoir rester tranquille lorsque c'est véritablement ce que nous désirons.

Dans ce genre de situation, cependant, c'est notre partenaire ou ami qui se trouve dans une impasse. Il veut absolument que vous l'accompagniez et, comme c'est ce que vous avez fait par le passé, il est tenté de vous persuader. Si vous restez en arrière, non seulement il regrettera votre absence, mais encore il se sentira coupable.

Je crois qu'en l'occurrence, c'est l'hypersensible qui doit prendre la situation en main, afin d'éviter les retombées désagréables. Après tout, c'est vous qui savez exactement ce que vous ressentez, ce que vous appréciez. Si vous hésitez à suivre votre partenaire par crainte de l'hyperstimulation – et non parce que vous êtes fourbu –, pesez le pour et le contre. (Et ajoutez une pincée de «pour» si, depuis votre enfance, vous avez peur de l'inconnu.) C'est vous qui prendrez la décision. Si vous commettez une erreur, vous en subirez vous-même les conséquences. Au moins, vous aurez fait l'effort d'essayer. Si vous vous sentez hyperstimulé, si vous souhaitez plutôt rester tranquille, faites gentiment vos excuses et ne montrez pas de regrets excessifs. Exhortez les autres à s'amuser sans vous.

Le besoin d'un moment quotidien de solitude

Si vous vivez avec un partenaire ou un ami moins sensible, votre besoin d'un moment quotidien de solitude sera encore plus grand que si votre conjoint est également hypersensible. Malheureusement, il est possible que l'autre se sente rejeté ou, simplement, désire votre compagnie à tous les instants. Expliquez-lui clairement pourquoi vous avez besoin de marquer cette pause. Précisez-lui à quel moment vous reprendrez contact avec le monde extérieur et tenez votre promesse. Vous pourriez également lire ou méditer ensemble, en silence.

Si l'autre n'accepte pas ce besoin de solitude (ou n'importe quel autre de vos besoins particuliers), vous devrez en discuter de manière plus approfondie. Vous avez le droit d'avoir des besoins différents de votre partenaire ou ami, mais faites preuve de compréhension à son égard, car vous ne ressemblez sans doute pas aux autres personnes de son entourage. Efforcez-vous de l'écouter, de lire ses sentiments. Peut-être sa résistance est-elle seulement dictée par le refus d'admettre qu'il puisse exister une si grande différence entre vous ou par la crainte que quelque chose ne tourne pas rond chez vous, physiquement ou psychologiquement. Il est également possible que votre partenaire ait l'impression de mener une existence trop terne, dépourvue des aventures, réelles ou imaginaires, que votre sensibilité vous empêche de vivre ou d'apprécier. Un sentiment de colère pourrait alors sourdre, alimenté par la conviction que vous jouez la comédie.

Il serait alors utile de lui rappeler, avec tact et modestie, tous les avantages que votre trait de personnalité apporte au couple. Mais attention, n'utilisez pas votre sensibilité comme excuse pour n'en faire qu'à votre tête. Votre système nerveux est parfaitement capable de tolérer un degré élevé d'activation, surtout lorsque vous vous trouvez avec quelqu'un dont la présence vous détend et vous procure un sentiment de sécurité. Votre partenaire ou ami appréciera certainement l'effort que vous accomplirez pour l'accompagner. Ce serait donc une solution agréable. Sinon, vous aurez démontré l'existence de votre limite de tolérance… de préférence sans ajouter un «je te l'avais bien dit». Votre partenaire comprendra que votre vie est généralement plus heureuse, plus saine et moins aigrie lorsque chacun de vous accepte et respecte le degré optimal d'activation de l'autre. Vous vous encouragerez mutuellement à prendre la décision la plus judicieuse — sortir ou rester tranquille — afin de demeurer dans cette zone confortable.

Naturellement, il se peut que d'autres problèmes ressurgissent lorsque vous essaierez d'évaluer vos propres besoins. Si la relation est déjà chancelante, vous risquez de provoquer un véritable séisme en obligeant votre partenaire ou ami à accepter votre trait de personnalité. Si tel est le cas, dites-vous que la faille était là bien avant. Ne blâmez ni votre sensibilité ni votre désir de la défendre, même si elle vient s'ajouter à d'autres pommes de discorde.

La peur de la communication franche

Dans l'ensemble, la sensibilité facilite la communication entre intimes. Vous capterez beaucoup plus de nuances, d'indices, de paradoxes, d'ambiguïtés et de processus inconscients que votre partenaire moins sensible. Vous comprenez que ce genre de communication exige de la patience. Vous êtes loyal, consciencieux et vous accordez suffisamment de valeur à votre relation pour consacrer le temps nécessaire à communiquer.

Votre problème principal est, comme toujours, l'hyperstimulation. En effet, lorsque nous en sommes victimes, nous perdons toute sensibilité à ce qui se passe autour de nous, y compris aux besoins de ceux que nous aimons. Nous pouvons, certes, jeter le blâme sur notre hyperstimulation : « J'étais trop fatigué, complètement débordé. » Nonobstant ces excuses, il nous incombe de faire notre possible pour communiquer ou faire comprendre à notre partenaire, à l'avance si possible, que nous sommes incapables de tout assumer en même temps.

Les hypersensibles commettent probablement leurs erreurs les plus graves en évitant l'hyperstimulation déclenchée par les désagréments de la vie. La plupart des gens, mais surtout les hypersensibles, craignent le danger, les affrontements, les larmes, l'anxiété, les esclandres et le changement (qui entraîne toujours une perte quelconque). Ils n'aiment guère qu'on leur demande de changer, qu'on les juge ou qu'on leur fasse honte ; ils n'apprécient pas davantage de juger les autres ou de leur faire honte.

Vous savez sans doute, par vos lectures et votre expérience ou peut-être parce que vous avez suivi des séances de counselling psychologique, qu'une relation a pourtant besoin de tout ce qui précède pour conserver sa vigueur et sa fraîcheur. Mais cette pensée rationnelle ne vous est d'aucun secours lorsque le moment vient d'extérioriser vos émotions.

En outre, votre intuition vous a devancé. Dans un monde très réel, stimulant, semi-conscient et imaginaire, vous prévoyez déjà les diverses tournures, pour la plupart douloureuses, que pourrait prendre la conversation.

Vous disposez de deux solutions pour regarder vos terreurs en face. Tout d'abord, vous pourriez prendre conscience de ce que vous imaginez et vous efforcer de concocter d'autres possibilités : par exemple, quelle sera la situation une fois le conflit résolu ou que se passera-t-il si vous décidez, au contraire, de plonger la tête dans le sable. En second lieu, vous pourriez discuter avec votre partenaire ou ami de ce que vous pensez être l'obstacle qui vous empêche de vous extérioriser. « J'aimerais te parler de ceci et de cela, mais je n'y parviendrai jamais si tu réagis de telle ou telle manière. » Voilà qui présente indubitablement toutes les caractéristiques d'une tentative de manipulation. Et pourtant, c'est aussi le moyen d'aborder des questions plus fondamentales sur la manière dont vous communiquez.

La nécessité d'une trêve pendant les conflits

Lorsque l'un des partenaires est hypersensible, à plus forte raison lorsque les deux le sont, le couple doit absolument appliquer certaines règles de base aux manifestations généralement les plus stimulantes de la communication, soit les querelles. Je présume que vous avez déjà éliminé de votre répertoire les injures, la remise sur le tapis d'anciens griefs et l'abus de confidences qui remontent à des moments d'intimité. Mais il serait également judicieux de s'entendre sur d'autres règles qui vous permettront de survivre à l'hyperstimulation. La première consiste à réclamer une trêve.

En général, il faut éviter de partir en claquant la porte au beau milieu d'une querelle (ou de brandir la menace d'une rupture définitive). Mais lorsque l'un des protagonistes meurt d'envie d'aller prendre l'air, il se sent acculé au pied du mur. Les mots ne sont plus d'aucune utilité. Parfois, cette réaction est provoquée par le sentiment de culpabilité; ce partenaire vient de prendre conscience d'un aspect déplaisant de sa personnalité. Pour l'autre, le moment est venu de faire marche arrière, de montrer de la compassion au lieu d'aller jusqu'au bout de son argumentation, aggravant encore la honte que ressent son conjoint. Il arrive également que le partenaire acculé soit toujours convaincu d'avoir raison, mais baisse les bras faute de munitions. Les mots viennent trop vite, sont trop pointus, aucune contre-attaque n'est possible. La rage monte et pour l'extérioriser en toute sécurité, il faut s'éloigner.

Le degré de stimulation qu'une querelle engendre chez un hypersensible est parfois tel que si cela vous arrive, vous aurez très vite l'impression de vivre l'un des pires moments de votre vie. Toutefois, si vous n'exprimez pas occasionnellement des griefs qui vous paraissent justifiés, votre relation se teintera d'amertume et de ressentiment. Mais pour les deux parties, le jeu doit en valoir la chandelle, même s'il devient parfois douloureux. C'est ce que l'on appelle un comportement civilisé. Par conséquent, il serait judicieux de déclarer un cessez-le-feu, même s'il ne s'agit que d'une trêve de cinq minutes, d'une heure, d'une nuit... Vous ne battez pas en retraite, vous reportez simplement le reste de la discussion.

Naturellement, laisser une querelle en suspens peut paraître pénible. Par conséquent, les deux parties doivent accepter l'idée de la trêve. Parlez-en à l'avance, expliquez à votre partenaire que c'est une règle du jeu qui peut se révéler très utile et non une échappatoire. Peut-être la trouverez-vous si judicieuse que vous n'hésiterez pas à l'appliquer à l'avenir. La situation paraît toujours différente lorsqu'on accepte de prendre du recul.

Le pouvoir de la métacommunication positive et de l'écoute « écho »

La métacommunication consiste à discuter de la manière dont vous parlez ou simplement de ce que vous ressentez en général, à l'exception du moment présent[10]. Voici un exemple de métacommunication négative : « J'espère que tu sais qu'en dépit de cette discussion, j'ai l'intention de faire ce qui me plaît. » Ou : « As-tu remarqué que chaque fois que nous discutons, tu deviens irrationnel ? » Ces déclarations risquent d'envenimer la querelle. Oubliez-les même si ce sont de puissantes munitions.

La métacommunication positive, en revanche, a l'effet contraire. Elle permet d'enrayer les dommages. Par exemple : « Je sais que nous sommes en train de nous quereller violemment, mais je t'assure que je veux résoudre le problème. Je te garde mon affection et je te suis reconnaissante de bien vouloir débrouiller cette question avec moi. »

La métacommunication positive est importante lorsque les relations deviennent tendues. Elle fait baisser la stimulation et l'anxiété en rappelant aux protagonistes qu'ils éprouvent de l'affection l'un pour l'autre et qu'ils parviendront à résoudre leurs difficultés. Les couples dont l'un des partenaires ou les deux sont des hypersensibles feraient bien d'inclure la métacommunication à leur attirail de dialogue.

Je vous suggère également d'essayer la méthode de l'« écho ». Cet outil, très précieux, existe depuis les années 1960. Vous le connaissez probablement très bien. Je le mentionne ici, car il a sauvé mon mariage à deux reprises et je n'exagère pas. Comment pourrais-je l'omettre ? C'est le médicament miracle de l'amour et de l'amitié.

Il consiste simplement à écouter l'autre, surtout lorsqu'il extériorise ses sentiments. Pour vous assurer d'avoir bien entendu, répétez après lui les sentiments qu'il vient d'exprimer. C'est tout. Mais c'est plus difficile que cela ne paraît. Tout d'abord, les mots sortiront sur un rythme saccadé. Peut-être aurez-vous l'impression de jouer au psychothérapeute. C'est effectivement ce qui se produit lorsqu'on omet d'intégrer ce genre d'écoute à un dialogue ordinaire. Il est également possible que l'idée d'exprimer des sentiments vous soit désagréable, parce qu'elle ne vous a jamais été enseignée par votre culture. Mais croyez-moi, vous ne donnerez pas l'impression de jouer la comédie à la personne qui vous fait face. Et tout comme un bon joueur de basket-ball doit s'entraîner pendant des heures à marquer des paniers ou à dribbler, vous devrez apprendre à écouter, afin de pouvoir ensuite exploiter ces compétences au bon moment. Par conséquent, entraînez-vous à l'écho, à l'exclusion de tout autre type de dialogue, au moins une fois, de préférence avec quelqu'un qui vous est proche.

Encore sceptique ? Nous avons une autre raison de nous intéresser de près aux sentiments. En effet, le monde extérieur nous autorise rarement à les exprimer. C'est pourquoi nous aimerions les honorer, au moins dans nos relations intimes. Les sentiments sont plus profonds que les idées et les faits qu'ils colorent, orientent et embrouillent fréquemment. Une fois les sentiments éclaircis, idées et faits sont faciles à cerner.

Si vous vous faites l'écho de votre partenaire pendant une querelle, vous apprendrez, que vous le vouliez ou non, qu'à un moment donné, vous avez été injuste ou qu'il est temps d'abandonner certains besoins et certaines habitudes. Vous entendrez la description de votre comportement négatif sans pouvoir vous défendre. Il vous sera impossible de vous boucher les oreilles. Vous ne pourrez pas non plus plaider l'hyperstimulation afin d'obliger l'autre à prendre soin de vous. Et cela nous conduit à un thème profond.

L'ÉCHO

Lorsque vous vous entraînez, minutez-vous (entre 10 et 45 min). Puis renversez les rôles en donnant à votre partenaire autant de temps. Mais attention, attendez une heure, voire une journée pour reprendre l'exercice. Si vous aviez choisi pour thème un sujet de discorde ou de colère entre vous, attendez également avant d'analyser vos paroles. Vous pourriez noter à l'avance ce que vous comptez dire. Mais la démarche la plus efficace consiste à exprimer vos réactions lorsque vient votre tour d'écouter.

Marche à suivre

1. Adoptez la posture d'un interlocuteur vigilant. Asseyez-vous, ne croisez ni les bras ni les jambes. Penchez-vous un peu vers l'avant. Regardez votre vis-à-vis. Ne jetez pas de coups d'œil furtifs à l'horloge ou à votre montre.
2. Par la voix ou les paroles, reprenez les sentiments que l'autre exprime. Le contenu factuel est secondaire. Vous le connaîtrez au fur et à mesure de la conversation, faites preuve de patience. Si vous soupçonnez la présence d'autres sentiments, attendez que votre interlocuteur les exprime par des paroles ou par le ton de sa voix.

Voici un exemple un peu niais de ce que votre partenaire pourrait dire: «Je n'aime pas ton manteau.» Étant donné que l'exercice met l'accent sur le sentiment, vous pourriez répondre: «Ce manteau ne te plaît pas du tout.» Évitez de dire: «C'est ce manteau-ci que tu n'aimes pas», car votre but n'est pas de mettre l'accent sur le manteau mais sur le sentiment qu'il engendre. Ne dites pas non plus: «Je ne te plais pas dans ce manteau», car cela vous placerait au premier plan (et sur la défensive).

Des exemples aussi banals que celui-ci peuvent mener très loin. Votre partenaire pourrait ensuite déclarer: «Ce manteau me fait toujours penser à l'hiver dernier.» Vous n'avez pas grand-chose à dire ici. Alors, vous attendez.

L'autre ajoute: «J'ai détesté vivre dans cette maison.» Vous reprenez le sentiment: «Tu as vraiment passé de terribles moments ici.» Ne lui demandez pas pourquoi. Ne protestez pas en ajoutant: «Mais j'ai fait tout ce que j'ai pu pour que nous déménagions le plus vite possible.»

Peu après, votre partenaire vous révélera sur l'hiver dernier des choses que vous ne soupçonniez même pas. «Oui, je comprends maintenant que je n'avais jamais autant souffert de la solitude même lorsque tu étais dans la pièce. » Voilà quelque chose dont vous devez discuter. Voilà où l'écoute des sentiments de l'autre vous a menés. Vous ne seriez certainement pas arrivés si loin si vous aviez concentré toute votre attention sur les faits ou sur vos propres sentiments.

À ÉVITER

1. Ne posez pas de questions.
2. Ne donnez pas de conseils.
3. Ne rappelez pas vos expériences analogues.
4. N'analysez pas, n'interprétez pas ce que dit l'autre.
5. Ne faites rien qui puisse distraire votre partenaire ou vous empêcher de reprendre ses sentiments.
6. Ne restez pas silencieux trop longtemps; l'autre ne doit pas avoir l'impression de réciter un monologue. Votre silence est la moitié « écoute » de l'exercice. Au bon moment, il donne à l'autre le temps nécessaire pour explorer plus profondément ses sentiments. Mais continuez à reprendre tout ce qu'il dit. Utilisez votre intuition pour décider de la durée du silence.
7. Quoi que dise l'autre, ne vous défendez pas, ne donnez pas votre avis. Si vous le jugez nécessaire, rappelez-lui ensuite que ce n'est pas parce que vous l'avez écouté que vous êtes forcément d'accord. Bien que les sentiments puissent naître de perceptions erronées (tout comme il nous arrive de commettre des erreurs à cause de ce que nous ressentons), les sentiments mêmes n'ont ni tort ni raison et ont des répercussions beaucoup moins néfastes si on les écoute avec respect.

Les relations intimes pour encourager l'individuation

Au chapitre 6, nous avons décrit ce que les psychologues jungiens appellent « individuation », soit le désir de chaque individu de suivre son propre chemin dans la vie, d'apprendre à écouter ses voix intérieures. L'individuation nous permet donc d'écouter les voix ou les parties de nous-mêmes que nous avons délaissées, méprisées, ignorées ou rejetées. Mais nous avons besoin de ces «ombres», comme les appellent les psychologues jungiens, pour devenir des êtres à part entière, bien que nous passions la moitié de notre vie à craindre qu'elles ne nous dévorent si nous reconnaissons leur existence.

Prenons l'exemple d'un homme qui se croit toujours fort, au point de ne jamais admettre la moindre faiblesse. L'histoire et la littérature regorgent de personnages de ce genre, dont l'aveuglement en fait des colosses aux pieds d'argile. Le contraire est vrai, toutefois. Nous connaissons tous des gens persuadés d'être faibles, qui jouent aux victimes innocentes, qui abdiquent tout pouvoir personnel mais finissent par croire qu'eux seuls sont bons tandis que tous les autres sont méchants. Certaines personnes dissimulent la partie qui aime, d'autres la partie qui hait. Et ainsi de suite.

Le meilleur moyen de vivre avec les «ombres» consiste à les connaître et à conclure un traité d'alliance avec elles. Jusqu'à présent, j'ai surtout mis l'accent sur les aspects positifs des hypersensibles : consciencieux, loyaux, intuitifs et perspicaces. Mais je vous porterais préjudice si je ne précisais pas également que les hypersensibles ont autant sinon plus de raisons que les autres de rejeter et de renier des parties d'eux-mêmes. Certains nient leur force, leur puissance ainsi que leur capacité de se montrer coriaces et insensibles. D'autres rejettent leurs côtés irresponsables, indifférents. D'autres encore nient leur besoin des autres, leur besoin de solitude, leur colère… ou les trois à la fois.

Il nous est difficile d'analyser nos côtés sombres, parce que nous avons de bonnes raisons de les avoir repoussés dans l'ombre. Nos proches, s'ils constatent leur existence, hésiteront probablement à nous en parler. Mais c'est un sujet qu'il est presque impossible de ne pas aborder avec la personne dont nous partageons la vie, qui s'appuie sur nous tout comme nous nous appuyons sur elle. Par conséquent, cela peut mener à des discussions animées. Vous pourriez aller jusqu'à affirmer que l'une des conditions essentielles de l'intimité entre deux personnes est justement la connaissance des côtés sombres de l'autre. Ensuite, soit nous les acceptons tels quels, soit nous décidons de les modifier.

Nous n'aimons guère que quelqu'un d'autre nous dévoile nos pires travers. C'est une expérience douloureuse et humiliante, qui n'est supportable que si nous y sommes contraints par la personne que nous aimons le plus, car nous savons qu'elle ne nous rejettera pas. Par conséquent, en nouant une relation étroite, nous acquérons le meilleur moyen de maîtriser ces «horribles» secrets, de mobiliser l'énergie positive que nos côtés négatifs nous ont fait gaspiller et de nous individuer sur la voie de la sagesse et de la plénitude.

L'épanouissement personnel dans une relation intime

Les humains semblent ressentir un besoin puissant de s'épanouir, de s'étendre, non seulement au sens matériel, en accumulant des possessions, du territoire ou du pouvoir, mais encore au sens moral, en accroissant leurs connaissances, leur conscience et leur identité. L'une de nos méthodes consiste à étendre notre Soi de manière qu'il embrasse d'autres personnes. Le «je» s'agrandit pour devenir «nous»[11].

Lorsque nous tombons amoureux pour la première fois, l'entrée de quelqu'un d'autre dans notre vie nous épanouit rapidement. Mais les recherches sur le mariage démontrent qu'au bout de quelques années, la relation devient de moins en moins satisfaisante[12]. Une communication efficace entre les membres du couple peut toutefois ralentir ce déclin[13] et le phénomène de l'individuation, que je viens de décrire, permet non seulement de l'enrayer davantage, mais encore de renverser complètement la vapeur. Les recherches que mon mari et moi avons entreprises sur cette question nous ont permis de découvrir un autre moyen d'accroître la satisfaction. Plusieurs études de couples, mariés ou non, ont révélé que les répondants étaient plus satisfaits de leur relation s'ils se livraient ensemble à des activités qualifiées de «stimulantes» (pas simplement «agréables»)[14]. Voilà qui semble logique. Lorsque nous connaissons suffisamment notre partenaire, au point que nous n'avons plus rien à apprendre à son sujet, nous avons encore la possibilité d'associer la relation à notre épanouissement personnel en nous adonnant ensemble à de nouvelles activités.

Toutefois, si vous êtes hypersensible, il est possible que la vie vous semble déjà trop stimulante. Lorsque vous rentrez chez vous, tout ce que vous recherchez, c'est le calme. Mais prenez garde de ne pas rendre votre relation trop lénifiante, de perdre tout intérêt pour de nouvelles activités. Peut-être devriez-vous faire un effort pour rendre moins stressantes les heures que vous passez loin de votre partenaire. Ou pour trouver des activités susceptibles de vous épanouir sans vous stimuler à l'excès : un concert de musique apaisante mais particulièrement belle, une discussion de vos rêves de la nuit dernière, un nouveau recueil de poèmes à lire ensemble au coin du feu. Rien ne vous oblige à faire tous les jours un tour en montagnes russes.

Si la relation est une source de confort, elle mérite tous les efforts que vous accomplirez pour qu'elle continue d'être également une source d'épanouissement.

La sexualité chez les hypersensibles

Voilà un sujet qui mérite des recherches approfondies et un livre entier. Notre société nous gave d'informations sur ce qui est idéal et sur ce qui est anormal, du moins pour les 80 p. 100 de la population qui ne sont pas des hypersensibles. Qu'est-ce qui est idéal ou normal pour nous ? Je n'ai aucune certitude à cet égard, mais il me semble que si nous sommes plus sensibles à la stimulation en général, nous devrions également être plus sensibles à la stimulation sexuelle en particulier. Voilà qui devrait rendre notre vie sexuelle très satisfaisante. Ce serait alors l'une des raisons pour lesquelles nous ne recherchons pas autant la variété que les moins sensibles. Mais, il est fort possible que l'hyperstimulation provoquée par des facteurs externes vienne entraver notre plaisir sexuel. Vous en savez désormais assez sur l'hypersensibilité, en théorie et en pratique, pour réfléchir à la manière dont il touche votre sexualité. Si, jusqu'à présent, votre vie sexuelle s'est révélée décevante ou douloureuse, peut-être jugerez-vous utile de recadrer certaines de vos expériences ou certains de vos sentiments reliés à la sexualité.

Les hypersensibles et leurs enfants

Les enfants semblent s'épanouir lorsqu'ils reçoivent les soins d'une nourrice sensible[15]. J'ai rencontré beaucoup d'hypersensibles pour qui le bonheur parfait consistait à élever leurs enfants ou ceux des autres. J'en ai également rencontré qui avaient limité leur famille à un enfant, justement en raison de leur sensibilité. Naturellement, cela dépendait en partie de leurs expériences passées : agréables ou trop stimulantes ?

Si vous vous posez des questions à ce sujet, dites-vous que vos enfants vous conviendront mieux que ceux des autres. Ils auront vos gènes et subiront votre influence. Lorsqu'un couple a des enfants bruyants, capricieux ou batailleurs, c'est probablement parce que les parents apprécient cette ambiance familiale ou, tout au moins, l'acceptent. Rien ne vous oblige à en faire autant.

En revanche, il est impossible de nier que les enfants renforcent le caractère déjà stimulant de la vie quotidienne. Pour un hypersensible consciencieux, ils représentent une immense responsabilité tout autant qu'une grande joie. Nous devons les accompagner partout, à la maternelle, à l'école primaire et à l'école secondaire. Nous devons entretenir des relations avec d'autres familles, avec les médecins, les dentistes, les orthodontistes, les professeurs de piano, etc. Cela n'en finit pas. Les enfants font entrer chez vous le monde extérieur avec les problèmes de sexualité ou de stupéfiants ; ils veulent apprendre à conduire, font des études, partent à la recherche d'un emploi, nouent leurs propres relations intimes. C'est beaucoup, surtout qu'il n'est pas dit que durant toutes ces années, vous pourrez compter sur l'appui d'un partenaire. Vous devrez abandonner maintes autres activités pour élever vos enfants. Vous n'aurez pas le choix.

Si vous ne désirez pas avoir d'enfants, rien ne vous y oblige. Nous ne pouvons tout avoir en ce bas monde. Il est parfois très judicieux de découvrir nos limites. D'ailleurs, j'oserais affirmer qu'il est merveilleux de ne pas avoir d'enfants. Et tout aussi merveilleux d'en avoir. Chacune de ces options est merveilleuse à sa manière, voilà tout.

Votre sensibilité enrichit vos relations

Que vous soyez introverti ou extraverti, c'est dans les relations étroites que vous vous épanouissez le plus. Cet aspect de la vie nous offre la possibilité d'acquérir la connaissance la plus profonde tout en ressentant une immense satisfaction. Les hypersensibles sont passés maîtres en cet art. Vous pouvez donc être utile aux autres, comme à vous-même, en faisant bénéficier vos relations de votre sensibilité.

METTEZ À PROFIT CE QUE VOUS VENEZ D'APPRENDRE

Les trois mousquetaires : vous, moi et ma (ou notre) sensibilité

Il est préférable de faire cet exercice en compagnie d'une autre personne, avec laquelle vous entretenez une relation étroite. Sinon, essayez de visualiser quelqu'un avec qui vous avez eu une relation par le passé ou espérez en nouer une à l'avenir. Quelle que soit la méthode que vous choisirez, l'exercice vous sera très utile.

Si votre interlocuteur est en chair et en os et qu'il n'a pas lu ce livre, faites-lui lire le premier chapitre et celui-ci, en prenant note de ce qui semble particulièrement s'appliquer à votre relation. Peut-être serait-il utile d'en lire des extraits à voix haute. Puis consacrez un moment à répondre aux questions suivantes. (Si vous êtes tous deux hypersensibles, vous devriez faire l'exercice chacun votre tour.)

1. *Quels aspects de votre personnalité, engendrés par votre hypersensibilité, votre partenaire apprécie-t-il tout particulièrement ?*
2. *Quels aspects de votre personnalité, imputables à votre hypersensibilité, votre partenaire souhaite-t-il que vous modifiiez ?* Attention ici, il ne s'agit pas de porter un jugement de valeur sur ces aspects. Simplement, votre partenaire trouve-t-il qu'ils lui rendent la vie difficile à certains moments ou qu'ils sont incompatibles avec certains de ses propres traits de personnalité ou habitudes ?
3. *Quels conflits provoqués par votre hypersensibilité ont surgi entre vous ?*

4. *Discutez des circonstances dans lesquelles votre partenaire aurait préféré que vous preniez davantage votre sensibilité en considération afin de mieux vous protéger.*
5. *Discutez des circonstances dans lesquelles vous avez invoqué votre sensibilité comme excuse pour éviter de faire quelque chose ou comme une arme au cours d'une querelle.* Si, à ce stade, la discussion s'échauffe, mettez à profit ce que vous avez appris sous la rubrique consacrée à l'écho pour la désamorcer.
6. *Pourriez-vous nommer un autre hypersensible dans l'une ou l'autre de vos familles ? De quelle manière cette relation pourrait-elle influer sur celle que vous entretenez avec votre partenaire ?* Par exemple, imaginez une femme hypersensible, mariée à un homme dont la mère était hypersensible. Le mari aura certainement des idées bien arrêtées sur la sensibilité. Si les trois en prennent conscience, leurs relations s'amélioreront certainement.
7. *Discutez de ce que chacun de vous a gagné en se spécialisant, l'un des deux étant hypersensible, l'autre moins sensible.* En sus de l'efficacité et des avantages particuliers que la spécialisation entraîne, avez-vous l'impression d'être apprécié pour vos talents ? Vous sentez-vous indispensable à l'autre ? Vous réjouissez-vous lorsque vous accomplissez une tâche dont votre partenaire est incapable ?
8. *Discutez de ce que l'un et l'autre perdent à cause de cette spécialisation.* Y a-t-il des tâches que vous aimeriez pouvoir accomplir vous-même, mais que l'autre fait pour vous ? Êtes-vous las de voir l'autre dépendre de vous, lorsque vous accomplissez les tâches qui sont de votre ressort ? Votre respect à l'égard de votre partenaire en souffre-t-il ? Son amour-propre en souffre-t-il ?

CHAPITRE 8

Comment refermer les blessures les plus profondes ?

À la mémoire d'un ami

Je me souviens de l'un de mes condisciples d'école secondaire, un jeune garçon nommé David. C'était le type même du boutonneux premier de classe. Aujourd'hui, je le qualifierais simplement d'hypersensible.

Toutefois, c'était là le moindre de ses problèmes. David était né avec une malformation cardiaque, il était épileptique et souffrait d'une pléthore d'allergies; de plus, son épiderme ne supportait pas le soleil. Incapable de faire du sport, voire de jouer en plein air, il était complètement rejeté des jeunes garçons de son âge. Naturellement, il s'était plongé dans les livres. À l'adolescence, c'était devenu un « philosophe » passionné. Mais, comme la plupart des garçons de son âge, il avait aussi commencé à tourner autour des jeunes filles.

Les filles, malheureusement, n'en voulaient guère. Je crois que nous n'osions tout simplement pas accepter son intérêt. Désireux de plaire, il avait un comportement trop intense. En outre, le fréquenter nous aurait fait perdre tout crédit auprès des autres. Mais il tomba amoureux d'une fille après l'autre, avec un mélange de timidité et de voracité qui le rendait grotesque auprès de ses camarades. Pour certains d'entre eux, le comble de l'amusement consistait à mettre la main sur l'un des poèmes d'amour que David envoyait à l'objet de sa flamme et de les claironner tout haut, pour que toute l'école entende.

Heureusement, David se retrouva bientôt dans le programme enrichi. Là, son existence devint plus facile. Nous admirions ses rédactions, ses observations pendant le cours. Nous fûmes tous fiers de lui lorsqu'il obtint une bourse généreuse pour s'inscrire dans une excellente université.

Sa panique, à l'idée de partir si loin, dut être encore plus terrible que la nôtre. Car cela signifiait qu'il allait vivre nuit et jour avec des jeunes de son âge, ceux-là même qui avaient fait de son existence un calvaire. Il lui était impossible de refuser l'honneur de la bourse. Mais que lui réservait l'avenir ? Pourrait-il se passer du milieu familial et des soins médicaux dont il bénéficiait à la maison ?

Nous eûmes la réponse après les premières vacances de Noël. Le soir où il réintégra sa chambre de résidence, David se pendit.

Le traitement des blessures psychologiques

Mon intention n'est pas de vous horrifier en vous racontant cette histoire. L'existence de David était jonchée de toutes sortes d'obstacles. Il est bien rare que la vie d'hypersensible se termine de manière aussi tragique. Mais pour que ce chapitre vous soit utile, il devra servir d'avertissement, tout autant que de réconfort. Les résultats que j'ai obtenus dans mes recherches m'ont permis de constater que les hypersensibles dont l'enfance et l'adolescence ont été très difficiles risquent de souffrir d'anxiété et de dépression — et de tendances suicidaires — tant qu'ils n'accepteront pas leur passé afin de commencer à refermer les blessures. Si votre vie est encore difficile aujourd'hui, prenez les mesures qui s'imposent. Car les personnes moins sensibles ne sont pas capables de percevoir les éléments subtils, inquiétants de certaines situations. Ce n'est pas votre sensibilité qui est responsable de vos problèmes. Mais tout comme un stradivarius ou un pur-sang, vous avez besoin d'un traitement particulier. Malheureusement, nombreux sont les hypersensibles qui, dans leur enfance, ont été médiocrement traités, lorsqu'ils n'ont pas été carrément maltraités.

Dans ce chapitre, nous discuterons des divers moyens de résoudre les difficultés actuelles et passées, grâce à la psychothérapie dans son sens le plus large. Nous parlerons également des avantages et des inconvénients de la psychothérapie pour les hypersensibles sans problèmes majeurs, des différentes démarches, du choix d'un thérapeute et ainsi de suite. Mais nous commencerons par aborder les blessures de l'enfance.

Quelle importance devrions-nous accorder à notre enfance ?

Je ne crois pas que toute notre vie psychologique puisse se ramener à ce qui nous est arrivé pendant notre enfance. Après tout, le présent joue un rôle – les personnes qui nous influencent aujourd'hui, notre santé physique, notre environnement – et, en chacun de nous, une petite voix nous entraîne en avant. Comme je l'ai mentionné au chapitre 6 sur la vocation, je suis persuadée que chaque génération doit essayer de trouver une partie de la réponse à une question et qu'elle a pour tâche de faire accomplir un petit pas en avant au reste de l'humanité. Même si nous avons l'impression que les blessures du passé nous empêchent de trouver cette réponse, il est fort possible qu'en réalité, elles nous en fournissent certains éléments. Peut-être même sont-elles la réponse, car grâce à elles, nous comprenons un type de problèmes propre à l'humanité.

J'aimerais également rappeler une erreur commune à maints psychothérapeutes qui ne comprennent pas encore les hypersensibles. Ils ont tendance à rechercher dans l'enfance quelque élément susceptible d'expliquer des « symptômes » qui, pour nous, sont des caractéristiques entièrement normales. Ils décident alors que le patient présente des symptômes de retrait « trop prononcés », qu'il décrit des sentiments de dissociation « sans raison », qu'il ressent une anxiété « excessive » ou « injustifiée », qu'il a des problèmes « inhabituels » au travail, dans ses relations intimes ou sexuelles. Tant le thérapeute que le patient sont soulagés d'avoir trouvé une explication, même s'il s'agit d'une blessure que nous avons oubliée depuis ou à laquelle nous n'avions guère attaché d'importance.

J'ai constaté que les personnes dont les problèmes étaient causés par leur sensibilité (incomprise ou mal gérée) se montraient extrêmement soulagées lorsqu'on les informait des caractéristiques fondamentales de l'hypersensibilité. Naturellement, il reste encore beaucoup à faire en psychothérapie : recadrer le passé ou apprendre à vivre avec l'hypersensibilité. Mais le problème de base n'est plus le même.

Avez-vous déjà entendu ce qui suit ? « Mais voyons ! L'enfance est un âge difficile pour tout le monde ! Nulle famille n'est parfaite. Nous avons tous quelque chose à cacher. Les gens qui passent des années en psychothérapie refusent tout simplement de se comporter en adultes. Regardez un peu leurs frères ou leurs sœurs… Ils ont probablement les mêmes problèmes, mais n'en font pas toute une histoire. Ils mènent leur vie sans se regarder le nombril. » Eh bien ! à mon avis, ces gens-là ne savent pas de quoi ils parlent.

Les enfances se suivent et ne se ressemblent pas. Certaines sont de véritables histoires d'horreur. En outre, les membres de la même famille peuvent les vivre différemment. Les analyses statistiques de l'influence du milieu familial sur les enfants de la même famille ne présentent *aucun* chevauchement[1]. Vos frères et sœurs ont vécu des enfances différentes de la vôtre. Vous occupiez une position différente dans la famille, vos premières expériences étaient différentes ; on pourrait aller jusqu'à affirmer que vous avez tous été élevés par des parents différents, compte tenu des changements que les circonstances et l'âge provoquent chez les adultes. Enfin, vous étiez hypersensible.

Les personnes qui naissent hypersensibles sont plus touchées que les autres par tout ce qui les entoure. En outre, le plus sensible de la famille acquiert une place spéciale. S'il s'agit d'une famille perturbée, notamment, il peut devenir le « druide », l'arbitre, l'enfant prodige, la cible, le martyr, le patient, le parent ou encore le poussin vulnérable dont tout le monde veut absolument prendre soin. Mais malgré toute cette attention, son propre besoin de se sentir en sécurité dans le monde passe entièrement inaperçu.

Par conséquent, si vous avez l'impression d'avoir vécu une enfance plus difficile que les autres membres de votre famille ou des amis dont le passé ressemble au vôtre, vous avez sans doute raison, même si aux yeux des autres, il s'agissait d'une enfance tout à fait acceptable. Si vous croyez que la thérapie vous aidera à refermer les blessures de votre enfance, qu'attendez-vous pour aller consulter un psychothérapeute ? Chaque enfance a sa propre histoire, qui mérite qu'on l'écoute.

Comment Daniel a-t-il survécu ?

Daniel avait commencé par donner à mes questions des réponses caractéristiques, bien qu'un peu extrêmes, d'un hypersensible. Il se considérait comme très introverti et ressentait un grand besoin de solitude. Il détestait la violence sous toutes ses formes. Il dirigeait le service de comptabilité d'un gros organisme sans but lucratif, où il pensait être apprécié pour sa gentillesse et sa diplomatie. Il évitait les rapports sociaux, qu'il jugeait « épuisants ». Un peu plus tard, nous reparlâmes de son aversion pour la violence.

Daniel se souvenait de fréquentes querelles avec son frère, qui avait coutume de le renverser avant de le battre à coups de pied. (La violence entre enfants d'une même famille demeure l'un des aspects les moins étudiés de la violence familiale.) Mais ce n'était certainement pas là le seul problème de la famille, car ce comportement n'eût jamais été toléré dans un milieu sain. Je demandai à Daniel si sa mère le considérait comme un enfant sensible.

« Je n'en sais rien. Elle n'était pas très attentive. »

Je tendis l'oreille. Comme s'il lisait mes pensées, Daniel poursuivit : « Ni ma mère ni mon père n'étaient démonstratifs. »

Je hochai la tête.

« En fait, ils étaient bizarres. Je n'ai aucun souvenir positif d'eux. Je ne me rappelle pas d'avoir été embrassé, cajolé. » Son attitude stoïque fondit. Il commença à me décrire la maladie mentale de sa mère, qui n'avait jamais été soignée : « Dépression chronique, schizophrénie... Elle croyait que les personnages des feuilletons de télé lui parlaient. » Sa mère, semble-t-il, était alcoolique. Sobre du lundi au vendredi, elle passait la fin de semaine « ivre morte ». « Mon père aussi était alcoolique. Il la frappait, la battait. Ça finissait toujours mal. »

Ivre, sa mère lui répétait toujours la même histoire : que sa propre mère était une invalide froide et renfermée, qu'elle-même avait été élevée par une succession de domestiques et de nourrices, que son père était toujours malade et qu'elle avait été contrainte de rester seule avec lui, jour après jour, pendant sa longue agonie. (C'est une histoire courante, les enfants sont négligés d'une génération à l'autre.)

«Elle nous racontait tout cela en sanglotant. C'était une femme bonne, au fond. La plus sensible de la famille, plus que moi.» Puis il ajouta: «Mais si vicieuse... Elle arrivait toujours à trouver mon talon d'Achille. Elle était d'une perspicacité incroyable.» (Les hypersensibles ne sont pas tous des saints.)

Daniel essayait de comprendre le paradoxe dans lequel il vivait. Sa divinité tutélaire était aussi sa pire ennemie.

Il me raconta qu'enfant, il se cachait souvent dans les placards, sous le lavabo, dans la voiture, dans l'embrasure d'une certaine fenêtre. Mais, heureusement, comme c'est souvent le cas dans ce genre de famille, l'influence d'une personne lui permit de sauver son âme. Sa grand-mère paternelle, femme aux principes rigides, «ménagère fanatique», devint, après son veuvage, la compagne du petit Daniel.

«Dans l'un de mes premiers souvenirs, je me revois, assis autour d'une table avec trois femmes dans la soixantaine, en train de jouer à la canasta. J'avais six ans, je savais à peine tenir les cartes. Mais elles avaient besoin d'un quatrième partenaire et lorsque je jouais avec elles, je me sentais adulte et important. En outre, je pouvais leur faire des confidences que je n'aurais pu faire aux autres.»

La relation que Daniel entretenait avec sa grand-mère lui apporta la stabilité dont cet enfant hypersensible avait besoin pour se doter de stratégies de survie.

Il était aussi très endurant. «Ma mère avait coutume de me sermonner: "Pourquoi fais-tu tant d'efforts? Tu ne seras jamais rien. Tu n'as aucune chance." Et c'est ainsi que j'ai décidé de lui prouver le contraire.»

Même un hypersensible peut se révéler, à sa façon, dur à cuire. Daniel avait besoin de cette ténacité pour survivre.

À 14 ans, il décrocha un emploi. Son patron était un homme instruit, qui le traitait en adulte. Daniel l'admirait. «Je lui faisais confiance, malheureusement pour moi, il a essayé de me violer.»

(Le problème crucial, ici, n'est pas représenté par cet événement ponctuel, si regrettable soit-il, mais par le fait qu'il s'inscrit dans le contexte de la violence qui caractérisait l'existence de Daniel, depuis son enfance. Car sa soif d'intimité l'avait sans doute empêché de percevoir des signaux subtils de danger. En outre, les eût-il perçus, il n'aurait sans doute pas été en mesure de se protéger, en raison de l'absence de tout modèle de comportement. Personne ne s'était véritablement intéressé à lui.)

Daniel haussa les épaules. « Par conséquent, je me suis dit : si tu peux t'en sortir après tout ça, quels que soient les coups que tu recevras par la suite, tu t'en sortiras toujours. Si tu peux t'en sortir aujourd'hui… »

Plus tard, il épousa son amie d'enfance, dont la vie familiale était aussi chaotique, aussi perturbée que la sienne. Ils se promirent de faire tout ce qui était en leur pouvoir afin que le mariage réussisse. Voilà aujourd'hui 20 ans qu'ils sont ensemble. Ils attribuent en partie leur succès à l'espace vital qu'ils conservent jalousement entre eux et leurs familles respectives. « Aujourd'hui, je sais comment me protéger. »

C'est en partie grâce à trois mois de consultations psychothérapeutiques qu'il a appris cette leçon. En effet, l'année précédente, il avait traversé une période de dépression profonde. Il avait également lu de nombreux ouvrages sur la codépendance et les enfants adultes des alcooliques. Il s'était toutefois refusé à participer aux séances de groupe. À l'instar de maints hypersensibles, il n'apprécie guère de devoir déballer sa vie privée dans une pièce remplie d'étrangers.

« La permission de faire ce que moi, j'ai besoin de faire… Voilà ce qui s'est révélé le plus important. Reconnaître et respecter ma sensibilité. Projeter un calme positif et constructif au travail. Mais éviter de paraître ce que je ne suis pas. »

Car à l'intérieur, « il y a un trou noir. Parfois, je suis incapable de citer une seule raison de continuer à vivre. Vivre ou mourir, c'est du pareil au même. »

Sur le même ton, il me parle de l'un de ses amis, psychiatre, et de deux autres, conseillers. Il ajoute que sa sensibilité, alliée à son expérience de la vie, donne une richesse particulière à son existence.

« Je suis facilement ému par la beauté des choses. C'est une joie dont j'aurais bien du mal à me passer. » Il sourit courageusement.

« La solitude est toujours là. Il m'a fallu plus de temps pour apprécier le chagrin. Mais la vie, c'est un mélange des deux. Je suis toujours à la recherche d'une solution spirituelle. »

Et c'est ainsi que Daniel survit.

Et votre propre passé ?

À la fin de ce chapitre, vous pourrez évaluer votre enfance et réfléchir à ce qui la caractérisait. J'aimerais reprendre ici les résultats des recherches dont nous avons déjà discuté au chapitre 4 : les hypersensibles sont plus affectés que les autres par une enfance troublée, car il est évident qu'une fois adultes, ils souffrent davantage d'anxiété et de dépression que le reste de la population. En outre, les effets sont d'autant plus profonds et d'autant plus durables que le problème est apparu tôt dans la vie de l'enfant. C'est également le cas si le comportement de notre première nourrice, généralement notre mère, est à l'origine de ce trouble. Par conséquent, faites preuve de patience envers vous-même pendant tout le reste de votre vie. Vous guérirez, mais à votre façon. Vous acquerrez des qualités que vous n'auriez pu avoir si vous n'aviez pas été malheureux. Par exemple, vous serez plus conscient des problèmes des autres, plus compréhensif à leur égard. Votre personnalité deviendra plus complexe.

N'oublions pas non plus les avantages de la sensibilité, même dans une famille dysfonctionnelle. Enfant, vous étiez plus porté à vous retirer pour réfléchir qu'à vous laisser entraîner dans le pétrin familial. Tout comme Daniel et sa grand-mère, peut-être saviez-vous intuitivement vers qui vous tourner. Vous avez certainement réuni de vastes ressources intérieures et spirituelles en contrepartie.

La doyenne des personnes avec lesquelles je me suis entretenue en était arrivée à croire que les âmes qui se destinent à la vie spirituelle choisissent volontairement une enfance difficile. Elles sont ainsi obligées d'enrichir leur vie intérieure, tandis que les autres sont condamnées à une existence beaucoup plus banale. Ou, comme l'a déclaré l'un de mes amis : « Pendant les 20 premières années, on nous fournit notre documentation. Pendant les 20 années suivantes, nous devons l'analyser.» Pour certains d'entre nous, cela serait l'équivalent d'aller faire une thèse à Oxford!

Adultes, les hypersensibles possèdent en général le type de personnalité propice au travail intérieur et à la guérison psychologique. Notre intuition nous permet habituellement de découvrir les facteurs cachés les plus importants. Nous avons facilement accès à notre propre inconscient et, de là, à celui des autres ainsi qu'à la manière dont il influe sur notre comportement. Nous acquérons une idée précise de la marche à suivre: à quel moment aller de l'avant, à quel moment faire marche arrière. Nous nous intéressons à la vie intérieure. Mais, surtout, nous possédons une grande intégrité. Nous nous sommes engagés à aller jusqu'au bout de l'individualisation, quels que soient les obstacles, les blessures, les faits qui entravent notre route.

Si vous avez vécu une enfance difficile ou si c'est le présent qui vous cause des difficultés, quelles possibilités s'offrent à vous?

Les quatre philosophies de la psychologie

Il est possible de diviser les méthodes psychothérapeutiques en d'innombrables catégories: traitement long ou court, en autonomie ou avec l'aide d'un professionnel, thérapie individuelle ou collective, traitement personnel ou familial. Nous découperons toutefois ce gâteau en quatre grosses tranches: la thérapie cognitive comportementale, la thérapie interpersonnelle, la thérapie physique et la démarche spirituelle.

Certains thérapeutes les appliquent toutes en même temps. Ils ont peut-être raison. Toutefois, demandez-leur celle qu'ils préfèrent, après les avoir mentionnées explicitement toutes les quatre. Il serait regrettable de suivre un traitement de longue haleine avec un thérapeute dont la philosophie n'est pas celle que vous auriez choisie.

La thérapie cognitive comportementale

Ce traitement de courte durée a pour but de soulager des symptômes précis. On l'appelle ainsi parce qu'il repose sur le mode de pensée et le comportement du patient. Il accorde peu d'attention généralement aux sentiments et aux motifs inconscients. Tout doit être pratique, rationnel et clair.

On vous demandera quel problème vous désirez résoudre. Si vous vous plaignez d'une anxiété générale, on vous enseignera les techniques dernier cri de relaxation et de *biofeedback*. Si vous souffrez de phobies précises, on vous exposera progressivement à l'objet de vos frayeurs jusqu'à ce que celles-ci aient complètement disparu. Si vous êtes déprimé, on vous apprendra à analyser votre perception irrationnelle, à savoir pourquoi vous êtes convaincu que la vie est sans espoir, que personne ne vous aime, que vous ne devriez jamais commettre la moindre erreur et ainsi de suite. Si vous persistez dans ces idées lorsque vous êtes déprimé, on vous enseignera des moyens de les juguler.

Si votre vie ne s'articule pas autour de tâches précises, susceptibles de vous apporter une aide psychologique, telles que l'obligation de se vêtir le matin pour aller au travail ou de se faire des amis, on vous aidera à vous fixer des objectifs. Vous acquerrez les compétences nécessaires pour atteindre ces objectifs et apprendrez à vous récompenser si vous y réussissez.

Si vous vous débattez dans le mélodrame d'un divorce ou de problèmes familiaux, on vous aidera à recadrer votre situation de manière à inclure plus de faits, plus de perceptions qui vous aideront à prendre du recul.

Ces méthodes peuvent paraître superficielles ou sans éclat. Pourtant, elles sont souvent très efficaces et valent la peine d'être essayées. Même si vos nouveaux outils ne résolvent pas entièrement vos difficultés, ils se révéleront certainement utiles. En outre, la confiance en vous que vous aurez acquise si vous parvenez à démêler au moins l'un de vos problèmes améliorera la qualité d'ensemble de votre vie.

Il existe naturellement des livres sur toutes ces techniques. Mais l'aide d'un thérapeute en chair et en os présente certains avantages. Vous pourriez également servir de «moniteur» à un ami qui vous rendrait ensuite la politesse. Toutefois, dites-vous bien que les professionnels ont infiniment plus d'expérience. En particulier, ils reconnaissent le moment propice pour changer de méthode.

La psychothérapie interpersonnelle

C'est en fait ce que la plupart des gens entendent par « psychothérapie ». Le terme englobe la psychologie freudienne, jungienne, la relation objectale, le gestaltisme, la psychologie rogérienne ou personnalisée, l'analyse transactionnelle, la psychologie existentielle et la plupart des thérapies éclectiques. Elles reposent sur l'expression verbale et la relation entre vous et une autre personne, en général un thérapeute, bien qu'il puisse parfois s'agir d'un groupe ou d'un conseiller profane.

Il existe sans doute des centaines de théories et de techniques. C'est pourquoi je ne vous fournirai ici que des explications de nature générale. En outre, la plupart des psychologues adaptent un mélange de toutes les méthodes aux besoins du patient, tout en mettant l'accent sur certains aspects. Par exemple, il est possible de rendre la relation suffisamment sûre pour que le patient se sente capable d'explorer absolument tous les éléments de sa vie. Certains psychologues, en revanche, estiment que leur rôle consiste à donner au patient une nouvelle expérience d'attachement, une nouvelle image mentale de ce à quoi il devra s'attendre lorsqu'il nouera des relations intimes. D'autres, au contraire, y voient le moyen de pleurer le passé avant de rompre leurs chaînes, d'y trouver un sens. Pour d'autres encore, c'est un observatoire et un tremplin d'où le patient peut s'élancer vers de nouveaux comportements ou un refuge à partir duquel il explorera son inconscient afin d'y trouver l'harmonie.

Avec votre psychologue, vous pourrez analyser les sentiments qu'éveillent en vous le thérapeute lui-même, les autres relations, vos antécédents personnels, peut-être vos rêves et tout ce qui peut surgir au cours des séances. Non seulement vous tirerez une leçon de ce dont vous discuterez, mais encore vous apprendrez à effectuer seul ce type de travail intérieur.

Quels sont les inconvénients de cette méthode ? Si le psychologue n'est pas suffisamment compétent ou si votre véritable problème se situe ailleurs, vous pourrez bien parler jusqu'à la fin des temps… sans résultat. Le psychologue doit également comprendre parfaitement ses propres difficultés. La thérapie peut prendre des années de travail et d'analyse de vos relations passées, de celle que vous entretenez avec le psychologue et des relations actuelles. Mais il arrive parfois que quelques mois suffisent pour accomplir un grand pas en avant, comme cela avait été le cas avec Daniel.

La thérapie physique

Exercice régulier, meilleure nutrition, respect des allergies alimentaires, acupression, extraits de plantes, massage, taï chi, yoga, intégration structurale, bioénergie, dansothérapie et, naturellement, médicaments, surtout les antidépresseurs et les anxiolytiques ; voilà donc la plupart des armes de la panoplie physique. Mais aujourd'hui, c'est surtout aux médicaments prescrits par les psychiatres que l'on fait allusion lorsqu'on parle de cette méthode. Nous en discuterons au chapitre 9.

Tout ce que l'on fait au corps se répercute sur l'esprit. C'est particulièrement le cas des médicaments conçus à cet effet. Mais nous oublions que le fonctionnement de notre cerveau et nos pensées peuvent être modifiés par le sommeil, l'exercice, la nutrition, l'environnement et l'état de nos hormones sexuelles pour ne nommer que quelques facteurs qui, en règle générale, dépendent de notre volonté. Il est également vrai que tout ce que l'on fait à l'esprit se répercute sur le corps : méditation, confidences à un ami ou le simple geste de noter nos problèmes par écrit[2]. Chaque séance de psychothérapie doit modifier quelque chose dans le cerveau. Ainsi, il n'est guère surprenant que les trois méthodes dont je viens de parler se soient révélées particulièrement efficaces pour soigner la dépression[3]. Par conséquent, vous avez le choix.

Les méthodes spirituelles

Ces méthodes font appel à tout ce que nous pouvons faire pour explorer la partie non matérielle de nous-mêmes et de notre univers. Elles nous réconfortent en nous affirmant que la vie n'est pas qu'une accumulation d'éléments superficiels. Elles guérissent les blessures ou rendent la douleur plus supportable. Elles nous assurent que nous ne sommes pas prisonniers de notre situation, que nous sommes capables de trouver la clé. Peut-être même y a-t-il un ordre, un plan, une fin derrière tout cela.

En outre, lorsque nous ouvrons notre esprit à une démarche spirituelle, nous commençons souvent à vivre des expériences qui nous convainquent de l'existence d'une présence invisible. Nous souhaitons alors imprégner notre thérapie de connotations spirituelles. Sinon, nous avons l'impression de délaisser un aspect crucial de la vie.

Certains psychologues s'intéressent surtout à cette démarche. Avant de commencer un traitement, renseignez-vous sur la voie spirituelle de cette personne afin de vous assurer qu'elle est parfaitement compatible avec la vôtre. Vous pourriez également solliciter l'aide de membres du clergé, de directeurs spirituels ou d'autres personnes versées dans les questions religieuses ou spirituelles. Assurez-vous toutefois qu'elles ont reçu la formation psychologique qui correspond au travail que vous souhaitez accomplir ensemble.

La thérapie cognitive comportementale pour hypersensibles

Pour savoir dans quelle mesure ces quatre méthodes conviennent aux hypersensibles, vous devrez d'abord apprendre dans quelle mesure elles vous conviennent. Mais voici quelques idées. Il est probable que tous les hypersensibles devraient, un jour ou l'autre, être exposés à la thérapie cognitive comportementale. Comme nous l'avons vu au chapitre 2, nous gagnerions à développer au maximum les rouages cérébraux qui nous permettent de décider sur quoi nous faisons porter notre attention et de résoudre les conflits entre le système d'activation et celui de pause réflexion. Comme c'est le cas de nos muscles, ces systèmes d'attention sont probablement plus développés chez certains. Mais rien ne nous empêche de les faire travailler. À cet égard, la thérapie cognitive comportementale est certainement le gymnase le mieux équipé de la ville.

Il s'agit toutefois d'une démarche très rationnelle et, dans l'ensemble, mise au point par les moins sensibles qui, je crois, sont intimement persuadés que les personnes sensibles sont tout simplement pleurnichardes et irrationnelles. Si vous vous heurtez à cette attitude, chez un psychologue ou dans un livre, votre amour-propre en souffrira et votre système nerveux s'emballera, surtout si vous ne parvenez pas à atteindre les objectifs que votre thérapeute ou l'auteur vous ont fixés. Ils insinueront que ces objectifs sont « normaux », alors qu'en réalité, ils ne s'appliquent qu'à des gens comme eux ou à la majorité, et ne tiennent pas compte des différences de tempérament. Un psychologue compétent est toutefois à l'écoute de ces différences et connaît le rôle crucial de l'amour-propre et de la confiance en soi dans tout traitement psychologique.

Il arrive aussi que les hypersensibles préfèrent des thérapies plus « profondes », plus intuitives que celles qui reposent sur les symptômes superficiels. Mais ce préjugé de certains d'entre nous à l'encontre des techniques pratiques et réalistes représente justement une excellente raison de les approfondir.

La psychologie interpersonnelle pour hypersensibles

Les hypersensibles sont généralement séduits par cette méthode, qui peut se révéler extrêmement instructive. Elle nous permet de découvrir notre intuition, notre profondeur. Elle développe notre habileté dans les relations très étroites. Notre inconscient n'est plus seulement une source de symptômes, il devient notre allié.

La psychologie interpersonnelle présente toutefois un inconvénient pour les hypersensibles. En effet, leur souci du détail les incite à faire durer le traitement. Mais tout bon psychologue sait à quel moment son patient est prêt à accomplir seul le travail intérieur. En outre, les hypersensibles ont parfois tendance à utiliser le traitement comme un rempart contre le monde extérieur. Là aussi, c'est au psychologue qu'il incombe de « couper le cordon ».

Enfin, nous finissons généralement par ressentir une profonde attirance envers le psychologue qui nous aide à explorer notre inconscient. C'est ce qu'on appelle le transfert positif. Chez les hypersensibles, ce phénomène peut se révéler extrêmement puissant. Asservis au traitement, non seulement ils finissent par dépenser une fortune, mais encore il leur est presque impossible de s'émanciper.

Quelques mots sur le transfert

Étant donné qu'un transfert positif, soit un puissant attachement à l'égard du psychologue, peut être l'une des conséquences de n'importe quelle méthode psychothérapeutique, ce phénomène mérite d'être approfondi.

Le transfert n'est pas toujours positif, étant donné qu'il s'agit, pense-t-on, de l'extériorisation de sentiments refoulés que le patient a éprouvés au cours de sa vie ; la colère, la peur et toute la gamme des émotions peuvent surgir. Mais en général, ce sont les sentiments positifs qui surnagent, rehaussés par la gratitude que le patient ressent envers son thérapeute, l'espoir d'un traitement et le déplacement de toutes sortes de sentiments vers cette cible.

Un puissant transfert positif peut présenter maints avantages. Le désir du patient de ressembler à son thérapeute ou de mériter son estime l'incitera à changer. En général, il s'agit de changements majeurs auxquels il n'aurait jamais pensé.

En acceptant l'idée que le psychologue n'est ni notre mère, ni notre partenaire, ni notre ami de toujours, nous devenons capables d'affronter la dure réalité. En analysant la nature de nos sentiments — cette personne nous paraît être un parangon de toutes les vertus, quel bonheur ce serait de vivre avec elle —, nous comprenons qu'ils pourraient être dirigés vers d'autres cibles, plus appropriées. Enfin, il est toujours agréable de bénéficier des conseils et de la compagnie de quelqu'un que nous aimons.

Malgré tout, il n'en demeure pas moins que le transfert peut être comparé à une relation amoureuse d'une grande intensité avec quelqu'un qui est incapable de nous rendre notre amour. (Et s'il vous le rend, c'est une infraction grave à la déontologie. Changez de psychologue. En outre, vous aurez probablement besoin d'aide pour vous extraire de cette douloureuse situation.) Par conséquent, c'est parfois une expérience inattendue et pénible, dont nous nous passerions bien. Le transfert peut saper notre amour-propre, éveillant en nous un sentiment de dépendance et de honte. Vos proches ne manqueront pas de remarquer votre attachement envers ce nouveau personnage. N'oubliez pas non plus que si le transfert prolonge le traitement, votre compte en banque risque d'en subir les conséquences. Réfléchissez donc à toutes ces considérations avant de vous engager dans un traitement psychologique.

Les raisons pour lesquelles le transfert risque d'être plus puissant chez un hypersensible ne manquent pas. Tout d'abord, il est particulièrement prononcé si l'inconscient souhaite apporter des changements majeurs auxquels l'ego se refuse ou qu'il est incapable de concrétiser. Mais les hypersensibles ont souvent besoin de modifier leur attitude, d'apprendre à affronter le monde extérieur ou, au contraire, de rester plus tranquilles chez eux, de s'affranchir d'une socialisation à outrance, de refuser les préjugés culturels à leur égard ou, simplement, d'accepter cet aspect de leur personnalité. Ensuite, la psychothérapie contient tous les ingrédients, décrits au chapitre 7, d'une situation propice à l'apparition de sentiments amoureux. Les hypersensibles, vous vous en souvenez, sont plus vulnérables que les autres à cet égard. Si tel est votre cas, votre psychologue vous semblera être la personne la plus désirable du monde, la plus sage, la plus compétente. Vous allez lui faire des confidences qu'aucun de vos proches n'aurait sans doute consenti à écouter ; vous allez parler de choses auxquelles vous aviez peur de penser. Voilà qui rend la situation éminemment stimulante.

Je ne vous suggère pas, ici, de renoncer à la psychothérapie par crainte d'un puissant transfert. Au contraire, cela indique probablement que vous avez besoin de traitement. Entre les mains d'un psychologue compétent, le transfert demeure le principal outil de changement. Mais prenez garde de ne pas vous attacher prématurément au premier thérapeute que vous rencontrerez ou de demeurer esclave de votre traitement bien après en avoir retiré tous les avantages possibles.

La méthode physique pour les hypersensibles

Cet ensemble de techniques peut se révéler particulièrement utile si vous devez absolument mettre fin à une situation psychologique qui s'emballe et risque de faire boule de neige. Peut-être en perdez-vous le sommeil, vous sentez-vous fatigué et déprimé ou terriblement anxieux, ou les deux à la fois. Les causes de cette spirale descendante peuvent varier. Le traitement physique, généralement un médicament, peut guérir la dépression causée par un virus, un échec professionnel, le décès d'un proche et l'analyse de sentiments douloureux en psychothérapie. Dans tous les cas, il faut absolument enrayer les problèmes physiques, car le patient ne pourra modifier son mode de pensée tant que son corps ne lui laissera pas de répit.

Comme je l'ai déjà mentionné, le traitement le plus courant consiste à prescrire un médicament. Mais j'ai déjà vu un hypersensible rompre le cercle infernal en prenant des vacances sous les tropiques, en visitant un nouveau pays, en oubliant ses problèmes pendant quelque temps. Au retour, il était en mesure d'examiner la situation sous un autre angle, le corps au repos. J'ai également connu quelqu'un qui avait dû interrompre ses vacances pour briser le cycle de l'anxiété. Le voyage s'était simplement révélé trop stimulant. Par conséquent, faites confiance à votre intuition, qui vous suggérera de quel genre de traitement physique vous avez besoin pour modifier votre état mental.

Une troisième personne a bien réagi à un changement nutritionnel. Les besoins nutritionnels varient beaucoup d'un humain à l'autre, de même que les allergies alimentaires. Chez les hypersensibles, cet écart semble être encore plus prononcé. Lorsque nous souffrons d'hyperstimulation chronique, nous avons besoin d'assimiler davantage d'éléments nutritifs. Malheureusement, dans ces moments difficiles, nous oublions de prêter attention à ce que nous mangeons. Nous allons jusqu'à en perdre l'appétit et notre digestion se dégrade. Notre corps en souffre. C'est pourquoi les hypersensibles devraient se renseigner sur leurs besoins nutritionnels.

Un phénomène semble toutefois nous être commun à tous : la rapidité avec laquelle nous perdons tous nos moyens lorsque nous avons faim. Par conséquent, essayez de consommer régulièrement des repas légers, aussi frénétique que soit votre rythme de travail. Les hypersensibles qui souffrent de troubles de l'alimentation courent droit à la catastrophe à moins de prendre les mesures nécessaires. Vous disposez de maintes ressources à cet égard.

J'aimerais également parler de l'influence des fluctuations des hormones de reproduction qui, je le soupçonne, est encore plus prononcée chez les hypersensibles que parmi le reste de la population. Cela s'applique également à la production d'hormones thyroïdiennes. Tous ces systèmes sont reliés et leur fonctionnement se répercute de manière spectaculaire sur la production de cortisol et de neurotransmetteurs du cerveau. L'un des symptômes d'une fluctuation hormonale est représenté par des sautes d'humeur inexplicables ; à un moment donné tout va bien, une heure plus tard, vous voyez tout en noir. Vous pourriez également souffrir de fortes variations de votre énergie mentale ou de votre lucidité.

Quelle que soit la méthode physique que vous choisissez, médicaments, massages ou autres, n'oubliez jamais que vous êtes hypersensible ! Commencez toujours par prendre la dose la plus faible. Choisissez soigneusement votre médecin ou votre massothérapeute et mentionnez votre sensibilité, afin de lui permettre de faire appel à son expérience, probablement abondante, de personnes comme vous. (Sinon, allez voir quelqu'un d'autre.)

Sachez également que le transfert peut se produire entre patient et médecin. Cela s'applique notamment aux médecins qui s'intéressent aussi aux problèmes psychologiques. Cette combinaison est parfois si intense qu'elle risque de se révéler dangereuse pour un hypersensible. Il est possible d'analyser le besoin dévorant d'être aimé, réconforté, compris, voire de le soulager, dans une certaine mesure, par des paroles ou un contact. Mais recevoir les deux de la même personne risque d'entraîner une confusion pénible, car c'est exactement ce que vous recherchez dans votre vie.

Si votre médecin souhaite analyser vos pensées tout en soignant votre corps, vérifiez scrupuleusement ses références et ses qualifications. Il devrait posséder, en sus de ses diplômes médicaux, une très grande expérience de la psychologie interpersonnelle.

Les méthodes spirituelles pour les hypersensibles

Ce sont souvent celles qui séduisent le plus les hypersensibles. Parmi les personnes que j'ai interrogées dans le cadre de mon enquête, pratiquement toutes celles qui avaient ressenti le besoin d'une guérison intérieure avaient tenté la démarche spirituelle. Naturellement, la propension des hypersensibles à se tourner vers l'intérieur est l'une des raisons de cet attrait. En outre, nous sommes persuadés que si nous parvenions à atténuer notre stimulation en jetant un regard différent sur le monde, par la transcendance, l'amour ou la confiance, nous nous rendrions plus facilement maîtres des situations inquiétantes. C'est là le but primordial de la plupart des voies spirituelles. Par conséquent, nombreux sont les hypersensibles qui ont vécu des expériences rassurantes dans ce domaine.

Malheureusement, cette démarche présente quelques inconvénients, voire des dangers, surtout lorsque nous délaissons toutes les autres. Nous négligeons les autres leçons, par exemple apprendre à nous entendre avec nos semblables ou à comprendre notre corps, nos pensées et nos sentiments. En outre, il est fréquent que les chefs de ces mouvements spirituels deviennent eux aussi les objets d'un transfert positif. Un problème se pose alors, car peu d'entre eux possèdent les compétences nécessaires pour nous aider à dépasser le stade de la cristallisation. Certains vont même jusqu'à l'encourager afin de s'en servir comme outil de domination, parfois dans les meilleures intentions. Je ne fais pas uniquement allusion aux sectes. N'importe quel ministre du culte, s'il est bon et compatissant, peut faire l'objet de ce genre d'idéalisation. Toutefois, il risque fort de ne savoir qu'en faire.

En troisième lieu, la plupart des traditions spirituelles nous parlent de la nécessité de sacrifier le Soi, l'ego, et nos désirs personnels. Parfois, on nous incite à offrir notre Soi à Dieu. À d'autres occasions, c'est au chef du mouvement qu'il faut le donner (voilà qui est plus facile mais beaucoup moins recommandable). Je crois qu'à un certain moment de notre vie, il nous faut en effet sacrifier une parcelle de notre ego. Il y a du vrai dans la croyance orientale selon laquelle les désirs de l'ego sont à l'origine de bien des souffrances et qu'en concentrant notre attention sur nos problèmes personnels, nous omettons de voir le présent, d'assumer notre véritable responsabilité et de nous ouvrir la voie vers ce qui se trouve au-delà de la conscience personnelle.

Cependant, j'ai constaté que maints hypersensibles abandonnaient leur ego de manière prématurée. C'est un sacrifice qui ne demande pas beaucoup d'efforts puisque nous sommes persuadés que notre ego ne vaut pas grand-chose. Si vous connaissez quelqu'un qui y est véritablement parvenu, je suis sûre que l'éclat spirituel de cette personne est tel que vous ne pouvez vous empêcher de vouloir l'imiter. Mais ce genre de charisme n'est pas une garantie. Peut-être reflète-t-il simplement une existence sereine, dépourvue de stress, bien disciplinée… soit une perle rare par les temps qui courent. Il est fort possible que l'âme éblouissante de sainteté qui vous impressionne tant soit un véritable désastre sur les plans psychologique, social, voire moral. Les étages supérieurs étincellent de tous leurs feux, mais le rez-de-chaussée demeure obscur et poussiéreux.

La rédemption et l'illumination, si tant est qu'elles existent en ce monde, sont le fruit d'un pénible travail qui ne contourne pas les douloureux problèmes personnels. Pour les hypersensibles, la tâche la plus difficile n'est généralement pas de renoncer au monde, mais, au contraire, de s'y plonger.

Les hypersensibles sans problèmes précis, actuels ou passés, ont-ils besoin de psychothérapie ?

Si vous ne souffrez d'aucun traumatisme, d'aucune blessure intérieure grave, peut-être estimerez-vous que les informations contenues dans ce livre suffisent à vous faciliter la vie, du moins pour le moment.

Toutefois, la psychothérapie n'a pas uniquement pour but de résoudre des problèmes ou de soulager des symptômes. Elle peut vous permettre d'acquérir des connaissances, de la sagesse et de nouer une alliance avec votre inconscient. Naturellement, vous n'avez pas besoin de suivre un traitement pour en apprendre suffisamment sur le travail intérieur. Il suffit de lire, d'assister à des séminaires, d'entretenir des conversations. Beaucoup d'excellents thérapeutes écrivent des livres et offrent des cours. Mais en raison de l'acuité de leur esprit, de leur intuition et de la richesse de leur vie intérieure, les hypersensibles tirent généralement beaucoup de profit de la psychothérapie. Elle valorise et aiguise leurs qualités. Au fur et à mesure que ces précieux ingrédients de la personnalité se développent, la psychothérapie devient une étape sacrée de la vie. À ce titre, elle est incomparable.

L'analyse de Jung et la psychothérapie jungienne

La psychothérapie jungienne, qui suit les méthodes et les objectifs de Carl Jung, est celle que je recommande en général aux hypersensibles. (Si vous souffrez de traumatismes infantiles, toutefois, assurez-vous que le psychologue jungien a également reçu une formation pour traiter ce genre de problèmes.)

Comme toutes les psychologies « des profondeurs », telles que la psychanalyse freudienne ou l'analyse des relations objectales — qui entrent toutes dans la catégorie des méthodes interpersonnelles —, la démarche jungienne repose principalement sur le travail de l'inconscient. Mais elle y ajoute une dimension spirituelle en tenant pour acquis que l'inconscient tente de nous conduire quelque part, de rehausser notre sensibilité au-delà de la conscience étroite de l'ego. Il nous envoie constamment des messages, par la voie des rêves, des symptômes et des comportements que notre ego considère comme problématiques. Il nous suffit d'y prêter attention.

Le but de la thérapie jungienne consiste, au premier chef, à créer une sorte d'aquarium dans lequel nous parvenons à enfermer les informations effrayantes ou rejetées, afin de les examiner en toute sécurité. Le psychologue nous sert de guide, au sein d'une nature hostile. Ensuite, il apprend au patient à se sentir à l'aise dans cette jungle. Les jungiens ne cherchent pas à nous guérir, mais à nous entraîner sur la voie de l'individualisation pour le restant de nos jours, en nous apprenant à communiquer avec les royaumes intérieurs.

Étant donné que les hypersensibles entretiennent des contacts étroits avec leur inconscient, qu'ils font des rêves vivaces et ressentent une attirance profonde envers l'imaginaire et le spirituel, ils ne peuvent s'épanouir qu'une fois qu'ils ont appris à connaître cet élément d'eux-mêmes. Autrement dit, l'analyse jungienne des profondeurs représente le cours de formation de la classe actuelle des conseillers royaux.

Si vous consultez un psychologue formé par l'un des instituts d'enseignement de la psychologie jungienne, c'est ce genre de psychanalyse que vous effectuerez en sa compagnie. En général, les psychanalystes sont déjà des thérapeutes compétents, capables d'utiliser la démarche qui leur semble la plus bénéfique, bien qu'ils préfèrent naturellement suivre la méthode jungienne. Votre analyse prendra sans doute plusieurs années, à raison de deux séances par semaine. Elle vous coûtera plus cher que la simple psychothérapie, car elle exige des années d'études supplémentaires. Mais vous pourriez également consulter un psychothérapeute non psychanalyste, formé à la méthode jungienne. Renseignez-vous toutefois sur ce qu'il entend par «jungien». Certains ont beaucoup lu, ont suivi de nombreux cours et internats, et effectué une longue analyse personnelle. Ce dernier élément est particulièrement important.

Moyennant des honoraires plus modestes, vous pourriez consulter un interne en psychanalyse ou en psychothérapie, dans un institut de formation en psychologie jungienne. L'enthousiasme de ces personnes n'ayant généralement d'égal que leur compétence, vous n'y perdrez pas au change. Ce qui risque de se révéler plus difficile, c'est de trouver quelqu'un dont la personnalité s'accorde bien avec la vôtre, facteur considéré comme essentiel en psychologie jungienne.

Méfiez-vous également des jungiens qui professent des idées désuètes, sexistes ou homophobes. La plupart ont adapté leur méthode à la société dans laquelle ils vivent et abandonné les idées qui avaient cours au siècle dernier dans la Suisse natale de Jung. Durant leur formation, on les encourage à poursuivre une réflexion indépendante. Jung lui-même déclara une fois: «Heureusement que je suis Jung et pas un jungien.» Mais certains d'entre eux sont encore prisonniers des idées très étroites de Jung en matière de rôles des sexes et de préférences sexuelles.

Quelques dernières réflexions sur la psychothérapie pour les hypersensibles

En premier lieu, ne faites pas preuve d'une tolérance excessive. Rien ne vous oblige à supporter un psychothérapeute qui prend toute la place. Il devrait au contraire s'effacer suffisamment pour vous éviter de vous heurter constamment à son ego. Ensuite, ne vous laissez pas séduire outre mesure par l'intensité de l'attention personnelle que vous recevrez pendant les premières séances (et qui fait partie du travail de la plupart des bons thérapeutes). Prenez votre temps avant de vous engager.

Le travail sera difficile et vous ne le trouverez pas toujours agréable. Un puissant transfert n'est que l'un des exemples des forces inexplicables que vous libérez en ordonnant à votre inconscient de s'exprimer à sa guise.

Parfois, la psychothérapie devient trop intense, trop stimulante. Elle ressemble davantage à un volcan en éruption qu'à une mer tranquille. Si tel est le cas, vous devrez discuter avec votre thérapeute des mesures à prendre pour enrayer le phénomène. Peut-être avez-vous simplement besoin de marquer une pause, de suivre quelques séances tranquilles, chaleureuses, superficielles. La pause pourrait accélérer votre progression, même si vous avez l'impression du contraire.

La psychothérapie, en son sens le plus large, est un ensemble de voies vers la sagesse et la plénitude. Si vous avez vécu une enfance difficile, vous devez suivre l'une de ces voies pour guérir. Pour les hypersensibles, le travail des profondeurs ressemble parfois à un terrain de jeu. Là où les autres se sentent perdus, nous sommes aussi à l'aise qu'il est possible de l'être dans ces circonstances. Nous traversons toutes sortes de paysages au sein de cette jungle merveilleuse, infinie. Nous campons joyeusement quelque temps dans un endroit agréable, en compagnie de livres, de cours ou de relations humaines. Nous devenons les compagnons de nos guides et des autres amateurs que nous rencontrons sur notre chemin. C'est un terrain fertile.

Ne laissez pas la société vous en éloigner, soit parce qu'elle en a fait la dernière folie dans le vent, soit parce qu'au contraire, elle la ridiculise. La psychothérapie entraîne les hypersensibles dans un univers que les autres ne sont pas toujours capables d'apprécier.

METTEZ À PROFIT CE QUE VOUS VENEZ D'APPRENDRE

Examinez les blessures de votre enfance

Si vous avez eu une enfance raisonnablement heureuse et sans histoires, passez directement au chapitre suivant. Ou utilisez cette rubrique pour vous réjouir de votre bonne fortune et compatir au sort des autres. Vous pouvez aussi la sauter si vous avez réussi à refermer de manière satisfaisante les blessures de votre enfance.

Quant aux autres, sachez que la tâche ne sera pas facile. Par conséquent, sautez-la également si vous jugez que le moment n'est pas propice à une analyse de votre passé. Même si votre intuition vous pousse à continuer, préparez-vous à ressentir un choc en retour. Naturellement, si votre détresse devient insupportable, consultez un psychothérapeute.

Si vous décidez d'aller de l'avant, cochez tout ce qui s'applique à vous. Ensuite, placez un astérisque à côté de tout ce qui s'est produit pendant vos cinq premières années, un deuxième astérisque à côté de ce qui s'est produit pendant vos deux premières années. Si la situation s'est prolongée (précisez ce que vous entendez par là), encerclez votre coche ou vos astérisques. Faites-le également si la situation ou l'événement semblent encore dominer votre vie.

Ces coches, astérisques et cercles vous donneront une idée des principaux problèmes sans que vous ayez à les numéroter.

____ Vos parents étaient embarrassés par les symptômes de votre sensibilité ou ne savaient pas comment vivre cette situation.

____ Selon toute évidence, vous n'étiez pas un enfant désiré.

____ Vous avez été confié à de nombreuses nourrices, qui n'étaient ni des membres de votre famille proche ni des intimes de vos parents.

____ Vous étiez surprotégé au point de n'avoir pas une minute de paix.

____ On vous obligeait à vous livrer à des activités qui vous faisaient peur, même si vous protestiez que vous connaissiez vos limites.

____ Vos parents étaient persuadés que quelque chose ne tournait pas rond chez vous, physiquement ou mentalement.

____ Vous étiez dominé par un parent, un frère, une sœur, un voisin, un condisciple, etc.

____ Vous avez subi des violences sexuelles.

____ Vous avez subi des violences physiques.

____ Vous avez subi des violences verbales (provocations, taquineries, injures, critiques perpétuelles) ; les autres vous considéraient comme moins que rien.

____ Vos besoins physiques étaient négligés (vous étiez sous-alimenté, etc.).

____ Vous receviez peu d'attention; toute l'attention que vous receviez était due à vos réalisations exceptionnelles.

____ L'un de vos parents ou de vos proches était alcoolique, toxicomane, souffrait d'une maladie mentale.

____ L'un de vos parents souffrait de maladie physique ou était invalide, donc incapable de s'occuper de vous.

____ Vous avez dû prendre soin de l'un de vos parents ou des deux, satisfaire leurs besoins physiques et émotifs.

____ L'un de vos parents aurait été considéré par un psychiatre comme narcissique, sadique ou simplement très difficile à vivre.

____ À l'école ou dans votre quartier, vous étiez victime des autres, qui vous maltraitaient, vous insultaient, vous provoquaient, etc.

____ Vous avez subi d'autres traumatismes en sus de la violence familiale (maladies graves ou chroniques, blessure, handicap, indigence, catastrophe naturelle, des parents qui souffraient d'être au chômage, etc.).

____ Votre milieu social vous barrait bien des portes ou on vous considérait comme inférieur parce que votre famille était pauvre, membre d'une minorité, etc.

____ De grands bouleversements indépendants de votre volonté se sont produits dans votre vie (déménagements, décès, divorce, abandon, etc.).

____ Quelque chose a suscité en vous un puissant sentiment de culpabilité dont vous n'avez jamais pu discuter avec quiconque.

____ Vous avez voulu mourir.

____ Vous avez perdu votre père (décès, divorce, etc.), vous n'étiez pas proche de lui ou il ne s'est pas mêlé de votre éducation.

____ Vous avez perdu votre mère (décès, divorce, etc.), vous n'étiez pas proche d'elle ou elle ne s'est pas mêlée de votre éducation.

____ Les deux rubriques ci-dessus décrivent des cas d'abandon flagrant et volontaire ou un rejet de l'enfant que vous étiez; vous pensiez que l'un de vos défauts ou votre comportement vous avait fait perdre l'un ou l'autre de vos parents.

____ Vous avez perdu un frère, une sœur ou un autre proche (décès ou autre raison).

____ Vos parents se querellaient constamment ou ont divorcé et ont continué de se quereller à votre sujet.

____ Pendant votre adolescence, vous étiez extrêmement perturbé ou vous aviez des tendances suicidaires ou vous avez abusé de l'alcool ou des stupéfiants.

____ Pendant votre adolescence, vous vous êtes comporté en délinquant.

Maintenant, regardez vos coches, vos astérisques et vos cercles. S'ils sont rares, félicitez-vous et remerciez vos parents. Si, en revanche, ils sont nombreux, vous avez sans doute revécu la douleur de votre enfance, votre désespoir à l'idée d'être anormal, criblé de défauts. Laissez le panorama de votre passé se dérouler d'un bout à l'autre. Puis mettez en relief vos qualités, vos talents et vos réalisations, tout en vous souvenant des personnes qui vous ont aidé et des événements qui font contrepoids aux aspects négatifs. Ensuite, consacrez quelques minutes (en allant faire une promenade, par exemple) à rendre hommage à l'enfant qui a tant souffert mais tant apporté. Pensez à ce dont il a besoin, désormais.

CHAPITRE 9

Médecine pour hypersensibles

Le Prozac vous conduira-t-il au paradis ?

Dans ce chapitre, nous verrons comment votre sensibilité modifie vos réactions aux traitements médicaux en général. Ensuite, nous parlerons des divers médicaments que les médecins peuvent prescrire aux hypersensibles.

Quelles sont vos réactions ?

- Vous êtes particulièrement sensible aux signaux et aux symptômes corporels.
- Si vous n'adoptez pas un mode de vie en harmonie avec votre sensibilité, vous souffrez de maladies reliées au stress et de troubles « psychosomatiques ».
- Vous êtes particulièrement sensible aux effets des médicaments[1].
- Vous êtes plus sensible à la douleur.
- L'environnement médical ou hospitalier, les méthodes, les examens et les traitements médicaux exacerbent votre stimulation.
- Lorsque vous vous trouvez dans un cabinet médical ou à l'hôpital, votre profonde intuition vous empêche de faire abstraction des relents de souffrance et de mort qui caractérisent la condition humaine.
- Compte tenu de tout ce qui précède et du fait que la majorité des professionnels de la santé n'entrent pas dans la catégorie des hypersensibles, vos relations avec le milieu médical sont généralement problématiques.

Une bonne nouvelle, cependant. En effet, vous décelez les problèmes avant qu'ils s'aggravent et vous savez exactement quelles mesures s'imposent. Comme je l'ai mentionné au chapitre 4, les enfants hypersensibles qui vivent dans des conditions normales jouissent d'une santé particulièrement florissante. Une étude prolongée d'adultes qui, dans leur enfance, avaient pris soin de leur santé — ce qui s'applique à la plupart des hypersensibles — a permis de constater qu'ils jouissaient aussi d'une santé exceptionnelle. Mais, étant donné que cela ne s'appliquait pas aux adultes timides, on peut en déduire que les hypersensibles devraient s'efforcer de soulager leur inconfort en société de manière à pouvoir mener la vie tranquille, dépourvue de stress, dont ils ont besoin.

Parlons maintenant des problèmes causés par la liste précédente, qui vous touchent de près. Votre sensibilité exacerbée aux moindres signes physiques est naturellement responsable de maintes fausses alertes. Voilà qui ne devrait pas vous inquiéter. Interrogez simplement votre médecin. Si sa réponse ne vous convainc pas, sollicitez une seconde opinion.

Parfois, ce n'est pas si simple. Par les temps qui courent, les médecins sont des gens très occupés, souvent dépourvus de sensibilité. Vous êtes déjà en proie à la nervosité et à l'hyperstimulation en entrant dans leur cabinet. Quelque chose vous turlupine, vous a incité à prendre rendez-vous. Vous vous doutez qu'il s'agit d'un problème mineur et vous craignez de passer pour un hypocondriaque. Vous savez que votre sensibilité aux nuances subtiles et votre hyperstimulation, causée par votre inconfort en société, sont évidentes.

Quant au médecin, il partage les préjugés de notre société et confond votre sensibilité avec la timidité et l'introversion, qu'il considère comme des symptômes d'une mauvaise santé mentale. En outre, pour certains médecins, la sensibilité est synonyme de faiblesse, ce redoutable défaut qu'ils ont dû réprimer afin de survivre tout au long de leurs études. Ils ont donc tendance à projeter cette partie d'eux-mêmes (et la faiblesse qu'ils y associent) sur des patients qui, en réalité, ne présentent absolument pas cette caractéristique.

En bref, il existe maintes raisons susceptibles d'inciter le médecin à tenir pour acquis que vous avez «imaginé» le léger symptôme dont vous vous plaignez. C'est ce qu'il vous laisse entendre au bout d'un moment. (Naturellement, le corps et l'esprit étant si étroitement imbriqués, le problème physique pourrait avoir été engendré par un facteur de stress psychologique, mais les médecins reçoivent peu de formation dans ce domaine.) Vous ne souhaitez pas passer pour névrosé en protestant, mais vous ne pouvez vous empêcher de vous demander si le médecin vous a bien écouté, s'il vous a bien examiné, si tout va aussi bien qu'il l'affirme. Vous êtes gêné, vous ne souhaitez pas jouer les trouble-fête. Vous rentrez chez vous encore soucieux. Ce qui vous incite à vous demander si vous ne souffrez pas réellement d'une névrose. La fois suivante, peut-être déciderez-vous d'ignorer vos symptômes jusqu'à ce qu'ils deviennent suffisamment flagrants pour que le médecin reconnaisse leur existence.

La meilleure solution consiste à trouver un médecin capable d'apprécier votre sensibilité, soit quelqu'un qui prendra au sérieux votre capacité de déceler les éléments les plus subtils de votre santé et vos réactions à un traitement. En fait, n'importe quel médecin devrait être enchanté d'avoir un patient doté d'un système d'alarme aussi perfectionné. Il devrait jouer le rôle du spécialiste serein, capable de vous rassurer lorsque vos symptômes sont sans gravité. Son attitude, cependant, devrait être respectueuse et non sous-entendre que vous souffrez d'une maladie mentale.

Vous devriez trouver ce genre de médecin. Munissez-vous de ce livre et incitez-le à le lire.

Votre sensibilité aux médicaments est très réelle. Elle peut être accrue par l'hyperstimulation, elle-même engendrée par votre souci des effets secondaires (la plupart des médicaments en ont, vous avez raison de vous inquiéter). Peut-être étiez-vous stimulé par un autre facteur au moment où vous avez pris la première dose. En l'occurrence, attendez d'avoir retrouvé le calme pour prendre le médicament.

Si vous croyez mal réagir à un médicament, vous avez certainement raison. La sensibilité aux produits chimiques varie énormément d'un individu à l'autre. Votre médecin doit collaborer avec vous et faire preuve de respect envers vos impressions. Sinon, rappelez-vous que le client a toujours raison. Allez voir un autre médecin.

Si votre hyperstimulation est causée par d'autres traitements ou procédés, acceptez l'idée de nouvelles sensations, puissantes ou inconfortables, voire des invasions menaçantes de votre corps. En tout premier lieu, expliquez au responsable du traitement que vous êtes hypersensible. Si vous donnez l'impression de savoir de quoi vous parlez, on vous respectera. Mieux, on appréciera vos révélations et on fera un effort pour réduire le plus possible votre malaise.

Quant à vous, vous devriez savoir quelles mesures vous permettent de ralentir l'activation de votre système nerveux. Certaines personnes aiment qu'on leur explique tout, au fur et à mesure; d'autres préfèrent le silence. Certaines réclament une présence amie, d'autres préfèrent être seules. Certaines réagissent bien à une dose supplémentaire d'analgésique ou d'anxiolytique, d'autres détestent l'idée de se retrouver sous l'emprise de médicaments. En outre, maintes possibilités s'offrent à vous. Vous pourriez vous familiariser à l'avance avec la situation. Utilisez votre méthode favorite pour vous calmer, vous concentrer, vous apaiser. Réconfortez-vous ensuite en comprenant et en acceptant votre réaction, si intense soit-elle.

La sensibilité à la douleur varie énormément d'une personne à l'autre. Par exemple, certaines femmes ne ressentent pratiquement pas de douleur au moment d'accoucher. Les recherches ont permis de constater que ces femmes étaient en fait presque insensibles à la douleur, quelle qu'elle fût[2]. Mais l'inverse est également vrai : certaines souffrent tout au long de leur vie. Mes propres recherches ont révélé que les hypersensibles étaient, dans l'ensemble, plus sensibles à la douleur que les autres.

Notre état d'esprit influe sur notre perception de la douleur. Par conséquent, il serait utile de materner calmement et affectueusement votre corps lorsqu'il souffre. En outre, vous devez absolument parler de cette sensibilité exacerbée aux personnes susceptibles de vous aider. Si elles sont bien informées, elles interpréteront votre réaction comme une variation normale de la physiologie humaine, qu'elles traiteront en conséquence. (Mais attention, vous êtes probablement plus sensible que les autres aux effets des analgésiques.)

En résumé, vous souffrez plus souvent d'hyperstimulation que le patient moyen. Même si votre médecin est assez futé pour ne pas traiter l'activation de votre système nerveux comme un problème ou le symptôme d'un trouble mental, votre situation demeure délicate. Par exemple, votre capacité de communiquer vos pensées risque de diminuer.

Plusieurs solutions sont à votre disposition. Dressez une liste des questions et prenez des notes. Faites-vous accompagner d'une personne qui écoutera attentivement et saura poser les questions auxquelles vous n'aurez pas pensé. (Et vous bénéficierez d'une seconde mémoire.) Expliquez votre problème au médecin. Laissez-le vous calmer par quelques instants de conversation à bâtons rompus ou toute autre technique, selon ce qu'il préfère. Vous pourriez également lui demander de répéter ses instructions. Ajoutez que vous aimeriez pouvoir lui téléphoner ultérieurement, si d'autres questions vous viennent à l'esprit.

Sachez également qu'il est fréquent de s'attacher à une personne avec laquelle on a vécu une expérience stimulante, surtout une épreuve douloureuse ou importante sur le plan émotif. Dans le monde médical, il suffit d'entendre un patient mentionner son chirurgien ou une femme parler de la personne qui l'a aidée à accoucher pour constater la présence de ces sentiments, qui sont d'ailleurs tout à fait normaux. Il vous suffit simplement de connaître leur origine et de les prendre en considération.

L'hyperstimulation est pénible. Il est impossible d'y échapper. Dans les situations qui nous placent directement devant la douleur, le vieillissement et la mort, elle devient encore plus insupportable. Malgré tout, la certitude de mourir un jour peut rehausser notre appréciation de chaque moment de l'existence. Si cette perspective devient trop intense, pourquoi ne pas profiter d'un moyen de défense universel que l'on appelle le déni ? En outre, ne négligez pas l'aide et le réconfort que peuvent vous apporter vos amis et votre famille. Eux aussi devront faire face aux mêmes questions, un jour ou l'autre. Ce n'est pas le moment de vous sentir anormal, de vous culpabiliser. Nous sommes tous logés à la même enseigne.

Réécrivez votre histoire médicale

Le moment me paraît propice pour vous inciter à recadrer certaines de vos expériences sous l'éclairage de votre sensibilité.

Pensez à l'une de trois occasions où vous avez reçu des soins médicaux, par exemple une hospitalisation ou des maladies infantiles. Puis suivez les trois étapes que vous commencez à bien connaître. Tout d'abord, réfléchissez à votre interprétation habituelle de ces expériences, sans doute encouragée par les différentes attitudes des médecins — que vous êtes « trop sensible », un patient difficile, que votre douleur est imaginaire, que vous souffrez d'une névrose et ainsi de suite. Ensuite, replacez-les dans le contexte de ce que vous savez sur votre sensibilité. Enfin, demandez-vous si vous devriez prendre certaines mesures, par exemple changer de médecin ou lui offrir ce livre.

Si vos relations avec les professionnels de la santé vous ont toujours gâché la vie, lisez l'encadré qui suit.

REPENSEZ VOS RELATIONS AVEC LES PROFESSIONNELS DE LA SANTÉ

1. *Pensez à une situation hyperstimulante, inconfortable sur le plan social ou simplement problématique.* Par exemple, à la manière dont vous réagissez lorsque vous vous retrouvez simplement vêtu d'une chemise d'hôpital, lorsque vous devez vous soumettre à certains examens, à un prélèvement de sang ou à un traitement dentaire ; songez également à votre réaction lorsque vous attendez trop longtemps un diagnostic ou un rapport, ou lorsque celui-ci n'est pas clair.
2. *Réfléchissez à cette situation en prenant votre sensibilité en considération, y compris son rôle positif.* Par exemple, il vous permet de déceler les problèmes plus vite que la majorité des gens ; vous suivez plus consciencieusement les instructions. Mais surtout, réfléchissez à ce dont vous avez besoin (et ce à quoi vous avez droit) pour rendre la situation moins stimulante. En effet, tous les professionnels qui vous entourent devraient faire leur possible pour limiter chez vous la production de cortisol, étant

donné que le traitement aura beaucoup plus d'effet si vous êtes calme.

3. *Demandez-vous comment vous obtiendrez ce dont vous avez besoin.* Peut-être s'agit-il de quelque chose que vous pourriez faire par vous-même. Mais il est plus probable que vous serez contraint de parler de votre sensibilité à votre médecin. Par conséquent, rédigez un scénario. Votre texte doit être respectueux de vous-même, afin de susciter le respect chez les autres. Évitez l'impolitesse ou l'arrogance. Faites lire votre scénario par une personne en qui vous avez confiance. Naturellement, un professionnel de la santé serait idéal. Puis jouez avec lui la scène de votre conversation. Demandez-lui ses impressions.
4. *Pensez à mettre votre expérience à profit lors de votre prochaine visite médicale.* Peut-être souhaiterez-vous repasser certains de ces points ou vous entraîner davantage, afin que la scène que vous avez imaginée se concrétise sous vos yeux.

Avertissement : comment les médecins qualifient-ils votre sensibilité ?

Vous le savez sans doute, les médecins reconnaissent de plus en plus que nos attitudes mentales exercent une profonde influence sur notre système immunitaire et notre santé. Ils constatent également la présence, chez certaines personnes, de pensées ou de sentiments qui pourraient bien contribuer à l'apparition de la maladie. Mais parce que leur objectif consiste d'abord à soigner le trouble physique, ils omettent souvent de remarquer les aspects positifs d'un type de personnalité qui semble aller de pair avec la maladie. Je dis bien « semble », parce qu'ils ne sont pas non plus conscients des préjugés de la société à l'égard de certains types de personnalité. Et pourtant, ces préjugés sont souvent les vrais responsables des dommages. Mais les médecins vont parfois jusqu'à perpétuer involontairement les préjugés en proclamant du haut de leur autorité professionnelle qu'un certain type ou trait de personnalité est malsain ou négatif.

Une fois que vous aurez appris à lire entre les lignes, il vous sera facile de détecter les signes de préjugé. Par exemple, votre sensibilité sera définie comme un « syndrome », les hypersensibles sont « déséquilibrés », ils « perdent fréquemment leur sang-froid », ils ont des « réactions extrêmes » ou sont « incapables d'une perception exacte » en raison d'une teneur « excessive » ou « anormale » en ceci ou en cela. Il s'agit bien entendu de jugements portés par des membres de la classe des rois-guerriers. Ce sont eux qui décident de ce qui est normal, anormal, exact, excessif et ainsi de suite.

Il est toutefois possible qu'à certains moments, vous ayez vraiment l'impression d'avoir perdu votre équilibre et votre sang-froid, de réagir avec une violence excessive. Les hypersensibles, qui vivent au sein d'un monde stimulant, ne peuvent échapper à ces facteurs de stress, surtout s'ils ont vécu une enfance douloureuse ou une existence difficile. Si tel est votre cas, ne refusez pas les médicaments que votre médecin vous propose, même si son attitude ne vous rappelle que trop celle des rois-guerriers. (La prudence étant mère de la sûreté, démarrez avec de faibles doses.) Ce n'est pas votre sensibilité qui est à blâmer, c'est plutôt le monde dans lequel vous êtes né, qui vous impose épreuve sur épreuve pour vous obliger à vous adapter ou à changer.

Pourquoi prendre un médicament, Prozac ou autre ?

Je vous ai suggéré à plusieurs reprises de parler à votre médecin de votre sensibilité. Auquel cas, il est possible que tôt ou tard, il vous prescrive un médicament « psychoactif », à prendre en permanence. Il s'agira probablement d'un antidépresseur tel que le Prozac ou d'un anxiolytique tel que le Valium. Peut-être même, à l'instar de maints hypersensibles, les avez-vous déjà essayés. Ils peuvent se révéler très efficaces en période de crise ou pour juguler temporairement l'hyperstimulation et ses effets, par exemple l'insomnie ou les troubles de la nutrition. Toutefois, la question qui se pose ici est de savoir si vous devriez vraiment prendre un médicament de manière plus ou moins permanente, afin de « guérir » votre hypersensibilité. C'est l'avis de nombreux médecins.

Par exemple, lorsque je révélai à notre médecin de famille mon intention d'écrire ce livre, il fut enthousiasmé. « C'est un problème que la médecine a trop longtemps négligé », s'exclama-t-il. « Quelle honte ! Mais heureusement, il se soigne aujourd'hui aussi bien que le diabète. » Et il brandit aussitôt son bloc d'ordonnances.

Il était plein de bonnes intentions. Mais je ne pus m'empêcher de répondre, sur un ton légèrement sarcastique, que non, merci bien, j'allais essayer de survivre encore quelque temps sans son aide.

Peut-être estimez-vous néanmoins que les inconvénients de votre sensibilité l'emportent sur les avantages. Ou peut-être aimeriez-vous découvrir un produit capable de modifier l'expression de votre sensibilité. Vous pourriez alors essayer de prendre, sur une période prolongée, un médicament capable de modifier le fonctionnement de votre cerveau. Mais ne prenez de décision aussi grave qu'en toute connaissance de cause.

Par conséquent, le reste de ce chapitre ne porte pas sur ce que vous devriez ou ne devriez pas faire. Il est destiné à vous informer et à vous révéler tous les aspects du problème.

Les médicaments pendant une crise

Il faut absolument faire la distinction entre les médicaments psychoactifs que l'on peut prendre pendant une crise et ceux qui, prescrits à long terme, modifient la personnalité. Parfois, le médicament représente la seule porte de sortie, lorsque nous sommes prisonniers d'un cercle vicieux d'hyperstimulation qui nous rend incapables de fonctionner normalement pendant la journée et de dormir pendant la nuit. À ce moment-là, votre médecin, tout comme le mien, ne demandera pas mieux que de vous prescrire un médicament. Ou alors, partisan de l'autre extrême, il vous assurera que ces crises douloureuses doivent être endurées sans palliatif, surtout si leur cause est « externe », par exemple un deuil ou le trac provoqué par la perspective d'une représentation en public. Par conséquent, essayez de songer à l'avance à ce que vous pourriez faire pour atténuer la crise. Ensuite, cherchez un médecin dont les idées coïncident avec les vôtres. Car si vous attendez la crise pour réagir, il sera peut-être trop tard. Personne, ni vous ni un autre, ne vous jugera alors en état de prendre une décision importante. On vous exhortera à écouter les conseils du premier médecin venu.

Les médicaments qui jugulent l'hyperstimulation

Bien qu'il existe d'innombrables produits psychoactifs, deux types seulement sont en général prescrits aux hypersensibles. La première catégorie englobe les anxiolytiques à effet rapide, tels que le Librium, le Valium et le Xanex. La plupart, à l'exception du dernier, provoquent de la somnolence, ce qui est parfois un avantage, parfois un inconvénient. Tous jugulent l'hyperstimulation en quelques minutes. (Vous le savez maintenant, la stimulation n'est pas forcément provoquée par l'anxiété. Par conséquent, ne vous laissez pas traiter d'« anxieux ».)

Beaucoup de gens ne jurent que par ces médicaments, qui les aident à dormir ou leur permettent de survivre au trac ou à d'autres facteurs de stress. Toutefois, bien que leurs effets se dissipent assez vite, les anxiolytiques créent l'accoutumance lorsqu'on les prend pendant une période prolongée. Chaque fois qu'un nouveau médicament fait son apparition sur le marché, son fabricant se hâte d'affirmer qu'il est moins toxicomanogène que ses prédécesseurs. Mais en réalité, tous les produits qui nous redonnent sans délai notre degré optimal d'activation créent forcément une certaine accoutumance. Certains produits tels que l'alcool et les opiacés nous calment, tandis que la caféine et les amphétamines nous excitent. Ils créent tous une accoutumance. D'ailleurs, nous avons tendance à absorber n'importe quel produit susceptible de résoudre un problème jusqu'au jour où les effets secondaires l'emportent sur les bienfaits.

Dans le cas des substances qui influent sur le degré d'activation, c'est le cerveau qui s'y adapte. Par conséquent, il nous faut en prendre des doses de plus en plus élevées pour parvenir au même résultat. C'est à ce moment-là qu'elles commencent à endommager divers organes tels que le foie ou les reins. Pour couronner le tout, l'équilibre naturel de l'organisme sera entièrement détruit.

Naturellement, si vous vivez dans un état chronique d'hyperstimulation, il est probable que votre équilibre naturel n'est déjà plus qu'un souvenir. Par conséquent, la prise occasionnelle d'anxiolytiques pourrait vous offrir un soulagement dont vous avez bien besoin.

Il existe toutefois beaucoup d'autres moyens de modifier les fonctions chimiques de votre corps : faites une promenade, prenez de profondes respirations, faites-vous masser, prenez une collation saine, demandez à quelqu'un que vous aimez de vous prendre dans ses bras, écoutez de la musique, allez danser, etc. La liste est infinie.

Les tisanes calmantes à base de plantes existent depuis la préhistoire. La camomille, par exemple, est efficace, de même que la lavande, la grenadille, le houblon et l'avoine. Les magasins de produits naturels pourront vous conseiller. Vous y trouverez d'agréables mélanges, sous forme d'infusions en sachets ou de gélules. Comme toujours, l'efficacité varie en fonction de l'individu. Certains produits vous conviendront mieux que d'autres. Le plus efficace, si vous le prenez juste avant de vous coucher, provoquera un état de somnolence qui vous permettra ensuite de passer une bonne nuit. Le calcium et le magnésium ont également des effets calmants si vous en manquez. Mais attention, ces produits « naturels » peuvent avoir des effets puissants.

Il est fort possible que votre médecin omette de mentionner ces traitements aussi vieux que le monde, simplement parce qu'il reçoit régulièrement la visite de représentants des compagnies pharmaceutiques. Personne ne fait le tour des cliniques pour exhorter les médecins à prescrire une promenade ou une tasse de camomille.

Les médicaments utilisés pour enrayer l'hyperstimulation prolongée

Il existe une autre catégorie de médicaments que les médecins prescrivent pour éliminer les inconvénients, réels ou imaginaires, de l'hypersensibilité. Il s'agit des antidépresseurs qui, en période de crise, soulagent véritablement la douleur et pourrait bien sauver la vie du patient. (En effet, chez les personnes dépressives, le taux de mortalité est plus élevé que chez les autres, en raison de la fréquence des suicides et des accidents.) En outre, ils lui évitent un manque à gagner en lui permettant de continuer à travailler.

Les antidépresseurs n'effacent pas forcément toutes les émotions. Ils peuvent simplement créer une sorte de filet de sécurité, au-dessous duquel nous ne risquons pas de tomber. Étant donné que ces périodes de dépression grave ne représentent pas l'état « naturel » du patient, mais sont souvent causées par une intense fatigue du cerveau, il est logique de prescrire un médicament capable de soulager le cerveau. Une fois le sommeil et l'appétit retrouvés, le patient n'en a généralement plus besoin.

Il faut de deux à trois semaines pour qu'un antidépresseur commence à faire de l'effet. Par conséquent, ces médicaments ne sont pas très toxicomanogènes. La gratification n'est pas immédiate. Pourtant, certaines personnes ont beaucoup de mal à interrompre le traitement. Il est d'ailleurs préférable de diminuer progressivement la dose. Certes, je ne connais personne qui ait vendu sa chemise pour acheter une dose d'antidépresseur, mais l'accoutumance, aussi bénigne soit-elle, existe.

Si vous souhaitez prendre un antidépresseur, allez consulter un psychiatre versé dans ce domaine, quelqu'un dont les années d'expérience lui ont permis d'acquérir une certaine intuition de la manière dont chaque patient et ses symptômes vont réagir au traitement. Car, je le répète, les écarts entre chaque individu sont énormes. Naturellement, les spécialistes de ces produits croient fermement en leurs vertus. Par conséquent, assurez-vous que c'est bien ce que vous désirez.

Comment agissent les antidépresseurs ?

Notre cerveau est composé de millions de cellules, appelées neurones, qui communiquent les unes avec les autres en transmettant des messages par voie de prolongements. Mais ces derniers ne se touchent pas. Par conséquent, lorsque le message parvient au bout d'un prolongement, il doit franchir la distance qui le sépare du plus proche, un peu comme s'il prenait un traversier. Pour diverses raisons, c'est un système d'une efficacité éblouissante.

Pour franchir l'espace qui les sépare, les neurones fabriquent de petits traversiers chimiques, les neurotransmetteurs, qui sont libérés, à raison de doses minuscules, dans cet espace. Lorsque les neurotransmetteurs n'ont plus d'utilité, les neurones les reprennent. Ainsi, ils sont certains de toujours avoir la dose idéale à leur disposition.

La dépression semble causée par une pénurie de certains neurotransmetteurs. Les antidépresseurs viennent combler cette pénurie. Je ne veux pas dire par là qu'ils présentent la même composition. Car notre cerveau est justement conçu pour nous interdire ce genre de manipulation. Tout ce que nous pouvons faire, c'est absorber un produit capable de pénétrer dans le cerveau et de l'inciter à accepter le médicament plutôt que les neurotransmetteurs, dont la production, même modeste, peut alors se poursuivre.

Bien entendu, il s'agit là d'une description très simplifiée. Certaines personnes, semble-t-il, produisent « trop » de récepteurs de neurotransmetteurs (c'est l'une des raisons pour lesquelles elles sont si sensibles aux stimuli) et donc, se retrouvent plus tôt que les autres à court de neurotransmetteurs. Il est possible que ces récepteurs supplémentaires apparaissent en période de stress ou d'hyperstimulation prolongée. L'un des effets des antidépresseurs consiste à réduire le nombre de récepteurs, tâche qui exige un certain temps. C'est sans doute pour cette raison qu'ils ne commencent à faire de l'effet qu'au bout de deux ou trois semaines. Il ne s'agit que d'une théorie, car personne ne peut décrire en détail l'action des antidépresseurs. Nous en reparlerons un peu plus loin.

Vous demandez-vous comment l'hyperstimulation prolongée peut aboutir à la dépression et donc, être soignée par les antidépresseurs ? Il semblerait qu'une longue période de stress et donc, d'hyperstimulation, fasse diminuer la quantité de neurotransmetteurs. (D'autres facteurs peuvent également être responsables de leur élimination, tels que les virus.) Chez certaines personnes, la carence ne se comble pas d'elle-même. Mais d'autres ne réagissent pas de la même manière. C'est pourquoi nos connaissances de cette question demeurent si fragmentaires. Ce n'est pas votre sensibilité qui peut vous entraîner vers la dépression. C'est un état d'hyperstimulation prolongée.

Il existe déjà bon nombre de substances capables de remplacer les neurotransmetteurs et l'on en découvre chaque année de nouvelles. Pendant longtemps, les antidépresseurs ont produit un effet sur plusieurs neurotransmetteurs. Le Prozac a fait sensation, car il n'agit que sur un seul neurotransmetteur, la sérotonine. C'est pourquoi, en compagnie de ses cousins, le Paxil, le Zoloft et d'autres encore, il porte le nom d'« inhibiteur sélectif du recaptage de la sérotonine » (ISRS). Nous ignorons pourquoi ce caractère sélectif présente un tel avantage pour le traitement de certains troubles. Les chercheurs essaient aujourd'hui d'en apprendre le plus possible sur la sérotonine.

L'influence de la sérotonine sur la personnalité

Pourquoi l'ouvrage[3] de Peter Kramer, *Prozac : Le bonheur sur ordonnance,* a-t-il connu un succès aussi foudroyant lors de sa publication, il y a quelques années ? C'est parce que l'auteur y exprime l'inquiétude de tous les psychiatres qui ont découvert que certaines des personnes qui avaient pris des ISRS s'étaient retrouvées « guéries » de ce qui semblait être des caractéristiques personnelles profondément enracinées. L'une d'elles était une tendance héréditaire à une « réaction excessive au stress ». Ou, pour reprendre les termes que j'ai utilisés dans ce livre, à l'hyperstimulation.

Comme je l'ai mentionné plus haut, nous devrions nous méfier lorsque les médecins décrivent notre sensibilité comme une « réaction excessive au stress ». (Lorsque j'emploie le terme hyperstimulation, je fais allusion à un état de stimulation plus élevé que notre degré optimal d'activation du système nerveux.) Car que deviennent, à ce moment-là, les aspects positifs de notre sensibilité, d'une part, et les aspects négatifs d'une société qui considère un degré élevé de stress comme normal, d'autre part ? Nous ne sommes pas nés avec une tendance à « une réaction excessive au stress ». Nous sommes nés sensibles.

Quoi qu'il en soit, Kramer s'interroge sur les répercussions sociales d'une substance capable de modifier entièrement la personnalité des gens. Pourrions-nous accepter l'idée de changer un jour de personnalité, comme nous changeons de vêtements? Qu'adviendra-t-il du Soi, s'il est possible d'en changer si facilement? Quelle est la différence entre une drogue illicite vendue au coin des rues et un produit que les gens peuvent prendre, non parce qu'ils sont malades, mais parce qu'ils ont envie de ressentir certains effets? La population entière sera-t-elle contrainte de se droguer au Prozac, puis au Super Prozac, pour tolérer de plus en plus facilement des degrés de plus en plus élevés de stress? Enfin, Kramer pose à maintes reprises la question cruciale: que perdrait une société dont tous les membres décideraient de prendre ce genre de drogue?

J'ai insisté sur le livre de Kramer et les réactions qu'il a provoquées, car de nombreux médecins l'ont lu, justement ceux qui considèrent aujourd'hui la sensibilité comme l'une des indications du Prozac. En outre, l'auteur analyse les questions sociales et philosophiques avec beaucoup de lucidité. Si vous êtes un hypersensible typique, peut-être devriez-vous y réfléchir, vous aussi, en sus des questions purement personnelles. Cette réflexion vous sera utile lorsqu'un médecin vous proposera du Prozac ou l'un de ses dérivés.

La sérotonine chez les hypersensibles

Il est difficile de cerner toutes les raisons pour lesquelles la sérotonine est importante, car c'est le neurotransmetteur préféré de 14 endroits différents du cerveau. Peter Kramer rapproche son rôle de celui de la police. Lorsque la quantité de sérotonine est élevée, tout va pour le mieux, exactement comme lorsque les policiers patrouillent assidûment dans une ville. Ensuite, tout dépend des problèmes de chaque quartier: embouteillages ou criminalité. Dans le même ordre d'idées, la sérotonine soulage la dépression si une partie du cerveau est responsable de cette dépression. Elle prévient un comportement compulsif et perfectionniste lorsque c'est une autre partie du cerveau qui s'emballe. Si nous poussons l'analogie encore plus loin, nous pourrions supposer qu'en raison de la présence de tous ces policiers, une ombre entrevue dans une ruelle sombre ne nous semblerait pas aussi dangereuse que si le quartier était vide. Voilà qui bouleverserait l'existence de bien des hypersensibles, dotés d'un puissant système de pause réflexion. Mais cela ne s'appliquerait qu'au cas où une dose plus élevée de sérotonine — soit un plus grand nombre de policiers — se révélerait utile.

Lorsque j'ai lu les études de cas présentées par Kramer dans *Prozac : Le bonheur sur ordonnance,* je n'ai pu m'empêcher de me demander combien de ses patients étaient des hypersensibles qui, tout simplement, ne comprenaient pas cette hypersensibilité et, par conséquent, se jugeaient incapables de s'épanouir dans une société moins sensible. Ils vivaient donc dans un état d'hyperactivation chronique, leur teneur en sérotonine étant toujours trop faible. Le Prozac avait donc l'effet d'une panacée. Mais réfléchissez aux autres problèmes qui, selon Kramer, ont été résolus par le Prozac : comportement compulsif (tentative trop zélée de limiter l'anxiété et l'hyperstimulation ?), faiblesse de l'amour-propre, sensibilité à la critique (provoquée par l'appartenance à une minorité que le reste de la population considère comme anormale ?).

Par conséquent, dans quels cas un hypersensible devrait-il prendre des ISRS pour modifier des caractéristiques profondément enracinées de sa personnalité ? Tout dépend de la relation exacte entre la sérotonine et notre sensibilité. Malheureusement, il est bien trop tôt pour formuler une réponse. (Et lorsque cela sera possible, méfiez-vous des explications trop simples ou généralisées.) En attendant, certains indices suggèrent qu'ici aussi, le facteur crucial est représenté par le type d'hyperstimulation : ponctuelle ou chronique ?

Certains singes naissent avec un système de pause réflexion qui se déclenche lorsqu'ils aperçoivent ou entendent quelque chose de nouveau[4]. Nous possédons également ce système, sur lequel viennent se greffer quelques avantages propres aux humains : une compréhension approfondie du passé et de l'avenir, une plus grande maîtrise de ce système de pause réflexion, qui dépend beaucoup plus de notre volonté personnelle que chez les singes. Ces derniers se comportent comme leurs congénères les trois quarts du temps. Mais les jeunes sont moins portés à explorer. Leur rythme cardiaque est plus rapide et plus fluctuant, ils produisent davantage d'hormones de stress. En fait, ils présentent bien des points communs avec les enfants décrits par Jerome Kagan, dont nous avons parlé au chapitre 2. Mais à ce stade, leur teneur en sérotonine est la même que chez leurs congénères.

L'écart apparaît lorsque ces singes demeurent fortement stressés (ou hyperstimulés) pendant une période prolongée. Alors, comparés aux autres, ils semblent anxieux, déprimés et compulsifs. Si on les perturbe à plusieurs reprises, ces comportements s'accentuent et c'est à ce stade que la teneur en neurotransmetteurs commence à diminuer.

Ces comportements et changements physiques apparaissent chez *n'importe quel singe* séparé de sa mère dans son enfance et donc, traumatisé[5]. Curieusement, au moment du premier traumatisme, c'est la quantité d'hormones de stress tel le cortisol qui enregistre une augmentation. Mais avec le temps et surtout avec l'apparition d'autres facteurs de stress — l'isolement par exemple —, la teneur en sérotonine faiblit. Ces singes acquièrent un comportement réactionnel chronique.

Ce que nous démontrent ces deux études, c'est que le problème est engendré par l'hyperstimulation chronique, le stress ou le traumatisme infantile, et non par un aspect héréditaire. Nous avons analysé cette question au chapitre 2. Les enfants sensibles vivent de brefs moments de stimulation, leur production d'adrénaline s'accélère, mais s'ils se sentent en sécurité, tout va bien. C'est lorsqu'un enfant sensible — ou n'importe quel enfant, d'ailleurs — ne se sent plus en sécurité que la stimulation ponctuelle se transforme en hyperstimulation prolongée, accompagnée d'une augmentation de la production de cortisol. Quant à la sérotonine, elle finit par être entièrement consommée (c'est du moins ce que révèlent les recherches sur le comportement des singes).

Ces études sont importantes pour les hypersensibles. Elles nous expliquent concrètement pourquoi nous devrions éviter de vivre en état d'hyperstimulation chronique. Si notre enfance nous a programmés de manière à avoir peur de tout, il nous faut absolument renverser cette tendance, même si ce travail intérieur doit entraîner des années de psychothérapie. Kramer cite des études qui prouvent qu'une sensibilité permanente à l'hyperstimulation et à la dépression peut se révéler réellement nuisible si la teneur en sérotonine ne retourne pas à la normale. Par conséquent, nous devons nous sentir en sécurité, bien dans notre peau et éviter d'appauvrir nos réserves de sérotonine. Ainsi, nous pourrons jouir des avantages que nous procure notre sensibilité, apprécier le monde subtil en toute quiétude. Les moments inévitables d'hyperstimulation ne produiront ni une avalanche de cortisol qui se prolongera plusieurs jours ni une disparition de la sérotonine étalée sur des mois, voire des années. Si nous commettons une erreur, nous serons en mesure de la corriger. Mais il faut du temps et peut-être souhaiterez-vous prendre des médicaments pour faciliter le retour à l'équilibre.

L'appauvrissement en sérotonine fait-il de nous des victimes ?

Autre résultat intéressant de ces études, il semble que chez les singes dominants[6], du moins ceux qui appartiennent à une espèce très portée à la dominance, la teneur en sérotonine soit plus élevée que chez les autres. Le simple fait d'augmenter cette teneur, chez un singe de ce type, accroît sa dominance sur ses congénères auxquels on a fait absorber un produit qui fait diminuer la production de sérotonine. En plaçant un singe au sommet de l'ordre de dominance, on accroît la teneur en sérotonine de son cerveau. En le détrônant, on peut faire décroître sa production de sérotonine[7]. Voilà donc une autre raison pour laquelle les médecins souhaiteront peut-être augmenter votre teneur en sérotonine : pour vous aider à mieux réussir et à adopter un comportement plus dynamique dans une société dont la structure repose sur l'ordre de dominance.

Il ne me plaît pas du tout de devoir comparer des singes « timides » à des humains hypersensibles, qui possèdent justement en quantité supérieure au reste des humains ce qui nous rend différents des autres animaux, soit la perspicacité, l'intuition et l'imagination. Mais s'il est vrai que nous avons tendance à manquer de sérotonine, je n'ai d'autre choix que de m'interroger à ce sujet. On semble tenir pour acquis que c'est une faible teneur en sérotonine qui est responsable de notre comportement, moins dominateur que celui du reste des humains. Mais dans certains cas, il est possible que ce soit le sentiment d'être anormaux, d'occuper les échelons les plus bas de l'ordre de dominance qui appauvrisse notre teneur en sérotonine. Par conséquent, cette faible production de sérotonine, la dépression et tout son cortège de misères pourraient-ils être une conséquence du stress lui-même engendré par l'attitude méprisante de la société à l'égard des hypersensibles ?

Que doit être la teneur en sérotonine des jeunes Chinois « timides », « sensibles » qui, d'après les résultats de l'étude décrite au chapitre premier, sont les meneurs incontestés de leur classe ? Imaginez la teneur en sérotonine de leurs homologues canadiens, qui se trouvent, eux, au plus bas de la hiérarchie. Ce n'est peut-être pas du Prozac dont nous avons besoin, mais simplement du respect de nos pairs !

Pourquoi changer sa personnalité en prenant un ISRS ?

J'aimerais disposer de données relatives aux effets de ces médicaments sur les hypersensibles non déprimés. Mais cela ne nous apprendrait pas grand-chose, car il est bien connu que les effets des antidépresseurs varient d'une personne à une autre. Un médicament capable d'enrayer la dépression chez un patient n'aura strictement aucun effet sur quelqu'un d'autre. Je ne vois pas pourquoi, dans le cas des produits qui modifient la personnalité, il en irait différemment. Comme je l'ai mentionné au chapitre 2, l'hypersensibilité peut revêtir maintes formes. Par conséquent, méfiez-vous des explications généralisées, comme celles qui sont actuellement en vogue sur la sérotonine.

Voici quelques-uns des points que je vous conseille de prendre en considération avant de décider si oui ou non vous avez besoin de Prozac ou de l'un de ses dérivés. Tout d'abord, dans quelle mesure votre personnalité et votre état d'esprit actuels vous déplaisent-ils ? Ensuite, êtes-vous prêt à prendre un médicament pendant le reste de votre vie, afin de conserver votre nouvelle personnalité? Songez qu'il s'agit encore de médicaments trop nouveaux pour que nous en connaissions tous les effets secondaires et à long terme.

Pour le moment, nous savons que pour 10 à 15 p. 100 des patients, ces produits se comportent un peu comme des stimulants tels que les amphétamines (effet sur lequel le fabricant de Prozac, Eli Lilly, se garde bien d'insister[8]). Certaines personnes se plaignent d'insomnie, de rêves fatigants, d'une bougeotte incontrôlable, de tremblements, de nausées ou de diarrhée, de perte de poids, de maux de tête, d'anxiété[9], de sudation excessive et de bruxisme[10] (grincements nocturnes des dents). Les médecins leur prescrivent alors un anxiolytique à prendre généralement le soir pour favoriser le sommeil. Personnellement, je serais quelque peu inquiète de devoir absorber deux médicaments aussi puissants. Sans compter que les anxiolytiques créent une accoutumance.

Je connais beaucoup d'hypersensibles qui, après avoir commencé à prendre du Prozac ou des médicaments du même genre, ont abandonné le traitement, soit parce qu'il ne leur était pas d'une grande utilité, soit parce que les effets stimulants leur déplaisaient. Il est possible que le système d'activation du comportement, dont nous avons parlé au chapitre 2, soit mobilisé pour contrer l'action du système de pause réflexion. Par conséquent, ces médicaments seraient sans doute plus efficaces si votre «problème» était représenté par une déficience du système d'activation. C'est peut-être chez les personnes dont les deux systèmes fonctionnent avec une puissance égale que les médicaments ont des effets stimulants.

On a également découvert des effets secondaires sur le comportement sexuel, notamment chez les hommes. Selon une étude, le Prozac provoquerait des troubles de la mémoire. Une autre étude aurait, semble-t-il, démontré le contraire. D'après des recherches entreprises sur des sujets animaux, les antidépresseurs encouragent la croissance de tumeurs, mais ces résultats contredisent ceux d'études antérieures[11]. Il faudra du temps pour savoir si les humains courent le même danger. En outre, les médicaments qui modifient la personnalité ne doivent en aucun cas être associés à d'autres drogues, notamment aux autres antidépresseurs, parce qu'une teneur excessive en sérotonine peut être dangereuse, voire mortelle.

En fin de compte, le jeu en vaut-il la chandelle ?

Mon intention n'est pas de vous effrayer ou de vous empêcher de prendre des antidépresseurs, surtout en période de crise. (Toutefois, dans l'ensemble, les anciens antidépresseurs sont tout aussi efficaces. Les effets secondaires sont plus déplaisants, mais ces médicaments sont depuis longtemps sur le marché et ne semblent pas présenter de danger.) Je souhaite simplement que vous preniez votre décision en toute connaissance de cause. Vous ne connaîtrez pas toute l'histoire en lisant *Prozac : Le bonheur sur ordonnance.* Kramer a en effet délibérément omis de débattre les effets secondaires du Prozac, car il s'intéresse davantage aux retombées sur la société d'une catégorie de médicaments qui, pense-t-il, seront un jour épurés de leurs principaux effets secondaires. En outre, il fait table rase des différences individuelles qui pourraient susciter, chez quelques personnes, de très violentes réactions. Naturellement, ne vous attendez pas non plus à apprendre toute la vérité auprès des fabricants qui amassent des fortunes en mettant sur le marché des médicaments aussi rentables. Quant aux médecins généralistes, les recherches démontrent qu'ils surestiment l'utilité des médicaments qui font l'objet de la publicité la plus tapageuse[12]. N'oubliez pas non plus que les petites notices qui dressent la liste des effets secondaires sont rédigées par les compagnies pharmaceutiques dont le but principal n'est assurément pas d'inquiéter outre mesure leurs clients.

Les dangers du Prozac

Pour en savoir plus sur cette question, lisez l'ouvrage de Peter et Ginger Breggin, *Talking Back to Prozac*. Bien qu'un peu alarmiste, il lève le voile sur les machinations de l'industrie pharmaceutique et sur ses relations quelque peu incestueuses avec le mécanisme d'homologation des médicaments aux États-Unis. La Food and Drug Administration (FDA) n'entreprend pas les recherches sur les nouveaux produits pharmaceutiques ; elle se contente de les superviser. Ces études sont entreprises par des chercheurs qui, souvent, entretiennent des liens financiers avec les fabricants. Une fois le produit homologué, si un nouvel effet secondaire apparaît, la compagnie sera naturellement portée à le minimiser. Si quelqu'un intente des poursuites, l'affaire est discrètement réglée à l'amiable. Au demeurant, Eli Lilly a offert d'acquitter les frais de défense et recours de n'importe quel médecin poursuivi pour faute professionnelle après avoir prescrit correctement du Prozac[13].

Les auteurs précisent également que toutes les études relatives à ces nouveaux médicaments ont porté sur une prise de quelques mois, en général pour traiter une dépression grave. Il s'agit donc de périodes pendant lesquelles le cerveau ne se comporte pas normalement. Le traitement a pour objet de remédier à ce problème. Personne ne sait ce qui pourrait se passer lorsque le médicament est administré pour éliminer un trait de personnalité héréditaire, indésirable peut-être, mais tout à fait normal, chez une personne en bonne santé. Les antidépresseurs ne se contentent pas de combler une carence. Il leur faut des semaines pour commencer à faire de l'effet, car ils bouleversent la structure des neurones. En outre, aucune recherche n'a été entreprise sur leurs effets chez les jeunes, à qui, pourtant, on en prescrit régulièrement.

C'est par hasard que le premier membre de la famille des antidépresseurs a été découvert. Nous ne savons pas exactement quels mécanismes ils mettent en branle. Ils s'intègrent certainement — c'est leur raison d'être — dans le fonctionnement habituel du cerveau. C'est pourquoi P. et G. Breggin ridiculisent les métaphores optimistes selon lesquelles les médecins sont capables de « régler avec une extrême précision » le fonctionnement du cerveau ou de lui « rendre son équilibre » en « encourageant la production de neurotransmetteurs ». De l'avis des auteurs, le médecin « ressemble davantage à un collègue maladroit qui renverserait son café sur le clavier de notre ordinateur… à une exception près cependant : le Prozac est bien plus puissant que la caféine et notre cerveau, beaucoup plus vulnérable et facilement endommagé que n'importe quel ordinateur[14] ».

Même si leur perception des effets du Prozac vous paraît plutôt dantesque, rappelez-vous que notre cerveau est, lui aussi, capable de nous jouer quelques tours diaboliques. Par conséquent, soyez prévenu.

Un psychophysiologiste qui gagne sa vie en effectuant des recherches sur des animaux pour des compagnies pharmaceutiques se déclare convaincu que celles-ci exploitent notre désir d'une solution miracle qui n'existe tout simplement pas. Selon lui, nous pourrions résoudre la plupart de nos problèmes en apprenant à nous connaître, principalement au moyen d'une bonne psychothérapie. Il est intéressant de noter que Peter Kramer est du même avis.

> La psychothérapie demeure la méthode la plus utile de traitement de la dépression et de l'anxiété mineures. (...) La conviction, souvent exprimée par les promoteurs de la compression des frais médicaux, que les médicaments peuvent remplacer la psychothérapie, dissimule, à mon avis, une cynique indifférence envers les souffrances des patients [et] (...) sert de prétexte au refus de prendre en charge les traitements psychologiques[15].

À plus de 20 reprises — j'ai d'ailleurs fini par cesser de noter les numéros des pages pertinentes — Kramer s'interroge avec inquiétude sur une société dans laquelle le Prozac serait couramment prescrit et rendrait les gens indifférents, égocentriques et dépourvus de sensibilité. Mais il ne peut s'empêcher de déplorer le «calvinisme pharmacologique» selon lequel un médicament qui accroît notre satisfaction est moralement condamnable. Selon cette doctrine, la douleur est un privilège, l'art doit toujours être le fruit d'un esprit souffrant et torturé, seuls les malheureux sont capables de réflexion profonde, l'anxiété est l'ingrédient indispensable d'une existence authentique. Naturellement, il s'agit d'importantes questions de nature sociologique que les hypersensibles devraient débattre lorsqu'ils envisagent de prendre un médicament, non pas pour résoudre une crise passagère, mais pour modifier leur conception fondamentale de la vie, leur personnalité.

Si vous décidez d'aller de l'avant (ou si vous prenez déjà du Prozac)

Je sais que certains d'entre vous prenez déjà un ISRS. D'autres décideront peut-être d'essayer. En sus des avantages que vous en retirerez, vous contribuerez à notre connaissance de ces produits, tout comme ceux qui n'en prennent pas constituent le groupe étalon.

Kramer se demande si ces médicaments pourraient avoir des effets négatifs sur notre stabilité mentale. Nous pouvons en douter. Chaque mois, la plupart des femmes vivent des bouleversements tout aussi profonds de leur état d'esprit et de leur physiologie. Cela ne leur fait pas oublier leur identité. Simplement, elles reconnaissent que les rouages de leur organisme sont très complexes. Peut-être ont-elles l'impression de posséder plusieurs personnalités qui se chevauchent, les unes l'emportant sur d'autres en fonction du moment. Dans le cas d'un médicament, vous devez décider quelle personne vous voulez être. Qui décide ? Un témoin intérieur, solidement ancré. Vous prendrez conscience de son existence comme jamais auparavant. Vous réfléchirez à ce que vous voulez devenir et vous vous sentirez plus libre de votre choix que vous ne l'avez jamais été.

Pour un hypersensible, c'est une époque fascinante. Lorsque vous avez commencé à lire ce livre, peut-être ne saviez-vous même pas ce que vous étiez. Désormais, lorsque vous discuterez de votre sensibilité avec un médecin ou tenterez (ou ne tenterez pas) de modifier la physiologie de votre sensibilité, vous deviendrez l'un des pionniers dans ce domaine. Alors pourquoi vous inquiéter d'une petite hyperstimulation occasionnelle ? Prenez-la bien en main et poursuivez votre route.

METTEZ À PROFIT CE QUE VOUS VENEZ D'APPRENDRE

Que changeriez-vous si l'on vous offrait la pilule miracle sans danger ?

Tracez une ligne médiane pour former deux colonnes sur une feuille de papier. À gauche, dressez la liste de tout ce que vous aimeriez éliminer chez vous, même s'il s'agit d'aspects très vaguement reliés à votre sensibilité, s'il existait une pilule miracle sans danger. C'est l'occasion rêvée de fulminer contre tous les inconvénients de votre sensibilité et de fantasmer sur cette pilule miracle. (Cet exercice ne porte pas sur l'administration de médicaments en cas de crise, de dépression ou de désir de suicide.)

Ensuite, en face de chaque entrée dans la colonne de gauche, inscrivez dans la colonne de droite ce que vous perdriez si les effets négatifs de votre sensibilité étaient annihilés par cette pilule miraculeuse. (Pas plus que les autres pilules, celle-ci n'est capable de préserver un paradoxe.) Voici un exemple sans rapport avec la sensibilité: «Entêtement» irait dans la colonne de gauche, «persistance» irait dans la colonne de droite.

Vous pourriez également noter chaque entrée de gauche, de 1 à 3, 1 étant ce qui vous gêne le moins et 3 ce dont vous souhaitez le plus vous débarrasser. À droite, procédez de la même manière, 3 étant ce que vous désirez conserver le plus ardemment. Puis calculez les deux totaux. Si le total de gauche est beaucoup plus élevé que celui de droite, cela signifie soit que vous pourriez continuer à chercher un médicament susceptible de vous aider, soit qu'il vous est difficile de vous accepter tel que vous êtes.

CHAPITRE 10

L'âme et l'esprit
Le véritable trésor

Les hypersensibles, c'est évident, ont des affinités avec l'âme et l'esprit. Par « âme », j'entends tout ce qui est plus subtil que le monde physique, mais qui demeure toutefois incarné, soit les rêves et l'imagination. L'esprit, en revanche, transcende tout ce qui est âme, corps et Univers.

Quel rôle l'âme et l'esprit devraient-ils jouer dans votre vie? C'est à cela que j'ai consacré les dernières pages, car je suis d'avis que nous sommes destinés à nous rapprocher de la plénitude dont la conscience humaine a tant besoin. Après tout, nous possédons un talent particulier pour déceler ce que les autres ignorent ou rejettent. C'est cette ignorance qui est responsable de bien des dégâts.

Ce chapitre fait entendre d'autres voix que celles de la psychologie, des voix angéliques et divines.

Quatre signes

Rétrospectivement, je considère comme un événement historique le premier rassemblement d'hypersensibles sur le campus de l'Université de la Californie à Santa Cruz, le 12 mars 1992. J'avais annoncé une conférence sur les résultats de mes entretiens et de mes premiers sondages, à laquelle j'invitai tous les participants ainsi que les étudiants et les psychothérapeutes intéressés, dont la plupart se révélèrent également être des hypersensibles.

À mon entrée, je remarquai le silence total qui régnait dans la salle. En y réfléchissant, je me serais peut-être attendue à un calme poli. Mais c'était plus que cela. C'était un silence tangible, celui qui imprègne les profondeurs d'une très vieille forêt. La présence de tous ces gens avait métamorphosé une salle de conférence très ordinaire en un lieu de recueillement.

Pendant que je me préparais à parler, je notai leur présence attentive. Naturellement, il s'agissait d'un sujet qui leur tenait à cœur. Mais j'avais l'impression d'une véritable communion. C'est une constatation que j'ai faite depuis à maintes reprises, chaque fois que je me trouve face à un auditoire d'hypersensibles. Nous nous intéressons aux idées, nous les examinons sous toutes leurs coutures, nous envisageons toutes les possibilités. En outre, nous démontrons un esprit de collaboration. Il ne nous viendrait pas à l'idée de gâcher le plaisir des autres en chuchotant, en bâillant, en entrant ou en sortant de la salle à des moments intempestifs.

Ma troisième observation provient des cours que je donne aux hypersensibles. J'aime marquer plusieurs pauses, dont l'une se déroule en silence, dans le repos, la méditation, la prière ou la réflexion, au goût de chacun. Je sais par expérience qu'un certain pourcentage de l'auditoire moyen est embarrassé, voire troublé par ce genre de suggestion. Avec les hypersensibles, je n'ai jamais remarqué la moindre hésitation.

En quatrième lieu, la moitié des personnes interrogées m'ont parlé surtout de leur vie intérieure et spirituelle, telle que je l'ai définie au début du chapitre. Avec les autres, lorsque j'abordai le sujet de la vie intérieure, de la philosophie, de leur relation avec la religion ou les exercices spirituels, ces voix acquéraient une énergie soudaine, comme si j'avais enfin mis la question la plus importante sur le tapis.

La question du dogme a suscité de puissantes réactions. Quelques-uns ont affirmé être très engagés, d'autres, au contraire, se sont montrés mécontents, voire dédaigneux de toute religion établie. Mais près de la moitié, en fait, suivaient quotidiennement une démarche spirituelle entièrement dépourvue de dogmatisme, qui les entraînait vers l'intérieur, vers les profondeurs de l'âme.

Voici quelques-unes de leurs observations. Réduites à une série de séquences éclairs, elles composent presque un poème.

Il médite depuis des années, mais « laisse passer les visions ».

Elle prie tous les jours : « Nos prières sont toujours entendues. »

« Je m'entraîne à vivre en harmonie avec la nature humaine et animale. »

Elle médite tous les jours. N'a pas de religion, mais vit d'optimisme.

Il sait qu'il existe un esprit, un pouvoir suprême, une force qui nous guide.

« Si j'étais un homme, je serais jésuite. »

« Tout ce qui vit est important ; mais il y a quelque chose de plus grand, je le sais. »

« Nous sommes ce que nous faisons aux autres. La religion ? Il serait réconfortant de pouvoir croire en quelque chose. »

« Le taoïsme, la force à l'œuvre dans l'Univers : cessons de lutter. »

A commencé à parler à Dieu dès l'âge de cinq ans, assis dans les arbres ; se sent guidé par une voix pendant les crises, reçoit la visite des anges.

Exercices de relaxation profonde, deux fois par jour.

« La raison d'être de notre existence est de protéger la planète. »

Elle médite deux fois par jour ; a eu des « expériences océaniques, quelques jours d'euphorie durable, mais la vie spirituelle nous absorbe de plus en plus, elle exige aussi notre compréhension ».

« J'étais athée jusqu'à ce que je rencontre Alanon. »

« Je pense à Jésus, aux saints. Je suis submergé par des émotions spirituelles. »

Elle médite, elle a des visions, ses rêves l'emplissent d'une « énergie rayonnante » ; ses journées sont pleines « de joie et de grâce débordantes ».

À quatre ans, elle a entendu une voix lui promettre de la protéger toute sa vie.

« La vie est agréable, dans l'ensemble, mais le plaisir n'est pas notre raison d'être. Nous existons pour nous instruire sur Dieu. C'est ce qui forme le caractère. »

« Je ressens une attirance mêlée de répugnance pour la religion de mon enfance ; j'ai toujours été sensible à la transcendance, aux mystères, bien que je ne sache pas vraiment comment les interpréter. »

Beaucoup d'expériences mystiques. La plus pure s'est produite lorsque son enfant est né.

A court-circuité la religion, s'est adressé directement à Dieu (grâce à la méditation) et a décidé de venir en aide aux nécessiteux.

Avec un groupe, s'entraîne à une méthode spirituelle originaire de l'Indonésie ; ils chantent et dansent pour atteindre « un état naturel d'existence qui aboutit au bonheur suprême ».

Passe une demi-heure en prière chaque matin, à réfléchir à la journée passée et à celle qui commence. « Le Seigneur nous éclaire, nous corrige, nous montre la voie. »

« Je crois que lorsque nous renaissons dans le Christ, nous recevons la capacité de nous développer afin de vivre toute notre vie dans la gloire de Dieu. »

« Les véritables expériences mystiques se manifestent dans la vie quotidienne par la conviction que tout ira pour le mieux. »

« Je suis bouddhiste-hindouiste-panthéiste : tout ce qui arrive, doit arriver ; amusons-nous, vivons dans la beauté, au-dessus, en dessous et en arrière. »

« J'ai souvent l'impression de ne faire qu'un avec l'Univers. »

Nos qualités — comment servir la société ?

J'ai mentionné quatre caractéristiques des rassemblements d'hypersensibles : le silence profond qui crée une sorte de présence collective sacrée, la considération pour les autres, la présence de l'âme et de l'esprit, et la faculté de comprendre tout cela. À mon avis, c'est la preuve que les hypersensibles, soit les conseillers royaux, forment aussi la classe des « prêtres », qui apportent à la société la nourriture spirituelle dont elle a besoin. Je ne saurais donner un nom à cette caractéristique. Mais j'aimerais vous faire part de quelques observations.

La création d'un espace sacré

J'aime la définition que les anthropologues donnent au leadership rituel, à l'espace sacré[1]. Les prêtres créent pour les autres des phénomènes qui ne peuvent se dérouler que dans un espace rituel ou sacré, un espace de transition, à l'écart du monde physique. Une expérience mystique au sein de cet espace nous transforme, donne un sens à notre présence. En son absence, la vie devient morne et désolée. Le prêtre trace les limites de cet espace, il le protège et prépare les autres à y pénétrer. Il les guide, une fois à l'intérieur, puis les aide à retourner dans le monde extérieur, riches du sens de leur expérience. Autrefois, il s'agissait des grands rites de passage de la vie : l'âge adulte, le mariage, l'état de parent, la vieillesse et la mort. D'autres rites avaient pour but de guérir, de provoquer une vision ou une révélation qui nous montrerait la voie ou de nous aider à vivre en harmonie avec le divin.

Aujourd'hui, les espaces sacrés perdent vite leur caractère si nous ne les protégeons pas avec le plus grand soin. Ils se créent dans le cabinet de certains psychothérapeutes, tout autant que dans les églises ou dans des rassemblements d'hommes ou de femmes mécontents de leur religion, dans des collectivités qui respectent leurs traditions ancestrales. Il suffit de changer de sujet ou d'adopter un ton de voix légèrement différent dans une conversation pour signaler leur apparition. Il n'est pas nécessaire de revêtir un costume de chaman ou de tracer un cercle cérémonial. Les frontières de l'espace sacré se déplacent aujourd'hui, car elles sont symboliques et rarement visibles.

Bien que certains hypersensibles, dégoûtés par de mauvaises expériences, aient rejeté tout ce qui semble toucher au sacré, la majorité se sent particulièrement à l'aise dans ce genre d'espace. Beaucoup d'entre eux le créent autour d'eux, presque spontanément. Ensuite, ils assument la vocation de le créer pour les autres. Cela fait véritablement d'eux des prêtres, qui acceptent d'entretenir l'espace sacré en cette ère dont la sécularisation belliqueuse est l'indice du triomphe des rois-guerriers.

Le rôle du prophète

Marie-Louise von Franz, psychologue qui collabora étroitement avec Carl Jung, perçoit les hypersensibles comme une catégorie particulière de « prêtres ». Elle décrit ce que les jungiens appellent le type intuitif introverti, qualificatif que l'on peut attribuer à la plupart des hypersensibles. (Si vous n'appartenez ni à l'une ni à l'autre de ces catégories, vous me pardonnerez de vous abandonner quelques instants.)

> Le type intuitif introverti possède la même capacité que l'intuitif extraverti de subodorer l'avenir. (...) Mais son intuition est tournée vers l'intérieur, ce qui fait de lui le type même du prophète religieux, du devin. Sur un plan primitif, c'est le chaman qui sait ce que les dieux, les fantômes et les esprits des ancêtres préparent, et qui transmet leurs messages à la tribu. (...) Il connaît les lents cheminements qui se produisent au cœur de l'inconscient collectif[2].

Aujourd'hui, maints hypersensibles préfèrent être poètes et artistes plutôt que prophètes ou devins. Ils créent ainsi des œuvres qui, selon Marie-Louise von Franz, « ne sont généralement comprises que par les générations ultérieures, car elles reflètent l'inconscient collectif des époques révolues ». Mais les prophètes ont toujours façonné la religion plutôt que l'art et c'est pourquoi elle subit aujourd'hui d'étranges bouleversements.

Demandez-vous si le soleil se lève à l'est. Puis essayez de réfléchir à ce qui ne va pas, dans votre réponse. Parce que si vous répondez par l'affirmative, vous avez tort. Ce n'est pas le soleil qui se lève. C'est la Terre qui tourne. Il en va de même de l'expérience personnelle. Nous ne pouvons lui faire confiance, semble-t-il. Nous pouvons seulement nous fier à la science.

En effet, la science a triomphé. Elle est devenue l'outil de la connaissance. Et pourtant, elle n'est pas équipée pour répondre aux grandes questions spirituelles, philosophiques et morales. C'est pourquoi nous refusons de leur accorder de l'importance. Mais nous avons tort, car ces questions sont importantes. Elles trouvent leur réponse, implicite certes, dans les valeurs et les comportements d'une société, dans ce que nous respectons, aimons ou craignons, dans ceux que nous abandonnons, dépourvus de gîte ou de couvert. Lorsque quelqu'un essaie de trouver une réponse explicite à ces questions, c'est généralement un hypersensible.

Pourtant, aujourd'hui, les hypersensibles eux-mêmes ne savent plus très bien s'ils devraient continuer à croire en l'invisible, surtout depuis que la science a démontré l'erreur des anciennes convictions. Nous en croyons à peine nos sens, encore moins notre intuition, depuis que nous avons appris que le soleil, en fait, ne se levait pas. Il suffit de réfléchir à l'énorme fardeau du dogme que la classe des prêtres essayait autrefois de nous faire assumer. Aujourd'hui, nous pouvons démontrer qu'une bonne partie a été inventée de toutes pièces, parfois dans des intentions peu recommandables, pour servir les intérêts de cette classe de dirigeants religieux.

La science n'est pas seule responsable des coups portés à la foi. La communication et les voyages ont aussi leur part de responsabilité. Si je crois au paradis, alors que quelques milliards de gens, de l'autre côté du globe, croient en la réincarnation, qui a raison ? Si un aspect de ma religion est erroné, qu'en est-il de tous les autres ? L'étude comparée des religions ne démontre-t-elle pas qu'elles sont nées du besoin d'expliquer les phénomènes naturels, auquel s'ajoute le besoin de réconfort face à la perspective de la mort ? Pourquoi donc ne pas nous débarrasser de ces superstitions, de ces béquilles psychologiques ? En outre, si Dieu existe, comment expliquer toutes les misères du monde ? Et, tant que nous y sommes, comment expliquer que la religion soit responsable d'une large part de ces misères ? C'est ce qu'affirment les sceptiques.

Le recul de la religion a maintes explications. Certains sont d'accord avec les sceptiques, d'autres se raccrochent à l'idée d'une force abstraite du bien. Certains, qui s'agrippent plus énergiquement que jamais à leurs traditions, deviennent des fondamentalistes. D'autres rejettent les dogmes qui, affirment-ils, sont à l'origine de bien des maux, mais continuent d'apprécier les rituels et quelques-uns des principes de leur tradition religieuse. Enfin, une nouvelle espèce a surgi, qui recherche directement l'expérience mystique, au mépris des leçons du clergé. Ces nouveaux croyants savent que, pour une raison inconnue, chacun vit sa piété à sa façon. Par conséquent, ils n'essaient pas d'imposer la leur sous le motif que, seule, elle représente la vérité. Peut-être sont-ils les premiers à accepter l'idée que tout ce qui relève de la connaissance spirituelle demeurera toujours incertain.

Bien que les hypersensibles soient représentés dans chaque catégorie, j'ai pu constater, d'après mes entretiens et mes cours, qu'ils appartiennent en majorité à la dernière. À l'instar des explorateurs et des scientifiques, ils sondent l'inconnu, puis reviennent narrer leurs expériences.

Toutefois, beaucoup d'entre eux hésitent justement à faire part de ce qu'ils ont vécu. Ce méli-mélo de religions, de conversions, de sectes, de gourous et d'amulettes nouvel âge est si grotesque ! Nous nous sommes tous sentis gênés par nos semblables qui se promènent en brandissant des dépliants, la flamme du fanatisme brûlant dans leurs yeux. Nous craignons d'être placés dans le même panier. Les hypersensibles sont déjà marginalisés par une société qui encourage le matérialisme au détriment de l'âme et de l'esprit. Nul besoin d'aggraver notre cas.

Et pourtant, notre époque a besoin de nous. Le déséquilibre entre l'influence des rois-guerriers et celle des prêtres-conseillers est toujours dangereux. Il l'est d'autant plus lorsque la science nie l'existence de l'intuition et que les « grandes questions » sont résolues sans réflexion, mais selon les perceptions en vigueur au moment présent.

C'est dans ce domaine, plus que dans tout autre, que le besoin de notre contribution se fait cruellement sentir.

Inscrivez les principes de votre propre religion

Que votre religion soit ou non établie, elle repose sur certains principes. Je vous suggère de les inscrire, sur-le-champ si possible. Qu'acceptez-vous ? En quoi croyez-vous ? Que vous a appris votre expérience ? Étant donné que vous appartenez à la classe des conseillers royaux, il est bon que vous sachiez utiliser les mots nécessaires pour décrire vos convictions. Si vous connaissez quelqu'un à qui votre expérience serait utile, pourquoi ne pas lui en faire part ? Si vous ne voulez pas vous engager, si vous avez peur d'être prisonnier d'un certain dogmatisme, faites de cette répugnance, de cette incertitude, votre premier principe. Vous avez beau posséder vos convictions, rien ne vous interdit d'en changer ou de les modifier. Rien ne vous oblige à les imposer aux autres.

Comment inciter les autres à rechercher le sens de l'existence ?

Si l'idée de jouer au prophète vous déplaît, loin de moi l'idée de vous en blâmer. Toutefois, il est possible que durant une «crise existentielle», vous soyez contraint, bien malgré vous, de monter en chaire. C'est ce qui arriva à Viktor Frankl, psychiatre juif, interné par les nazis dans un camp de concentration.

Dans *Découvrir un sens à sa vie,* Frankl (selon toute évidence, un hypersensible) nous raconte qu'à maintes reprises, il fut appelé à encourager ses compagnons de souffrance. Son intuition lui faisait comprendre ce que les autres recherchaient, lui faisait deviner l'acuité de leurs besoins. Il remarqua également que dans des circonstances aussi atroces, les prisonniers qui, aidés par d'autres, essayaient de donner un certain sens à leur existence, survivaient plus facilement, sur le plan psychologique d'abord, sur le plan physique ensuite.

> Il est possible que les personnes sensibles, habituées à une riche vie intellectuelle, aient terriblement souffert (étant souvent de constitution délicate), mais que leur vie intérieure ait subi moins de dommages. Car elles sont capables de faire abstraction de leur horrible environnement pour se retirer dans un royaume de richesses intérieures et de liberté spirituelle. Nous ne pouvons expliquer autrement que des prisonniers de constitution fragile aient survécu à la vie dans des camps plus facilement que leurs camarades apparemment plus robustes[3].

Pour Frankl, le sens de la vie n'est pas toujours inféodé à la religion. Dans les camps, il découvrit à plusieurs reprises que sa raison de vivre était tout simplement d'aider ses compagnons. À certaines occasions, c'est le livre qu'il écrivait sur des morceaux de papier qui l'aida à conserver sa santé mentale. À d'autres, c'était le profond amour qu'il portait à son épouse.

Etty Hillesum est un autre exemple d'hypersensible qui parvint à donner un sens à sa vie et à le faire partager aux autres durant cette ère de bouleversements. Dans son journal, rédigé à

Amsterdam en 1941 et en 1942[4], elle s'efforce de comprendre et de transformer son vécu en l'inscrivant dans une perspective historique et spirituelle, toujours tournée vers l'intérieur. Lentement, une tranquille victoire personnelle finit par supplanter la terreur et le doute. Ses anecdotes nous laissent également entendre à quel point sa présence rassurait les autres. J'éprouve une affection particulière pour ses derniers mots, écrits sur un morceau de papier qu'elle lança par la porte du wagon à bestiaux qui l'emmenait à Auschwitz : « Nous quittâmes le camp en chantant. »

Etty Hillesum faisait fond sur la psychologie de Jung et la poésie de Rilke (tous deux hypersensibles). Voici ce qu'elle écrivait à propos de Rilke.

> Il est étrange de penser que (...) [Rilke] aurait peut-être été brisé par les événements que nous vivons en ce moment. N'est-ce pas un autre témoignage de l'équilibre parfait de la vie ? Le témoignage qu'en période de paix, dans des circonstances favorables, les artistes sensibles peuvent rechercher l'expression la plus pure, la plus parfaite de leurs pensées profondes, afin qu'en des temps troublés et déprimants, les autres puissent se tourner vers eux, pour y trouver un appui et une réponse toute prête aux questions qui les effarent ? Une réponse qu'ils sont incapables de formuler par eux-mêmes, car ils consacrent toute leur énergie à répondre aux besoins les plus primitifs. Malheureusement, en période difficile, nous avons tendance à rejeter l'héritage spirituel des artistes d'un âge plus « heureux » en nous demandant « de quelle utilité pourraient-ils bien être aujourd'hui ». Réaction compréhensible, certes, mais qui témoigne d'une grande myopie spirituelle. Et d'un terrible appauvrissement de notre âme[5].

Quelle que soit l'époque, les souffrances finissent par toucher toutes les vies. Pour les hypersensibles, c'est l'occasion merveilleuse de consacrer leur créativité à survivre et à aider les autres.

Par conséquent, nous nous rendons et rendons aux autres un très mauvais service en nous jugeant faibles par comparaison aux guerriers. Notre force, bien que différente de la leur, se révèle souvent supérieure. Parfois, c'est la seule capable de supporter la souffrance et de survivre au mal. Elle exige autant de courage. Un entraînement bien choisi peut encore l'accroître. Il ne s'agit pas toujours d'endurer et d'accepter la souffrance ou de lui trouver un sens. La situation exige parfois de la finesse et un sens de la stratégie.

Au cours d'une nuit glaciale, pendant une panne de courant, les camarades de chambre de Frankl le supplièrent de leur parler dans l'obscurité. On savait que plusieurs d'entre eux envisageaient de se suicider. (Non seulement un suicide provoquait une baisse sensible du moral, mais encore tous les camarades de dortoir du suicidé étaient ensuite punis.) Frankl dut mobiliser toutes ses ressources de psychologue pour trouver les mots. Lorsque la lumière revint, les hommes l'entourèrent pour le remercier, les larmes aux yeux. Il venait de remporter le genre de victoire qui caractérise les hypersensibles.

Nous sommes les pionniers de la quête de la plénitude

Aux chapitres 6 et 7, j'ai décrit le mécanisme d'individuation grâce auquel nous entendons nos voix intérieures. C'est lui qui nous permet de trouver le sens de notre vie, notre vocation. Comme le rappelle Martha Sinetar, dans *Ordinary People as Monks and Mystics*: « Voici donc la raison d'être de notre existence (…): quiconque découvre ce qui lui convient et s'y raccroche finit par connaître la plénitude[6]. » J'ajouterais simplement que ce à quoi nous nous raccrochons n'est pas forcément un but figé, mais un cheminement. Ce que nous avons besoin d'entendre peut changer d'une journée à l'autre, d'une année à l'autre. C'est pourquoi Frankl refusait de parler du sens unique de la vie.

> Car le sens de la vie diffère d'un être à l'autre, d'une journée à l'autre, voire d'une heure à l'autre. (...) Poser la question en termes généraux reviendrait à demander à un champion aux échecs : « Dites-moi, maître, quel est le meilleur coup du monde ? » Il n'existe tout simplement pas de meilleur coup, il n'existe même pas de bon coup en dehors d'une situation particulière. (...) Nous devrions nous abstenir de chercher un sens abstrait à la vie[7].

La quête de la plénitude consiste en fait à décrire des cercles concentriques, de plus en plus petits, à travers différents sens, différentes voix. Nous ne parviendrons jamais au centre. Tout ce que nous pouvons espérer, c'est améliorer notre connaissance de ce qui se trouve au centre. Mais en décrivant nos cercles, nous échappons à l'arrogance, car cela nous permet de vivre tous les aspects de nous-mêmes. C'est la quête de la plénitude et non de la perfection. Par définition, la plénitude englobe l'imperfection. Au chapitre 7, j'ai décrit ces imperfections, ces «ombres» qui nous accompagnent, qui contiennent tout ce que nous avons refoulé, rejeté, dénié et détesté à propos de nous-mêmes. Les hypersensibles consciencieux présentent autant de caractéristiques déplaisantes que n'importe qui d'autre. Ils ressentent autant de désirs immoraux que les autres. Et lorsqu'ils décident, à juste titre, de ne pas y obéir, ces désirs ne disparaissent pas pour autant. Certains se dissimulent tout simplement sous la surface.

Dans l'ensemble, il est préférable de connaître les «ombres» de notre personnalité, afin de les tenir à l'œil, plutôt que d'essayer de nous en débarrasser une fois pour toutes, car elles ont une fâcheuse tendance à refaire surface au moment où nous nous y attendons le moins. En général, les gens les plus dangereux et les plus vulnérables, sur le plan moral, sont ceux qui se disent incapables d'une mauvaise action, se comportent en pharisiens et ne savent même pas qu'ils ont une ombre, encore moins à quoi elle ressemble.

En sus de la possibilité d'adopter un comportement en harmonie avec la morale, cette ombre apporte de la vitalité et de la profondeur à notre personnalité, lorsque nous réussissons à l'intégrer consciemment. Au chapitre 6, j'ai parlé des hypersensibles «libérés», non conformistes, extrêmement créatifs. Apprendre à connaître certains des aspects obscurs de notre personnalité — il est impossible de les explorer tous — est le meilleur, peut-être le seul moyen pour un hypersensible de se libérer du carcan de sociabilité dans lequel il s'est enfermé dès son enfance. L'hypersensible consciencieux, désireux de plaire, bénéficiera des caractéristiques de l'hypersensible puissant, rusé, ambitieux, impulsif et confiant. Lorsqu'ils font équipe, chacun respecte l'autre et le freine si besoin est. Dans le monde, c'est une combinaison gagnante.

Voilà donc ce que j'entends par la quête de la plénitude. Les hypersensibles peuvent jouer un rôle crucial dans un travail humain aussi important. Pour nous, la plénitude remplit une fonction vitale, parce que nous sommes nés à l'extrémité d'une dimension, celle de la sensibilité. En outre, dans notre société, non seulement nous représentons une minorité, mais encore nous sommes considérés comme les plus éloignés de l'idéal. Par conséquent, nous devons voyager tout au long de cette dimension, jusqu'à l'autre extrémité. Après nous être sentis faibles, anormaux et persécutés, nous apprendrons à nous sentir forts et supérieurs. Ce livre, je l'espère, vous a encouragé dans cette voie. Pour moi, il s'agit d'une compensation nécessaire. Mais pour beaucoup d'hypersensibles, la véritable épreuve consiste à trouver le juste milieu. Ne plus être qualifiés de « trop timides » ou de « trop sensibles » ou encore de « trop » quoi que ce soit. Être simplement traités en gens ordinaires, normaux.

La plénitude est également importante pour les hypersensibles, qui sont en général très à l'écoute de leur vie psychologique ou spirituelle. Car si nous persistons dans la voie de la spiritualité, à l'exclusion de tout le reste, nous risquons justement d'oublier tout le reste. Il est très difficile d'accepter l'idée qu'en délaissant quelque peu notre vie spirituelle, nous l'enrichirons, qu'en nous attardant un peu moins sur nos explorations psychologiques, nous comprendrons encore mieux notre psyché. C'est la quête de la plénitude, plutôt que celle de la perfection, qui nous permettra de saisir la vérité.

En sus de ces généralités, notons que la voie de la plénitude est très individuelle, même pour les hypersensibles. Si nous demeurons cloîtrés, nous finirons par être tentés ou forcés de sortir. Si nous sommes sortis, nous devrons rentrer. Si nous nous sommes entourés d'une carapace, nous devrons accepter notre vulnérabilité. Mais si nous sommes timides, nous finirons par ressentir un malaise, qui se perpétuera en nous jusqu'au jour où nous déciderons de nous affirmer.

Pour reprendre les notions jungiennes d'introversion et d'extraversion, la plupart des hypersensibles ont besoin de se montrer plus extravertis pour connaître la plénitude. J'ai entendu dire que Martin Buber, qui écrivit des pages si éloquentes sur la relation «je-tu», connut une véritable révélation le jour où un jeune homme lui demanda son aide. Buber était trop occupé à méditer et à jouer son rôle de saint pour apprécier la visite. Peu après, le jeune homme mourut au combat. C'est à partir de ce moment-là que Buber se mit à accorder une énorme importance à la relation «je-tu», car il venait de comprendre ce que sa solitude spirituelle d'introverti avait d'égoïste.

La quête de la plénitude par les quatre fonctions

Je le répète, nous ne trouverons jamais la plénitude. La vie humaine incarnée a ses limites. Personne ne peut être à la fois ombre et lumière, homme et femme, conscient et inconscient. Je crois que tout ce que nous avons, c'est un aperçu de la plénitude. Beaucoup de traditions spirituelles décrivent une expérience de conscience pure, au-delà de la pensée et de ses polarités. Nous y parvenons par la méditation profonde et nous pouvons en faire le fondement de notre vie, si nous en imprégnons notre prise de conscience.

Dès que nous accomplissons le moindre geste, dans ce monde imparfait, à l'aide de notre corps imparfait, nous devenons simultanément un être parfait et un être imparfait. Ce dernier ne vit que la moitié de toute polarité. Pendant un certain temps, nous sommes introvertis. Par conséquent, il nous incombe de devenir extravertis pour atteindre l'équilibre. Pendant un certain temps, nous sommes forts; puis nous sommes faibles et nous devons nous reposer. Le monde nous force à n'être qu'une seule chose à la fois. «On ne peut être et avoir été», dit le proverbe. Les limites de notre corps s'ajoutent aux limites psychologiques. Tout ce qu'il nous reste à faire, c'est d'essayer constamment de récupérer notre équilibre.

Il est fréquent que la seconde moitié de la vie fasse contrepoids à la première. C'est comme si nous avions usé notre personnalité ou comme si nous en étions las. Nous nous sentons obligés d'«essayer» l'autre extrême. Le timide devient un boute-en-train. La personne qui passe le plus clair de son temps au service des autres finit par tout lâcher et se demande comment elle a pu vivre dans une telle «codépendance».

En général, notre spécialité doit être contrebalancée par son contraire, une activité pour laquelle nous n'avons aucun talent ou que nous craignons d'essayer. Les jungiens parlent notamment des deux moyens d'intercepter des informations, par la sensation (les faits) ou par l'intuition (le sens subtil des faits). Il existe une autre polarité, soit le double jugement des informations que nous absorbons, par la pensée (à partir de la logique ou de ce qui semble être une vérité universelle) ou par le sentiment (à partir de notre expérience personnelle de ce qui paraît bon pour nous et ceux que nous aimons).

Parmi ces quatre «fonctions», nous avons chacun notre spécialité: sensation, intuition, pensée et sentiment. Chez les hypersensibles, c'est souvent l'intuition qui mène le bal. (Pensée et sentiment sont également très courants chez les hypersensibles[8].) Toutefois, si vous êtes introverti, comme 70 p. 100 des hypersensibles, c'est votre vie intérieure qui est la principale bénéficiaire de cette spécialité.

Bien qu'il existe des tests psychologiques pour nous révéler quelle est notre spécialité, Jung était d'avis que nous en apprendrions davantage en essayant soigneusement de déterminer quelle fonction nous est la plus difficile. Car c'est celle qui nous fait subir le plus d'humiliations. Perdez-vous les pédales lorsque vous tentez de réfléchir avec logique? Ou est-ce plutôt lorsque vous devez cerner vos sentiments? Ou lorsque vous devez faire appel à votre intuition pour déceler des nuances subtiles? Ou lorsque vous devez vous en tenir aux faits et aux détails, sans élaborer, sans faire preuve de créativité, sans laisser libre court à votre débordante imagination?

Personne n'est capable d'utiliser les quatre fonctions avec une compétence égale. Mais selon Marie-Louise von Franz[9], qui écrivit un long article sur le développement de la «fonction inférieure», le travail nécessaire pour renforcer nos faiblesses à cet égard nous placera sur la voie de la plénitude. Car il nous met en contact avec ce qui est enterré dans notre inconscient et donc, nous éclaire sur cet élément de notre personnalité. À l'instar du petit frère naïf des contes de fées, c'est cette fonction dédaignée qui, souvent, nous permet de découvrir le trésor.

Si vous êtes du type intuitif (très fréquent chez les hypersensibles), votre fonction la moins développée est celle de la sensation, soit la capacité de vous en tenir aux faits et de comprendre les détails. Ces limites varient d'un individu à un autre. Par exemple, je me considère comme très artiste, mais de manière intuitive. Les mots me viennent facilement, mais les idées s'accumulent et j'ai tendance à trop parler. Il m'est très difficile de concrétiser ma vision artistique, par exemple pour décorer une pièce ou un bureau, ou pour m'habiller. J'aime faire toilette, mais je me contente habituellement de ce que d'autres achètent pour moi. Dans les deux cas, le véritable écueil est représenté par mon horreur des magasins. Dans un centre commercial, je souffre très vite d'hyperstimulation et de confusion mentale. À cela s'ajoute l'obligation de prendre une décision. Pour un intuitif introverti, la stimulation sensorielle, les questions pratiques et les décisions finissent par représenter un mélange explosif.

Pourtant, certains intuitifs adorent faire du lèche-vitrine. Ils perçoivent des possibilités que les autres ne voient pas. Leur imagination leur permet de voir les objets dans un contexte particulier. C'est pourquoi il est difficile de généraliser sur leurs points forts ou faibles. Il vaut mieux parler de « style ». Les mathématiques, la cuisine, la lecture d'une carte routière, la direction d'une entreprise… toutes ces activités sont autant à la portée d'un intuitif que de quelqu'un qui s'en tient aux règles écrites du jeu.

Von Franz a remarqué que les intuitifs étaient beaucoup plus souvent submergés par les expériences sensorielles, la musique, la nourriture, l'alcool, la drogue ou la sexualité[10]. Ils sont capables d'en perdre tous leurs moyens. Mais leur intuition ne les abandonne jamais, ce qui leur permet de percevoir le sens profond en deçà de la surface.

Il est de fait que lorsque nous essayons d'entrer en contact avec la fonction inférieure, en l'occurrence la sensation, notre fonction dominante a tendance à prendre le pas. Von Franz donne l'exemple d'un intuitif qui apprendrait à modeler (soit un choix intéressant pour développer la sensation, car l'argile est un matériau très concret), mais qui, à un moment donné[11], s'embarquerait dans des ratiocinations interminables : que ce serait une bonne idée d'enseigner le modelage dans toutes les écoles, que le monde changerait si chacun d'entre nous façonnait une figurine en argile chaque matin, que dans l'argile on peut voir tout l'Univers en microcosme, que c'est le sens de la vie !

Un jour ou l'autre, nous aurons peut-être besoin de notre fonction inférieure, soit en imagination, soit dans le contexte d'un jeu purement personnel. Mais selon Jung et von Franz, nous avons l'obligation morale de trouver le temps de l'améliorer. Une large part du comportement collectif irrationnel que nous observons autour de nous est imputable à des gens qui projettent leur fonction inférieure sur les autres ou, au contraire, subissent des assauts externes qui visent cette fonction. Leur point faible devient la cible des médias ou des dirigeants qui peuvent ainsi les manipuler. Par exemple, lorsque Hitler encourageait la haine des Juifs, il s'adressait à la fonction inférieure du groupe qu'il essayait de convaincre[12]. Lorsqu'il parlait aux intuitifs, il décrivait les Juifs comme des requins de la finance et de diaboliques manipulateurs des marchés financiers. Les intuitifs manquent souvent de sens pratique et deviennent très rarement millionnaires (même les Juifs intuitifs). Ils se sentent facilement complexés par leur sens déficient des affaires ; de là à leur faire croire qu'ils sont persécutés par ceux qui savent mieux compter qu'eux, il n'y a qu'un pas. N'est-il pas plus facile de blâmer quelqu'un d'autre pour nos propres faiblesses ?

Aux personnes dont la fonction dominante était le sentiment et la fonction inférieure, la pensée, Hitler décrivit les Juifs comme des intellectuels insensibles. Aux penseurs dont la fonction inférieure était le sentiment, il les décrivit comme des égoïstes, qui ne s'intéressaient qu'à leurs propres intérêts, au mépris de toute éthique universelle ou rationnelle. Quant aux gens dont la fonction dominante était la sensation mais qui manquaient d'intuition, il affirma que les Juifs possédaient des connaissances et des pouvoirs magiques, intuitifs.

Si nous parvenons à découvrir notre fonction inférieure, notre « complexe d'infériorité », nous cesserons de blâmer des innocents. Par conséquent, nous avons l'obligation morale de cerner notre faiblesse. Dans ce domaine aussi, les hypersensibles ont une longueur d'avance sur les autres.

Les rêves, l'imagination et les voix intérieures

La plénitude, au sens jungien, fait également appel aux rêves et à l'imagination qui s'active au moyen de ces rêves. C'est ce qui nous fait entendre nos voix intérieures et nous met en contact avec les éléments de nous-mêmes que nous avons rejetés. Pour ma part, les rêves sont plus que de simples informations traitées par l'inconscient. Certains m'ont littéralement secourue lorsque je me débattais dans des difficultés considérables. D'autres m'ont fourni des informations qu'il était impossible que mon ego eût en sa possession. D'autres encore ont prédit des événements avec une inquiétante exactitude. À moins de faire preuve d'un scepticisme exagéré, je ne peux qu'en conclure que quelque chose, je ne sais pas quoi, me guide (moi et personne d'autre).

Les Naskapis sont une tribu d'Amérindiens éparpillés en petites familles sur la vaste superficie du Labrador[13]. Par conséquent, ils n'ont jamais mis au point des rituels collectifs. Ils croient en revanche à la présence d'un Grand Ami, qui pénètre en chacun au moment de la naissance afin de lui offrir des rêves significatifs. Plus la personne est vertueuse (et la vertu englobe le respect des rêves), plus elle recevra d'aide de cet Ami. Parfois, lorsqu'on me demande quelle est ma religion, je devrais répondre que je suis « naskapie ».

Anges et miracles, guides spirituels et synchronicités

Jusqu'ici, nous avons parlé de la longueur d'avance des hypersensibles dans la quête de l'espace rituel, de la compréhension des religions, du sens de l'existence et de la plénitude. Certains lecteurs se demandent sans doute à quel moment je me déciderai à parler de leurs expériences mystiques les plus importantes — visions, voix ou miracles — et de leur relation personnelle avec Dieu, les anges, les saints ou les guides spirituels.

En effet, les hypersensibles vivent fréquemment ce genre d'expériences. Nous semblons être particulièrement réceptifs à tout ce qui relève du monde spirituel. Notre réceptivité s'accroît à certains moments de notre vie, par exemple lorsque nous suivons une psychothérapie des profondeurs. Jung qualifiait ces expériences du nom de «synchronicités», facilitées par un «principe de connexion acausale»[14]. En sus des connexions que nous connaissons — l'objet A exerce une force sur l'objet B —, un autre phénomène que nous ne connaissons pas (du moins pas encore) relie les objets. C'est pourquoi ils peuvent s'influencer à distance. Ou être proches l'un de l'autre sans qu'il y ait de contact physique.

Lorsque des objets ou des gens sont reliés par un phénomène d'appartenance, cela suppose l'existence d'une organisation invisible — une intelligence, un plan ou, peut-être, une intervention compatissante d'origine divine. Lorsque mes patients me racontent l'un de ces événements, j'essaie de leur faire comprendre qu'ils ont vécu un moment très important. Naturellement, je les laisse décider du sens à donner à l'événement. Je les incite à noter par écrit toutes ces expériences, afin que la simple quantité les assure de leur réalité. Sinon, elles sont enterrées sous la vie quotidienne, ridiculisées par les sceptiques, délaissées en raison de l'absence d'explication «logique».

Ce sont pourtant des moments cruciaux, que les hypersensibles sont particulièrement équipés pour apprécier et justifier. Le deuil et la guérison, deux éléments importants de notre conscience, mettent en relief ces moments qui nous révèlent ce qui se trouve au-delà de la souffrance personnelle ou qui lui donne un sens que, parfois, nous désespérons de trouver.

PRENEZ SOIN DE VOTRE ÂME ET DE VOTRE SPIRITUALITÉ

Je vous invite à tenir un journal spirituel, pendant un mois seulement, comme témoin de toutes vos pensées et des expériences qui relèvent du domaine de l'âme ou de l'esprit. Chaque jour, décrivez vos pensées profondes, vos humeurs et vos rêves, vos prières et tous les petits miracles ainsi que les « étranges coïncidences ». Il n'est pas nécessaire de faire du style. Soyez un simple témoin du sacré, prenez votre place dans la longue lignée d'auteurs de journaux, Viktor Frankl, Etty Hillesum, Rilke, Buber, von Franz, Jung et maints autres hypersensibles.

Les visiteurs de Diane

Tout commença par un blizzard, phénomène rare dans les monts Santa Cruz. Lors de notre entretien, Diane précisa qu'à cette époque, elle était « déprimée, amorphe, prisonnière d'un mariage raté ». Ce soir-là, la tempête de neige empêcha pour la première fois son mari de rentrer à la maison. En revanche, un inconnu se présenta, qui cherchait un abri. Étrangement, Diane n'hésita pas à lui ouvrir sa porte et tous deux passèrent la soirée assis devant le feu, à deviser de sujets ésotériques. Lorsque je demandai à Diane de narrer sur papier ce qui s'était passé ensuite, voici ce qu'elle écrivit.

> Je perçus un sifflement très aigu dans mes oreilles. Je ressentis un grand vide dans ma tête. Je savais que mon visiteur était responsable de ces phénomènes, mais je n'avais pas peur. Au bout d'un moment dont il m'est impossible de calculer la durée (quelques secondes ou quelques minutes ?), tout se remit en place et le sifflement cessa.

Elle ne fit aucune allusion à cette étrange expérience. Un peu plus tard, un voisin arriva et invita l'homme à passer le reste de la nuit chez lui. L'inconnu accepta, mais disparut avant l'aube.

> Après que la route eut été déneigée, je quittai le domicile conjugal. J'empruntai une voie très différente, qui me conduisit au stade où j'en suis aujourd'hui. Cette nuit-là, la dépression disparut entièrement et je recouvrai toute mon énergie et ma bonne humeur. C'est pourquoi j'ai toujours pensé que cet inconnu était en réalité un ange.

Deux ans plus tard, Diane reçut la visite d'une créature encore plus étrange.

> Une nuit, le chat émit un miaulement strident, puis sauta de mon lit vers la porte. Réveillée en sursaut, j'ouvris les yeux. Là, au pied de mon lit, se trouvait une « créature » d'à peine plus d'un mètre de

hauteur, chauve, non pas nue mais vêtue d'une sorte de combinaison couleur chair, avec des fentes à l'emplacement des yeux, deux trous pour les narines et pas d'oreilles. Autour de cette apparition, scintillaient toutes sortes de couleurs que je ne parvins pas à reconnaître. Mais je n'étais pas effrayée. Je reçus ses pensées par télépathie : « N'ayez pas peur, je suis seulement venu pour vous observer. » Toujours par télépathie, je répondis : « Ma foi, je ne sais comment je devrais réagir, alors, si vous le permettez, je vais me rendormir. » Incroyablement, c'est ce que je fis.

Le lendemain matin, Diane se sentait encore troublée par l'apparition, dont elle ne parla à personne. Mais peu après, sa vie prit un tournant profondément spirituel et « une série d'événements mystérieux et merveilleux commença à se produire » autour d'elle. C'est seulement au bout de quelques années que le calme revint.

Son goût de la spiritualité l'incita à nouer une relation avec un mentor charismatique, mais instable, du genre de ceux que j'ai décrits au chapitre 8 en des termes peu flatteurs (« les étages supérieurs étincellent de tous leurs feux, mais le rez-de-chaussée demeure obscur et poussiéreux »), soit un homme incapable d'harmoniser le travail spirituel avec les aspects pratiques de la vie de tous les jours pour prendre des décisions concrètes, éthiques. Diane, consciente des faiblesses de son guide spirituel tout autant que de son pouvoir, ne se rendait toutefois pas vraiment compte du danger qu'elle courait. Alors, elle priait : « Si les anges gardiens existent, si j'en ai un, envoyez-moi un signe. »

Diane travaillait dans une librairie. Un jour, elle trouva par terre un livre, visiblement tombé de l'un des rayons. Elle le ramassa, puis, curieuse, l'ouvrit pour le feuilleter. Elle aperçut au milieu de la page un poème intitulé « L'ange gardien », qui commençait par ces mots : « Oui, vous avez un ange gardien... »

Elle continua toutefois de vivre avec son fascinant guide spirituel, même après qu'il eut convaincu ses disciples de lui donner toutes leurs possessions matérielles. Elle avait envie de le quitter, mais ne se sentait pas la force de repartir financièrement à zéro. L'ange gardien, cependant, ne l'avait pas oubliée. Un jour, alors qu'elle se trouvait seule, elle gémit : « Je n'ai même plus de radio-réveil à moi ! » Le lendemain, le groupe de disciples partit en excursion, dans la voiture qui avait appartenu à Diane. À un moment donné, elle aperçut un coléoptère qui s'efforçait d'escalader un tas de gravats. Elle se dit que ce misérable insecte était plus libre qu'elle. Mais en y réfléchissant, elle se rendit compte que rien n'entravait sa liberté. Elle suivit l'insecte jusqu'au sommet du monticule puis le dépassa et s'en retourna vers sa voiture, dont elle avait les clés, car elle venait de servir de chauffeur au groupe.

Après s'être installée au volant, elle jeta un coup d'œil à l'arrière et aperçut un radio-réveil noir, identique à celui qu'elle avait été contrainte de donner au groupe. Elle s'éloigna et, dès son arrivée au domicile d'une amie, examina l'appareil. Elle le reconnut à diverses éraflures. C'était bien le sien. Elle ne sut jamais comment il s'était retrouvé dans la voiture. Une fois encore, elle se dit que l'ange gardien était venu à sa rescousse.

Nous avons beau savoir qu'il faut à tout prix éviter ce genre de pétrin, nombreux sont ceux qui se laissent prendre, surtout s'ils sont portés vers la spiritualité. Nous recherchons des réponses, une certitude. Justement, certaines personnes rayonnent de certitude et sont persuadées que leur mission consiste à la partager. Elles ont du charisme, de la classe. Malheureusement, tous les humains sont faillibles, surtout lorsque d'autres les tiennent pour infaillibles.

Diane fut toutefois tentée de retourner auprès de cet homme. L'une de ses amies la traita alors de « cinglée ». Diane décida de prier pour trouver la réponse. « Si je suis cinglée, qu'on me le dise ! » Puis elle alluma la télévision.

> J'aperçus alors sur l'écran une scène entièrement muette, sans doute un extrait d'un vieux film des années 1950, qui se passait dans un « asile d'aliénés », rempli de patients complètement dingues. Je ris tout haut. Puis je m'étendis, je priai quelques instants et je m'endormis. Lorsque je me réveillai, je « vis » ou plutôt je me sentis entourée par une couronne de roses. Chaque fleur protégeait une partie différente de moi-même. Je sentis la présence du Christ, comme s'il était encore là, un bonheur tranquille...

Lorsque je fis la connaissance de Diane, ses expériences mystiques revêtaient de plus en plus souvent la forme de rêves, peut-être parce que ses visiteurs avaient ainsi trouvé le moyen de s'adresser à elle sans s'incarner. J'ai constaté que plus nous explorons nos rêves, moins nous nous retrouvons dans des situations bizarres, en rêve ou dans la réalité.

Lorsque la vie spirituelle nous fait l'effet d'une série de raz-de-marée

J'ai parlé à plusieurs reprises de la vie spirituelle comme d'un réconfort. C'est souvent le cas. Mais elle peut aussi se révéler hyperstimulante, du moins tant que nous n'avons pas appris à garder les pieds sur terre. Voilà qui est bien difficile, lorsque nous nous sentons soulevés par un raz-de-marée. Les hypersensibles se retrouvent souvent sur la trajectoire des lames les plus puissantes, peut-être parce qu'il est difficile de communiquer avec eux. Souvenez-vous de l'histoire de Jonas. Je vais clore ce chapitre et ce livre par l'histoire d'un hypersensible qui ressemble fort à Jonas.

À l'époque de l'incident que je vais relater, Hubert était un hypersensible intellectuel qui souffrait d'hyperactivation chronique. (Sa fonction dominante était la pensée.) Il avait suivi quatre ans de psychothérapie jungienne et connaissait tout le jargon. «Oui, Dieu est réel, parce que tout ce qui est psychologique est réel. Dieu est notre projection psychologique réconfortante de l'image parentale.» Hubert avait réponse à tout, mais savait toutefois faire preuve d'un degré judicieux d'incertitude. Pendant la journée tout au moins.

Il se réveillait souvent au milieu de la nuit, en proie à des accès de dépression profonde, prêt à se suicider. Plus d'incertitude. À la lumière du jour, il était prêt à considérer ces expériences comme «le produit d'un complexe d'Œdipe», engendré par une enfance très douloureuse et donc, «sans véritable danger». Puis la nuit revenait, porteuse d'un désespoir tel que la mort semblait être l'unique solution suggérée à la fois par l'intuition et par la logique. Toutefois, jusqu'à l'aube, quelque chose l'empêchait de prendre des mesures définitives. Avec le jour, le plus gros du désespoir se dissipait.

Une nuit, cependant, il se réveilla en proie à une telle dépression qu'il craignit de ne pas tenir bon jusqu'au matin. Étendu dans son lit, il eut soudain l'idée que sa seule raison de vivre serait de s'assurer que Dieu existait vraiment et s'inquiétait de son sort. Qu'il existait non en tant que projection, mais comme être en chair et en os. Ce qui, naturellement, était impossible. Impossible à croire, car à cet égard, on ne pouvait avoir aucune certitude.

Ce que Hubert désirait, c'était un « signe divin ». Cette pensée surgit aussi spontanément que le cri de quelqu'un en train de se noyer. Il savait que c'était ridicule. Mais immédiatement après, jaillit dans son esprit l'image d'un accident d'automobile sans gravité. Des gens se tenaient autour du véhicule endommagé, personne n'avait été blessé. C'était le signe qu'il appelait de ses vœux. L'événement se produirait le lendemain.

Il se reprocha aussitôt sa stupidité. Quelle idée bébête que d'attendre un signe de Dieu ! En outre, pourquoi en avoir une idée aussi négative ? En bon hypersensible, Hubert craignait les contrariétés, qui provoquaient l'hyperstimulation et bouleversaient sa journée. Puis, à moitié endormi et perdu dans ses pensées morbides, il oublia entièrement l'incident.

Le lendemain, le conducteur qui le précédait sur une bretelle d'autoroute freina brusquement. Hubert l'imita. La voiture qui le suivait roulait trop près et le heurta à l'arrière. Ce fut un accident dont il n'était absolument pas responsable.

« Immédiatement, je me suis senti envahi par un sentiment intense, qui n'était pas causé par l'accident. Je me suis souvenu de la nuit précédente. » Il se sentit à la fois épouvanté et émerveillé, comme s'il « venait de voir le visage de Dieu ».

Il s'agissait d'un accrochage sans gravité. Personne n'avait été blessé. Hubert devrait simplement remplacer son tuyau d'échappement et son silencieux. Il demeura un moment à s'entretenir avec les autres conducteurs et leurs passagers, échangeant les renseignements nécessaires pour remplir les constats. Exactement comme dans le rêve de la nuit précédente. En dépit de son scepticisme, Hubert fut convaincu que le plus inconscient de ses souhaits inconscients n'aurait jamais pu causer cet accident. Il venait de vivre une expérience entièrement nouvelle. Un monde entièrement nouveau s'ouvrait à lui.

Le désirait-il vraiment ? En bon hypersensible, il n'en était pas sûr.

Pendant une semaine, il se sentit plus déprimé que jamais. Mais uniquement pendant la journée. Car il avait retrouvé son sommeil. Puis il comprit que ce qui le tracassait, c'était l'idée d'avoir à faire quelque chose pour Dieu, en échange. Peut-être abandonner son travail pour aller prêcher au coin des rues. Il avait toujours considéré Dieu comme quelqu'un pour qui nous devions nous humilier, quelqu'un qui exigerait de nous un paiement exorbitant pour chaque petite faveur, quelqu'un qui nous contraindrait à bouleverser notre vie. En fait, c'était exactement ce que Hubert exigeait de lui-même. Il finit par se dire que la coercition ne semblait pas être le but recherché. Personne ne lui demandait de se sentir coupable de quoi que ce fût. Puisque l'incident s'était produit en réponse à sa dépression nocturne, il avait probablement pour but de lui apporter un certain réconfort. Peu à peu, il se fixa sur cette idée. Un réconfort.

Pour tirer profit de son expérience, il allait devoir renoncer à son désespoir et à son scepticisme. Bien qu'il eût fini par comprendre cela, la tâche ne serait pas facile. Mais après tout, n'était-ce pas la raison d'être de cette expérience ?

À ce stade, sa perplexité l'incita à se confier à quelques amis. L'un d'eux fut aussi ému que Hubert lui-même. Mais les deux personnes qu'il respectait le plus estimèrent qu'il s'agissait simplement d'une coïncidence.

> Leur attitude m'a irrité au plus haut point. Pour l'amour de Dieu, voyons, c'est Dieu qui m'a rendu un service ! Que devrais-je répondre ? « Merci bien, mais la prochaine fois, je préférerais recevoir un signe que personne ne pourrait interpréter comme une coïncidence ? »

Convaincu qu'il ne s'agissait absolument pas d'une coïncidence, Hubert décida d'analyser l'incident, même s'il devait consacrer sa vie à cette étude. Il se remémorait chaque instant, il le disséquait, il le chérissait. Et il fut éberlué de constater qu'un homme comme lui, dont la vie s'était révélée jusque-là aussi confortable qu'un matelas de clous, eût reçu un signe d'amour plus tangible que bien des saints.

« Quand on pense que c'est à moi que cela est arrivé ! » conclut-il en riant de lui-même pour la première fois. Puis il se souvint du but de ma recherche. « Quel divin embrouillamini pour un pauvre type sensible comme moi ! »

L'alliance qui reconnaîtra notre valeur

Les rois-guerriers nous répètent que c'est un signe de faiblesse que de croire en la réalité des royaumes spirituels. En leur for intérieur, ils craignent tout ce qui pourrait saper leur courage physique et leur puissance matérielle, et c'est ainsi qu'ils l'interprètent chez les autres. Mais nous possédons un pouvoir, un talent et un courage très différents. Considérer notre inclination pour la vie spirituelle comme une faiblesse ou comme un sentiment né de la crainte ou du besoin d'être réconfortés revient à affirmer que les poissons nagent parce qu'ils sont trop faibles pour marcher, qu'ils ont un besoin trivial de vivre dans l'eau ou qu'ils sont simplement trop peureux pour voler.

Peut-être devrions-nous retourner l'argument en notre faveur. Les rois-guerriers ont peur de la vie spirituelle, ils sont trop faibles pour la comprendre et sont incapables de survivre s'ils ne sont pas réconfortés par leur propre vision de la réalité.

En réalité, nous n'avons nul besoin de nous livrer à un concours d'insultes. Il nous suffit de connaître notre valeur. Le jour viendra où les rois-guerriers seront heureux de partager avec nous notre abondante vie intérieure, tout comme à certains moments, nous sommes soulagés de leur laisser la bride sur le cou. Par conséquent, célébrons notre alliance.

Que votre sensibilité illumine votre vie et celle des autres. Puissiez-vous connaître autant de paix et de joie qu'il en existe dans ce monde. Puissent les autres mondes s'ouvrir à vous au fur et à mesure que votre vie s'écoulera.

METTEZ À PROFIT CE QUE VOUS VENEZ D'APPRENDRE

Vivez en harmonie ou, tout au moins, en paix avec votre fonction inférieure

Choisissez une activité qui fait appel à votre fonction inférieure, de préférence quelque chose que vous n'avez encore jamais entrepris, mais qui ne vous paraît pas trop difficile. Si votre fonction dominante est le sentiment, essayez de lire un livre de philosophie ou de suivre un cours de théorie des mathématiques ou de la physique, selon ce qui vous convient le mieux, compte tenu de vos antécédents. Si votre fonction dominante est la pensée, allez vous promener dans un musée et, pour une fois, ignorez le nom de l'artiste et le titre de l'œuvre; laissez-vous emporter par votre réaction personnelle devant chaque tableau. Si votre fonction dominante est la sensation, regardez les passants et tâchez d'imaginer leur vie intérieure, leur histoire, leur avenir. Si vous êtes de type intuitif, préparez des vacances en réunissant les informations les plus détaillées possible sur votre destination et dressez la liste de ce que vous voulez visiter. Ou, si cela vous paraît trop facile, achetez un appareil électronique compliqué — un ordinateur ou un magnétoscope, par exemple — utilisez le mode d'emploi pour le programme et explorez *toutes* ses fonctions. N'appelez personne à l'aide. Débrouillez-vous.

Pendant que vous vous préparez à cette activité, observez vos sentiments, votre résistance, les images que tout cela évoque en vous. Certes, vous vous jugez parfaitement stupide, vous ressentez une grande humiliation à l'idée d'être incapable d'accomplir des tâches aussi simples, mais n'abdiquez pas. Prenez votre tâche au sérieux. D'après von Franz, c'est l'équivalent de la discipline monacale, individualisée pour convenir à vos besoins. Vous sacrifiez la fonction dominante en vous retirant dans cette cellule si inconfortable.

À ce propos, soyez particulièrement vigilant, car votre fonction dominante fera tout son possible pour prendre le dessus. Une fois que vous aurez choisi votre destination de vacances, par exemple, n'en démordez pas. Protégez votre décision, fragile, certes, mais concrète, contre votre imagination, qui vous suggérera tous les autres endroits que vous pourriez visiter. Si vous achetez un appareil électronique, observez votre désir brûlant de vous débarrasser du manuel pour suivre votre intuition. Allez-y doucement, une étape à la fois, afin de bien comprendre chaque détail avant de passer au suivant.

Conseils à l'intention des professionnels de la santé

- Les hypersensibles augmentent eux-mêmes leur degré de stimulation, car ils perçoivent des nuances subtiles. Mais leur système nerveux s'active également de manière automatique dans ce que le reste de la population considère comme une situation modérément stimulante. Par conséquent, en milieu médical, ils paraissent souvent plus anxieux que les autres, voire « névrosés ».
- S'ils perçoivent un sentiment de hâte ou d'impatience, leur stimulation physique en sera exacerbée. Naturellement, le stress les empêchera de communiquer efficacement avec vous et ralentira leur guérison. Les hypersensibles sont généralement très consciencieux et collaborent dans la mesure du possible.
- Demandez-leur ce dont ils ont besoin pour garder leur calme : le silence, une distraction, une conversation, un médicament. En outre, ils aiment qu'on leur explique ce qui se passe, étape par étape.
- Tirez profit de l'intuition et de la sensibilité physique de vos patients hypersensibles. Si vous les écoutez, ils pourraient fort bien vous fournir d'importants indices.
- Personne ne communique ou n'écoute correctement en état d'hyperstimulation. Encouragez les hypersensibles à venir en compagnie d'une autre personne qui les aidera à écouter ou à communiquer. Proposez-leur de se préparer à la visite en notant les questions et les symptômes, en inscrivant les instructions. Demandez-leur de lire tout haut leurs notes avant de partir et encouragez-les à vous appeler par la suite, s'ils se souviennent d'autres points. (Rares sont ceux qui abusent de ce privilège et cette « seconde chance » leur permettra de se sentir plus décontractés au moment de la visite.)

- Ne soyez ni étonné ni agacé si vous constatez que les hypersensibles supportent moins bien la douleur que les autres patients, qu'ils réagissent mieux à des doses « microscopiques » ou qu'ils présentent des effets secondaires plus prononcés. Toutes ces caractéristiques sont le fruit de leurs différences physiologiques et non psychologiques.
- L'hypersensibilité ne doit pas être considérée comme une maladie qu'il faut absolument soigner. Il est vrai que les hypersensibles dont l'enfance a été troublée souffrent plus d'anxiété et de dépression que les autres patients. Mais cela ne s'applique pas à ceux qui ont vécu une enfance normale ou qui ont réussi à refermer les blessures.

Conseils à l'intention des enseignants

- L'apprentissage des hypersensibles fait appel à des stratégies différentes. Ils augmentent eux-mêmes leur degré de stimulation. Cela signifie qu'ils sont capables de percevoir les nuances subtiles d'une situation d'apprentissage, mais que leur système nerveux est facilement hyperactivé.
- Les hypersensibles sont généralement consciencieux et font de leur mieux. Beaucoup sont surdoués. Mais personne ne travaille bien en état d'hyperstimulation. Chez les hypersensibles, ce phénomène est particulièrement aigu. S'ils se sentent observés ou s'ils subissent une pression quelconque, ils courent plus de risques que les autres d'échouer, ce qui est catastrophique pour leur moral.
- Un fort degré de stimulation (provoqué, par exemple, par une classe bruyante) risque d'épuiser les hypersensibles plus vite que les autres. Certains se retirent dans leur coquille, mais beaucoup d'autres, notamment les garçons, deviennent alors hyperactifs.
- Ne surprotégez pas l'élève hypersensible. Mais s'il insiste pour accomplir une tâche difficile, veillez à ce que l'expérience soit fructueuse.
- Si l'élève s'efforce d'acquérir de l'endurance dans ses rapports sociaux, prenez sa sensibilité en considération. Par exemple, s'il doit parler en public, proposez une « répétition en costumes », suggérez-lui d'utiliser des notes ou de lire son texte tout haut. Votre but consiste à atténuer sa stimulation et à rendre l'expérience fructueuse.
- Ne croyez pas qu'un élève réservé est simplement timide ou farouche. Même si tel n'est pas le cas, il risque d'être catalogué.

- N'oubliez pas que notre société a un préjugé contre la timidité, la réserve, l'introversion et ainsi de suite. Peut-être en êtes-vous victime vous-même. C'est certainement le cas des autres élèves.
- Enseignez le respect des tempéraments différents, exactement comme vous le faites pour les autres différences.
- Encouragez la créativité et l'intuition que vous observerez chez les hypersensibles. Pour accroître leur tolérance à la vie de groupe et leur donner du crédit auprès de leurs condisciples, organisez des représentations théâtrales ou faites-leur lire des pièces de théâtre qui les ont particulièrement touchés. Ou lisez leurs rédactions au reste de la classe. Mais prenez soin de ne pas les mettre dans l'embarras.

Conseils à l'intention des employeurs

- Dans l'ensemble, les hypersensibles sont très consciencieux, loyaux, attentifs à la qualité, soucieux des détails, intuitifs et créatifs, souvent doués, à l'écoute des besoins de la clientèle. Ils exercent une influence bénéfique sur le milieu de travail. En bref, l'hypersensible est un employé modèle. Chaque entreprise en a besoin.
- Les hypersensibles augmentent eux-mêmes leur degré de stimulation. Cela signifie qu'ils perçoivent les nuances subtiles, mais que leur système nerveux s'active facilement. Par conséquent, c'est dans le calme et la tranquillité, en l'absence de stimuli extérieurs, qu'ils sont les plus efficaces.
- En revanche, les hypersensibles ne sont pas efficaces lorsqu'ils se sentent observés, dans le cadre d'une évaluation, par exemple. Trouvez d'autres moyens d'évaluer leur rendement.
- Les hypersensibles sont moins portés que les autres à bavarder pendant les pauses ou à sortir avec leurs collègues après le travail. Ils ont besoin de solitude pour analyser leur journée. Il est possible que cette caractéristique les fasse oublier de leurs camarades de travail. Prenez ce phénomène en considération lorsque vous évaluerez leur rendement.
- Les hypersensibles détestent en général faire étalage de leurs compétences. Ils espèrent que la qualité de leur travail les fera remarquer. Par conséquent, ne sous-estimez pas des employés précieux simplement parce qu'ils sont modestes.
- Il est possible qu'un hypersensible soit le premier à remarquer un élément nocif pour la santé sur le lieu de travail. Peut-être alors le jugerez-vous comme un trouble-fête. Mais, avec le temps, d'autres personnes feront la même

observation. La sensibilité de ces employés pourrait vous éviter des problèmes ultérieurs.

Pour demeurer à l'écoute des nouvelles découvertes sur les hypersensibles, écrivez à l'adresse suivante: P. O. Box 460564, San Francisco, CA (U.S.A.) 94146-0564. Vous recevrez la *HSP Newsletter.*

Notes

Chapitre premier

1. J. Strelau, « The Concepts of Arousal and Arousability as Used in Temperament Studies », *Temperament : Individual Differences,* sous la dir. de J. Bates et T. Wachs, Washington D.C., American Psychological Association, 1994, p. 117-141.
2. R. Plomin, *Development, Genetics and Psychology,* Hillsdale (N.-J.), Erlbaum, 1986.
3. G. Edmund, D. Schalling et A. Rissler, « Interaction Effects of Extraversion and Neuroticism on Direct Thresholds », *Biological Psychology,* 9, 1979.
4. R. Stelmack, « Biological Bases of Extraversion : Psychological Evidence », *Journal of Personality,* 58, 1990, p. 293-311.
5. En l'absence de toute source, il s'agit d'un argument qui émane de mes propres recherches. Dans le cas des études sur l'introversion ou la timidité, j'ai tenu pour acquis que la plupart des sujets étaient des hypersensibles.
6. H. Koelega, « Extraversion and Vigilance Performance : Thirty Years of Inconsistencies », *Psychological Bulletin,* 112, 1992, p. 239-258.
7. G. Kochanska, « Towards a Synthesis of Parental Socialization and Child Temperament in Early Development of Conscience », *Child Development,* 64, 1993, p. 325-327.
8. L. Daoussis et S. McKelvie, « Musical Preferences and Effects of Music on a Reading Comprehension Test for Extraverts and Introverts », *Perceptual and Motor Skills,* 62, 1986, p. 283-289.
9. G. Mangan et R. Sturrock, « Liability and Recall », *Personality and Individual Differences,* 9, 1988, p. 519-523.
10. E. Howarth et H. Eysenck, « Extraversion Arousal and Paired Associate Recall », *Journal of Experimental Research in Personality,* 3, 1968, p. 114-116.

11. L. Davis et P. Johnson, « An Assessment of Conscious Content As Related to Introversion-Extraversion », *Imagination, Cognition and Personality,* 3, 1983-1984, p. 146-169.
12. P. Deo et A. Singh, « Some Personality Correlates of Learning Without Awareness », *Behaviourometric,* 3, 1973, p. 11-21.
13. M. Ohrman et R. Oxford, « Adult Language Learning Styles and Strategies in an Intensive Training Setting », *Modern Language Journal,* 74, 1990, p. 311-327.
14. R. Pivik, R. Stelmack et F. Bylsma, « Personality and Individual Differences in Spinal Motoneuronal Excitability », *Psychophysiology,* 25, 1990, p. 311-327.
15. *Ibid.*
16. W. Revelle, M. Humphreys, L. Simon et K. Gillian, « The Interactive Effect of Personality, Time of Day, and Caffeine : A Test of the Arousal Model », *Journal of Experimental Psychology General,* 109, 1980, p. 1-31.
17. B. Smith, R. Wilson et R. Davidson, « Electrodermal Activity and Extraversion : Caffeine, Preparatory Signal and Stimulus Intensity Effects », *Personality and Individual Differences,* 5, 1984, p. 56-65.
18. S. Calkins et N. Fox, « Individual Differences in the Biological Aspects of Temperament », *Temperament,* sous la dir. de Bates et Wachs, p. 199-217.
19. D. Arcus, « Biological mechanism and Personality : Evidence from Shy Children », *Advances : The Journal of Mind-Body Health,* 10, 1994, p. 40-50.
20. R. Stelmack, *op. cit.*
21. R. Larsen et T. Ketelaar, « Susceptibility to Positive and Negative Emotional States », *Journal of Personality and Social Psychology,* 61, 1991, p. 132-140.
22. D. Daniels et R. Plomin, « Origins in Individual Differences in Infant Shyness », *Developmental Psychology,* 21, 1985, pp. 118-121.
23. J. Kagan, J. Reznick et N. Snidman, « Biological Bases of Childhood Shyness », *Science,* 240, 1988, p. 167-171.
24. J. Higley et S. Suomi, « Temperamental Reactivity in Non-Human Primates », *Temperament in Childhood,* sous la dir. de G. Kohnstamm, J. Bates et M. Rothbart (New York, Wiley, 1989), p. 153-167.

25. T. Wachs et B. King, « Behavioural Research in the Brave New World of Neuroscience and Temperament », *Temperament,* sous la dir. de Bates et Wachs, p. 326-327.
26. M. Mead, *Mœurs et sexualité en Océanie,* trad. de l'anglais par G. Chevassus, Paris, Plon, 1969.
27. G. Kohnstamm, « Temperament in Childhood : Cross-Cultural and Sex Differences », *Temperament in Childhood,* sous la dir. de Kohnstamm *et al.,* p. 483.
28. « Social Reputation and Peer Relationships in Chinese and Canadian Children : A Cross-Cultural Study », *Child Development,* 63, 1992, p. 1336-1343.
29. B. Zumbo et S. Taylor, « The Construct Validity of the Extraversion Subscales of the Myers-Briggs Type Indicator », *Canadian Journal of Behavioural Science,* 25, 1993, p. 590-604.
30. N. Nagane, « Development of Psychological and Physiological Sensitivity Indices to Stress Based on State Anxiety and Heart Rate », *Perceptual and Motor Skills,* 70, 1990, p. 611-614.
31. K. Nakano, « Role of Personality Characteristics in Coping Behaviours », *Psychological Reports,* 71, 1992, p. 687-90.
32. Riane Esler, *Le calice et l'épée,* trad. de l'américain par E. Bakhtadzé, Paris, Laffont, 1989.

Chapitre 2

1. M. Weissbluth, « Sleep-Loss Stress and Temperamental Difficultness : Psychobiological Processes and Practical Considerations », *Temperament in Childhood,* sous la dir. de Kohnstamm *et al.,* p. 357-377.
2. *Id.,* p. 370-371.
3. M. Main, N. Kaplan et J. Cassidy, « Security in Infancy, Childhood and Adulthood : A Move to the Level of Representation », *Grouping Points of Attachment Theory and Research, Monographs of the Society for Research in Child Development,* sous la dir. de I. Bretherton et E. Waters, 50, 1985, p. 66-104.
4. J. Kagan, *Galen's Prophecy,* New York, Basic Books, 1994.
5. *Id.,* p. 170-207
6. S. Calkins et N. Fox, « Individual Differences in the Biological Aspects », *Temperament,* sous la dir. de Bates et Wachs, p. 199-217.

7. Charles A. Nelson, *Temperaments,* sous la dir. de Bates et Wachs, p. 47-82.
8. G. Mettetal, « A Preliminary Report on the IUSB Parent Project », Communication, International Network on Personal Relationships, Normal (Ind.), mai 1991.
9. M. Rothbart, D. Derryberry et M. Posner, « A Psychological Approach to the Development of Temperament », *Temperament,* sous la dir. de Bates et Wachs, p. 83-116.
10. M. Gunnar, « Psychoendocrine Studies of Temperament and Stress in Early Childhood », *Temperament,* sous la dir. de Bates et Wachs, p. 175-198.
11. N. Nachmias, « Maternal Personality Relations With Toddlers' Attachment Classification, Use of Coping Strategies, and Adrenocortical Stress Response », Communication, 60e réunion annuelle de la Society for Research in Child Development, New Orleans, mars 1993.
12. M. Weissbluth, *op. cit.* p. 360.
13. *Id.*, p. 367.
14. R. Cann et D. C. Donderi, « Jungian Personality Typology and the Recall of Everyday and Archetypal Dreams », *Journal of Personality and Social Psychology,* 50, 1988, p. 1021-1030.
15. C. Jung, *Correspondance avec Sigmund Freud,* textes réunis par W. McGuire, trad. de l'allemand, Paris, Gallimard, 1976.
16. *Ibid.*
17. C. Jung, *Les types psychologiques,* trad. de l'allemand, Georg, 1983.
18. U*Ibid.*

Chapitre 3

1. D. Stern, *Journal d'un bébé,* trad. de l'américain par C. Derblum, Paris, Calmann-Lévy, 1992.
2. *Ibid.*
3. *Ibid.*
4. S. Bell et M. Ainsworth, « Infant Crying and Maternal Responsiveness », *Children Development,* 43, 1972, p. 1171-1190.
5. J. Bowlby, *Attachement et perte,* trad. de l'américain par D. Weil, Paris, PUF, 1984.
6. R. Josselson, *The Space Between Us : Exploring the Dimensions of Human Relationships,* San Francisco, Jossey Bass, 1992, p. 35.

7. T. Adler, «Speed of Sleep's Arrival Signals Sleep Deprivation», *The American Psychological Association Monitor,* 24, 1993, p. 20
8. R. Jevning, A. Wilson et J. Davidson, «Adrenocortical Activity During Meditation», *Hormones and Behaviour,* 10, 1978, p. 54-60.
9. Smith, Wilson et Davidson, «Electrodermal Activity and Extraversion», p. 59-60.

Chapitre 4

1. H. Goldsmith, D. Bradshaw et L. Rieser-Danner, «Temperament as a Potential Developmental Influence», *Temperament and Social Interaction in Infants and Children,* sous la dir. de J. et R. Lerner, San Francisco, Jossey-Bass, 1986, p. 14.
2. Stern, *Journal d'un bébé.*
3. Main, *et al.,* «Security in Infancy».
4. G. Mettetal, entretien téléphonique, 30 mai 1993.
5. A. Liebermann, *The Emotional Life of the Toddler,* New York, Free Press, 1993, p. 116-117.
6. Gunnar, «Psychoendocrine Studies», *Temperament,* sous la dir. de Bates et Wachs, p. 191.
7. J. Will, P. Self et N. Datan, «Maternal Behaviour and Perceived Sex of Infant», *American Journal,* 46, 1976, p. 135-139.
8. Hinde, «Temperament as an Intervening Variable», p. 32.
9. *Ibid.*
10. J. Cameron, «Parental Treatment, Children's Temperament, and the Risk of Childhood Behavioural Problems», *American Journal of Orthopsychiatry,* 47, 1977, p. 568-576.
11. *Ibid.*
12. Liebermann, *op. cit.*
13. J. Asendorpf, «Abnormal Shyness in Children», *Journal of Child Psychology and Psychiatry,* 34, 1993, p. 1069-1081.
14. L. Silverman, «Parenting Young Gifted Children», numéro spécial : *Intellectual Giftedness in Young Children, Journal of Children in Contemporary Society,* 18, 1986.
15. *Ibid.*
16. A. Caspi, B. Bem et G. Elder, «Continuities and Consequences of Interactional Styles Across the Life Course», *Journal of Personality,* 57, 1989, p. 390-392.
17. *Ibid.,* p. 393.

Chapitre 5

1. L. Silverman, « Parenting Young Gifted Children », *op. cit.* p. 82.
2. H. Gough et A. Thorne, « Positive, Negative and Balanced Shyness : Self-Definitions and the Reactions of Others », *Shyness : Perspectives on Research and Treatment,* sous la dir. de W. Jones, J. Cheek et S. Briggs, New York, Plenum, 1986, p. 205-225.
3. *Ibid.*
4. S. Brodt et P. Zimbardo, « Modifying Shyness, Related Social Behaviour through Symptom Misattribution », *Journal of Personality and Society Psychology,* 41, 1981, p. 437-439.
5. P. Zimbardo, *Comprendre la timidité,* trad. de l'américain, Paris, Inter-Édition, 1979.
6. M. Bruch, J. Gorsky, T. Collins et P. Berger, « Shyness and Sociability Re-examined : A Multicomponent Analysis », *Journal of Personality and Social Psychology,* 57, 1989, p. 904-915.
7. C. Lord et P. Zimbardo, « Actor-Observer Differences in the Perceived Stability of Shyness », *Social Cognition,* 3, 1985, p. 250-265.
8. S. Hotard, R. McFatter, R. McWhirter et M. Stegall, « Interactive Effects of Extraversion Neuroticism and Social Relationships on Subjective Well-Being », *Journal of Personality and Social Psychology,* 57, 1989, p. 321-331.
9. A. Thorne, « The Press of Personality : A Study of Conversations Between Introverts and Extraverts », *Journal of Personality and Social Psychology,* 57, 1989, p. 718-726.
10. C. Jung, *Les types psychologiques, op. cit.*
11. *Ibid.*
12. *Ibid.*
13. Silverman, « Parenting Young Gifted Children », *op. cit.* p. 82.
14. R. Kincel, « Creativity in Projection and the Experience Type », *British Journal of Projective Psychology and Personality Study,* 28, 1983, p. 36.
15. « An Unwillingness to Act : Behavioural Appropriateness, Situational Constraint, and Self-Efficacy in Shyness », *Journal of Personality,* 57, 1989, p. 870-890.

Chapitre 6

1. J. Campbell, *La puissance du mythe,* avec Bill Moyers, sous la dir. de B. Flowers, trad. de l'américain par J. Tanzac, Paris, J'ai Lu, 1977.
2. A. Wiesenfeld, P. Whitman et C. Malatesta, « Individual Differences Among Adult Women in Sensitivity to Infants », *Journal of Personality and Social Psychology,* 40, 1984, p. 110-124.
3. D. Lovecky, « Can You Hear the Flowers Sing ? Issues for Gifted Adults », *Journal of Counseling and Development,* 64, 1986, p. 572-575. Une large part du reste de cette section repose sur la discussion de cet auteur à propos des adultes surdoués.
4. J. Cheek, *Conquering Shyness,* New York, Dell, 1989, p. 168-169.

Chapitre 7

1. A. Aron, M. Paris et E. Aron, « Prospective Studies of Falling in Love and Self-Concept Change », *Journal of Personality and Social Psychology* (à paraître).
2. C. Hazan et P. Shaver, « Romantic Love Conceptualized as an Attachment Process », *Journal of Personality and Social Psychology,* 52, 1987, p. 511-524.
3. A. Aron, D. Dutton et A. Iverson, « Experiences of Falling in Love », *Journal of Social and Personal Relationships,* 6, 1989, p. 243-257.
4. D. Dutton et A. Aron, « Some Evidence for Heightened Sexual Attraction under Conditions of High Anxiety », *Journal of Personality and Social Psychology,* 30, 1974, p. 510-517.
5. G. White, S. Fishbein et J. Rutstein, « Passionate Love and Misattribution of Arousal », *Journal of Personality and Social Psychology,* 41, 1981, p. 56-62.
6. E. Walster, « The effect of Self-Esteem on Romantic Liking », *Journal of Experimental Social Psychology,* 1, 1965, p. 184-197.
7. Aron *et al.* « Prospective Studies », *op. cit.*
8. D. Taylor, R. Gould et P. Brounstein, « Effects of Personalistic Self-Disclosure », *Journal of Personality and Social Psychology,* 7, 1981, p. 487-492.
9. J. Ford, « The Temperament/Actualization Concept », *Journal of Humanistic Psychology,* 35, 1995, p. 57-77.

10 J. Gottman, *Marital Interaction: Experimental Investigations,* New York, Academic Press, 1979.
11. A. Aron et E. Aron, « The Self-Expansion Model of Motivation and Cognition in Close Relationships », *The Handbook of Personal Relationships,* 2e édition, sous la dir. de S. Duck et W. Ickes, Chichester (R.-U.), Wiley, 1996.
12. N. Glenn, « Quantitative Research on Marital Quality in the 1980s : A Critical Review », *Journal of Marriage and the Family,* 52, 1990, p. 818-831.
13. H. Markman, F. Floyd, S. Stanley et R. Storaasli, « Prevention of Marital Distress : A Longitudinal Investigation », *Journal of Consulting and Clinical Psychology,* 56, 1988, p. 210-217.
14. C. Reissman, A. Aron et M. Bergen, « Shared Activities and Marital Satisfaction », *Journal of Social and Personal Relationships,* 10, 1993, p. 243-254.
15. Wiesenfeld, *et al.,* « Individual Differences among Adult Women in Sensitivity to Infants », *op. cit.*

Chapitre 8

1. J. Braungart, R. Plomin, J. Defries et D. Fulker, « Genetic Influence on Tester-Rated Infants Temperament as Assessed by Bayley's Infant Behaviour Record », *Development Psychology,* 28, 1982, p. 40-47.
2. J. Pennebaker, *Opening Up : The Healing Power of Confiding to Others,* New York, Morrow, 1990.
3. « Update on Mood Disorders : Part II », *The Harvard Mental Health Letter,* 11, janvier 1995, p. 1.

Chapitre 9

1. N. Solomon et M. Lipton, *Sick and Tired of Being Sick and Tired,* New York, Wynwood, 1989.
2. C. Nivens et K. Gijsbers, « Do Low Levels of Labour Pain Reflect Low Sensitivity to Noxious Stimulation ? », *Social Scientific Medicine,* 29, 1989, p. 585-588.
3. Peter J. Kramer, *Prozac : Le bonheur sur ordonnance,* trad. de l'américain par M.-F. Fauchet, Paris, First, 1994.

4. S. Suomi, « Uptight and Laid-Back Monkeys : Individual Differences in the Response to Social Challenges », *Plasticity of Development,* sous la dir. de S. Branch, W. Hall et E. Dooling, Cambridge (Mass.), MIT Press, 1991, p. 27-55.
5. S. Suomi, « Primate Separation Models of Disorder », *Neurobiology of Learning, Emotion, and Affect,* sous la dir. de J. Madden IV, New York, Raven Press, 1991, p. 195-214.
6. M. Raleigh et M. McGuire, « Social and Environmental Influences on Blood Serotonin and Concentration on Monkeys », *Archives of Psychiatry,* 41, 1984, p. 405-410.
7. M. Raleigh, *et al.* « Serotonergic Mechanisms Promote Dominance Acquisition in Adult Male Vervet Monkeys », *Brain Research,* 559, 1991, p. 181-190. En réalité, les primates les plus proches des humains, soit les chimpanzés bonobos, se dominent très peu les uns les autres. La relation entre la sérotonine et la dominance est déformée par de nombreux préjugés d'origine culturelle.
8. P. Breggin et S. Breggin, *Talking Back to Prozac,* New York, St. Martin's Press, 1994.
9. *Id.,* p. 69-71.
10. J. Ellison et P. Stanziani, « SSRI-Associated Nocturnal Bruxism in Four Patients », *Journal of Clinical Psychiatry,* 54, 1993, p. 432-434. Dans de rares cas, on a également attribué le suicide et une forme de violence aux effets du Prozac.
11. Pour la source et les critiques connexes, voir Kramer.
12. J. Chen et R. Hartley, « Scientific Versus Commercial Sources of Influence on the Prescribing Behaviour of Physicians », *American Journal of Medicine,* 73, juillet 1982, p. 5-28.
13. P. Breggin et S. Breggin, *op. cit.* p. 184.
14. *Id.,* p. 95
15. Peter J. Kramer, *op. cit.*

Chapitre 10

1. R. Moore, « Space and Transformation in Human Experience », *Anthropology and the Study of Religion,* sous la dir. de R. Moore et F. Reynolds, Chicago, Centre for the Scientific Study of Religion, 1984.

2. M. von Franz et J. Hillman, *Lectures on Jung's Typology,* Dallas, Spring, 1984, p. 33.
3. V. Frankl, *Découvrir un sens à sa vie,* trad. de l'anglais par C. J. Baron, Montréal, Éditions de l'Homme, 1988.
4. E. Hillesum, *Une vie bouleversée ; Journal 1941-1943,* trad. du néerlandais par Ph. Noble, Paris, Seuil, 1985.
5. *Ibid.*
6. M. Sinetar, *Ordinary People as Monks and Mystics,* New York, Paulist Press, 1986, p. 133.
7. V. Frankl, *op. cit.*
8. C. Jung, *Les types psychologiques, op. cit.*
9. Hillman et von Franz, *Jung's Typology,* p. 1-72.
10. *Id.,* pp. 33-35.
11. *Id.,* p. 13.
12. *Id.,* p. 68.
13. C. Jung, *L'Homme et ses symboles,* trad. de l'anglais, Paris, Laffont, 1964.
14. C. Jung, *Synchronicité et Paracelsica,* trad. de l'allemand par C. Maillard et C. Pflieger-Maillard, Paris, Albin Michel, 1988.